太平洋を渡った杉原ビザ

バンクーバー新報 企画・編

高橋文 編著

THE SUGIHARA VISA,
ACROSS THE PACIFIC

カウナスからバンクーバーまで

日枝丸船上のユダヤ系避難民

1941年（マイケル・デイレス 提供）

本書収録バンクーバーに住んだ「杉原ビザ」受給者5人。
ゾシア・ブルマン（最上段左から3人目、24頁）
ナテック・ブルマン（ゾシアの右斜め前、写真中央、24頁）
ジャック・デイレス（2列目左端、80頁）
ブワディスワフ・リクテンバウム（同列左から2人目、ベレーの男性、89頁）
ミェチスワフ・リクテンバウム（同列右端、89頁）

「杉原ビザ」受給者と日本人

神戸 1941年（ミシェル・ロゼンブルム、ピエール・エリオット・ロザン 提供）

ミエテック・ランペルト（左から２人目、167 頁）
セム・ロゼンブルム（右端、同頁）

神戸滞在中のユダヤ系避難民

1941年5月（ブルマン家 提供）

ナテック・ブルマン（左から2人目、24頁）　ボルフ・ベイレス（2 列目右から2人目、41頁）
サーシャ・ボランスキ（最前列で腕を組んでいる男性の左後ろ、162頁）

第二次世界大戦前までのポーランド・リトニア国境線

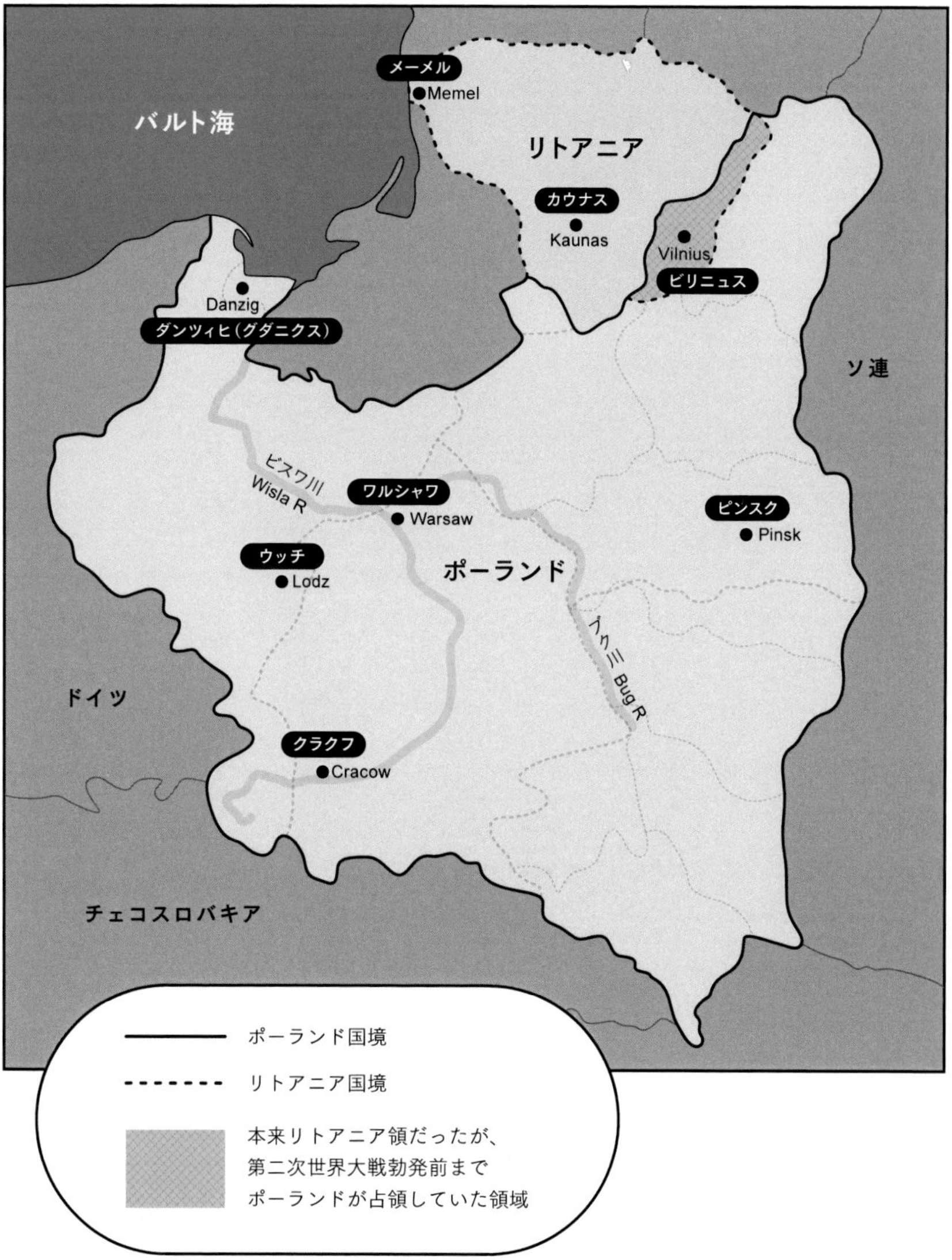

「杉原ビザ」受給者のカウナスからバンクーバーまでの逃亡経路

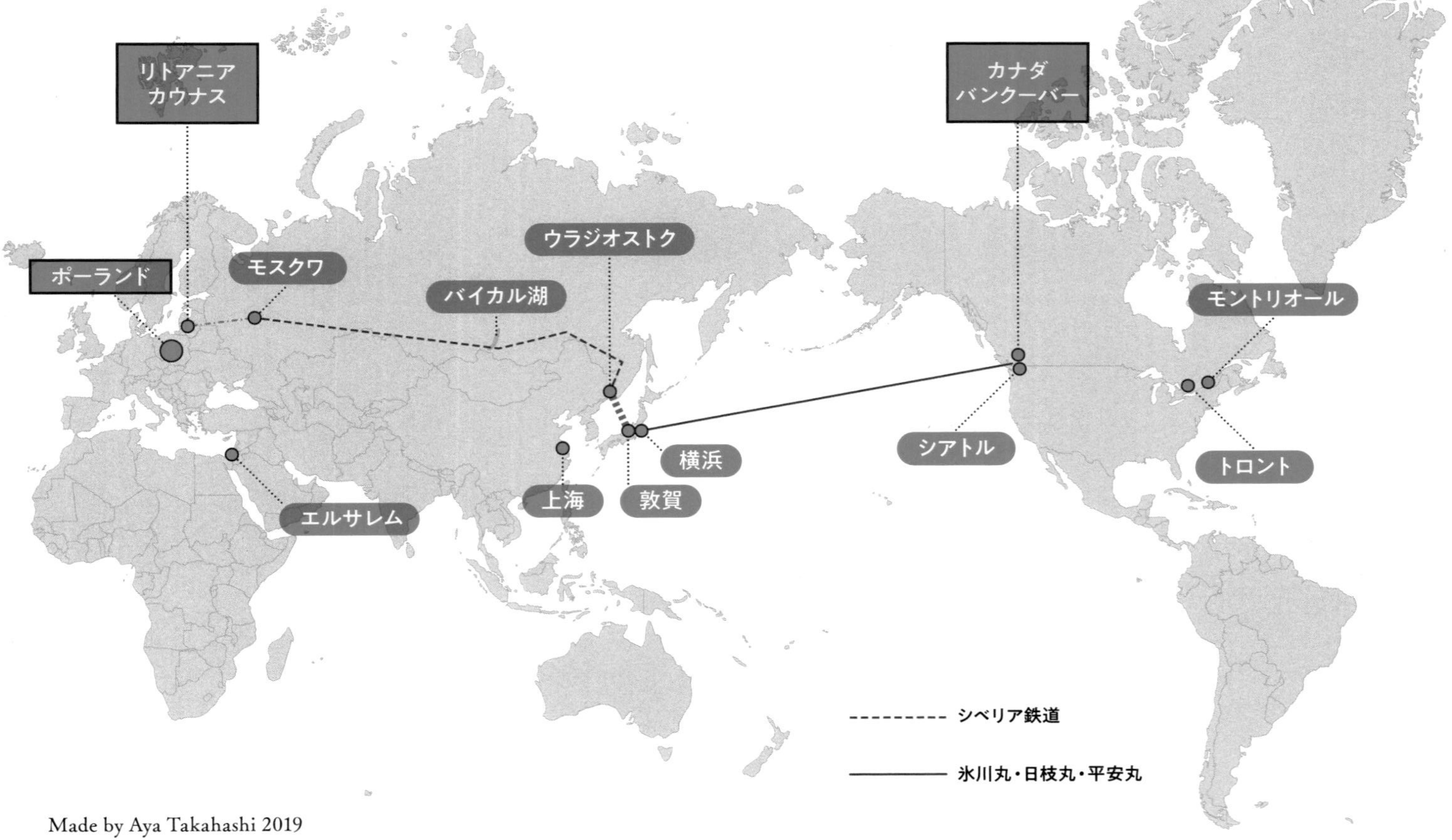

Made by Aya Takahashi 2019

目次

はじめに　バンクーバー新報社　社主・津田佐江子……12
プロローグ　取材の始まり　カナダから見た「杉原ビザ」……15

Ⅰ　ビデオ収録の七家族

1　カナダまでの長い道のり　生き延びることを可能にしたビザ……24
recollection 記憶　ロレックとダンカ、その後……30
2　汽車に飛び乗った母　発車間際に出たソ連出国許可……31
record 記録　「杉原リスト」二番だったモーゼス……37
3　戦禍の中、懸命に生きた父　写真で知った「杉原ビザ」受給……41
4　バイタリティあふれた両親　乳児抱えて必死の逃亡……45
recollection 記憶　フェデルマンを捜せ……50
5　感謝を胸に日本とビジネス　輸出入で成功……53
6　偽造書類で救われた命　見逃してくれたソ連秘密警察……58
7　兄弟別れて渡った国　カナダへ、オーストラリアへ……64
episode.1　戦後カナダ、日系を助けたユダヤ系　自らの判断で援助……70

II　ブリティッシュ・コロンビア州　バンクーバー

1　家族再会を果たしたバンクーバー　グランビル通りのデイレス靴店……80
record 記録　ジャック・デイレス、靴修理業に着手……86
2　それでも、「わが街ワルシャワ」　バンクーバーに来た同郷たち……88
record 記録　八月三一日、ホテル・メトロポリスで発給されたビザ……95
3　白いコート着て雪の国境越え　今も目に浮かぶあの時の光景……98
memory 思い出　ワルシャワ、かつて父が住んだ街……105
4　ユダヤ系ではなかったビザ受給者　迫りくる脅威を前に逃亡……108
episode.2　見えざる糸　命の杉原ビザとバンクーバーまでの旅路……113

III　オンタリオ州　トロント・オタワ

1　奇跡のような展開で果たした逃亡　リトアニア密入国失敗、再挑戦……118
2　肌身離さず持った「命のビザ」　テープで貼りつないだ国籍証明書……125
record 記録　「杉原ビザ」受給者が太平洋を渡った船……132
3　在ソ連大使館交付の渡航証明書　避難民を助けた外交官たち……138
memory 思い出　ヘニエックが見た神戸……146
4　兄弟で店を構えたハルビン　千畝も暮らした街……150
episode.3　ロメル大使と避難民救済　在日ポーランド大使館員の奮闘……155

Ⅳ　ケベック州　モントリオール

1　敦賀、声をかけてくれた日本人　困っている若者助け恩返し……162
2　いとこの絆　ヨーロッパに戻ったビザ受給者……167
memory 思い出　二人のユダヤ人サムライ……173
3　親子にきた召集令状　父は日本からカナダへ、息子はヨーロッパの戦場……178
memory 思い出　祖父とヘブライ語……183
4　主義も逃走も共にした仲間　ビザ受給も連なって……185
record 記録　証言ビデオ書き起こしで分かった大伯父の生涯……191
5　二〇〇の命をもたらしたビザ　使命は社会貢献……195
episode.4　ユダヤ系避難民に閉ざされたドア　冷たかったカナダ政府……201

Ⅴ　太平洋は渡らなかったけれど

1　旅路の果てに着いたオーストラリア　阻まれたカナダ渡航……208
memory 思い出　神戸・桜・すずらん通り……216
2　日本を通過しなかったビザ受給者　トルコ経由で逃亡……220
episode.5　ホロコーストの記憶を残す、救命の勇気を讃える　杉原千畝について語るカナダの施設……225

VI　逃亡談

1　「逃亡」　ミハウ・ネイベルト……232
2　「思い出」より　ハリナ・カントー……243
3　「ナチスが来る前に」　ある家族の一風変わった放浪談　アルトウル・レルメル……263

エピローグ　取材を振り返って　時空を超え一緒に目指した東の方角……295

おわりに……308

参考文献……315

はじめに

今、私の目の前に一九九六年一月一一日発行の「バンクーバー新報」がある。その一面に「命のビザを握りしめて」という大きな目立つタイトルの記事が掲載されている。

「夫がビザを持って帰って来た日、私たちは抱き合って喜びました。ビザを発行してくれた領事の名前もその時は分かりませんでした。けれどその日からあの方のことは忘れまいと話し合いました」

インタビューでこう語ったバンクーバー在住のスーザン(ゾシア)・ブルマンさんは、一九四〇年にリトアニア駐在の領事代理だった杉原千畝氏の発給した日本通過ビザを握りしめ敦賀に上陸。神戸にいったん落ち着いた後、カナダに渡った。

この記事の後に、杉原氏の勇気のある行為を讃《たた》える記念写真展「命のビザ」が一月一四日から三月二八日までバンクーバーのユダヤ人コミュニティー・センターで開催されるという告知が掲載されている。私は、当時この記事を読むまで「杉原ビザ」のことは知らなかった。

「バンクーバー新報」は、バンクーバーの日系コミュニティーで戦後初めての日本語新聞として一九七八年に創刊され、今年で四二周年を迎えた。現在はカナダ国内で唯一の日本語新聞(無料紙を除く)となった。

歩んできた四〇数年の前半で、「杉原ビザ」の話題を取り上げていたことは、偶然ではなかったような縁を感じる。

その記事掲載から二一年経った二〇一七年の一月から一二月まで二五回にわたり「太平洋を渡った杉原ビザ」と題して「バンクーバー新報」に再び「杉原ビザ」に関係する記事を連載する機会に恵まれた。この記事は、杉原千畝について書いたものではない。カナダ国内に点在して暮らしている「杉原ビザ」ゆかりの人々を記者がたずね直接取材して書いた記事である。

取材を受けた多くの人々が「あのビザがなかったなら私は今ここにいない」と語っている。

今日、世界には民族紛争、難民問題、環境汚染など、暗いニュースがあふれている。このような混迷の時代にあって、「杉原ビザ」を手にしてカナダをはじめとする国々に渡った人々のその後を紹介することで、苦難を乗り越え繋いできたかけがえのない「生命」の重たさと愛しさに想いを致す一助になれば幸いである。

本書は二〇一七年「バンクーバー新報」に連載した記事に加筆・修正を施したものである。

この本の出版をご快諾くださった杉原千畝の出身地である岐阜県の岐阜新聞情報センター様に心から感謝のお礼を申し上げげたい。

バンクーバー新報社
社主　津田佐江子

プロローグ

取材の始まり

カナダから見た「杉原ビザ」

日本からカナダに着いた「杉原ビザ」受給者

カナダには、「杉原」という日本の姓が特別な響きに聞こえる人々がいる。一九四〇年夏、リトアニアの在カウナス日本領事館で、領事代理・杉原千畝《ちうね》が発給した日本通過ビザ、いわゆる「杉原ビザ」を手に、カナダまで逃亡してきたユダヤ系避難民だった人たちとその子孫らだ。

カナダは、米国・オーストラリア・パレスチナ・南米の国々などと並び、「杉原ビザ」受給者が日本を通過し最終目的地として到着した国の一つだ。

当時、神戸ユダヤ協会と協力して避難民らの世話をしていた米国ユダヤ人共同配給委員会の調べによると、一九四〇年七月から四一年一一月の間に日本からカナダへ渡ったユダヤ系避難民は二〇六人となっている。*[1] その中には、「杉原ビザ」受給者が含まれている。

実際、名乗り出る同ビザ受給者や子孫が少なからずいる。今もビザを保存している家族がある。

杉原が作成したカウナスでの日本通過ビザ発給表、いわゆる「杉原リスト」で、親族の名前をさがす人々。

彼らに会ってみると一様にこう言う。

「あの時スギハラがビザを発給してくれたおかげで、私と私の家族が今ここにいる」

受給者にポーランド国籍ユダヤ人が多かった理由

一九四〇年七月から四一年一一月、日本経由でカナダへ来たユダヤ系避難民二〇六人の国籍の内訳は、ポーランド一八六人、ドイツ八人、その他一二人となっている。一方、「杉原リスト」に打ってある発給番号二一三九までの国籍の九割以上はポーランドだ。*2

ポーランドは戦前、ヨーロッパでは最多の約三三〇万のユダヤ系人口を抱えていた。*3（そのうち

---

*1 "Emigration from Japan, July 1940-November 1941" from the "Report of the Activity of the Committee for Assistance to Refugees" compiled by the Jewish Community (Jewcom) in Kobe, 1942. The United States Holocaust Memorial Museum, Photograph Number: 30248A. https://collections.ushmm.org/search/catalog/pa1117689

*2 「杉原リスト」1から2139番までの国籍別人数は以下の通り。（筆者調べ）
ポーランド1993、リトアニア53、ドイツ43、チェコスロバキア23、英国11、リトアニア／ソ連7、オランダ3、ルクセンブルク3、カナダ3、米国1。
注1）1160番には1160aも、1915番には1915aもある。1395は欠番。従って、実際には2140人の名前の記載がある。
注2）リストの29頁は、1791から1861番まで71人の受給者名が記載されている。国籍は、1791から1809番までポーランド国籍。1810番はリトアニア国籍で、以下最後の1861番まで国籍は同様の印〃が記され、52人がリトアニア国籍のように見える。しかし、筆者の調査によると、1811番は実際にはポーランド国籍で、以下この頁最後までに同国籍が少なくとも15人含まれている。従って、リトアニア国籍は1810番だけで、あとの51人はポーランド国籍と判断して数えた。

*3 World Jewish Congress, "Poland, History" http://www.worldjewishcongress.org/en/about/communities/PL

三〇〇万人がホロコーストの犠牲となった。)[*4]

一九三九年八月二三日、ドイツとソ連が不可侵条約を締結。世界中に緊張が走る。独ソはこの条約で秘密裏に、東欧一帯を二国で分割占領するとしていた。

翌二四日、英国とフランスが、独ソの条約に対抗し、ポーランドと相互援助条約を締結。ポーランドが第三国から攻撃を受ければ参戦すると約した。

九月一日、ドイツがポーランドの西から侵攻。二日後、英国とフランスがドイツに宣戦布告。第二次世界大戦が勃発した。

後に「杉原ビザ」受給者となりカナダに来たポーランド国籍ユダヤ系の人々は、この時、どこでどうしていたのだろうか。

「八月三一日、不気味な気配を感じたので、ドイツ国境とは反対方向のポーランド南東部へ向かう列車に乗って町を出た」

「ラジオから、ワルシャワ市民は退避するようにという警告が流れたので、家族全員、車に乗って逃げた」

「政府がラジオを通し、兵役年齢の男性はポーランド軍の新部隊に加わるようにと命令したので東部地方へ出発した」


ドイツ軍の進撃は速かった。汽車に乗って反対方向に逃げても、たちまち追いつかれ空爆に見舞われる。ワルシャワから郊外への道は、徒歩・馬車・車で逃げようとする人々が川のうねりのようになって続いている。そこをドイツ軍が空から襲う。やがて、ワルシャワに引き返そうとする人々で道はさらにごった返す。

ポーランド軍に加わるため東部地方へ発った男性たちは、結局、新部隊など作られることはないと分かってくる。しかし、ドイツ軍がばく進してくる西へ向かっては引き返せない。

開戦早々、ポーランド政府はワルシャワから移動。そのうちフランス、英国ロンドンへと逃れ「亡命政府」となる。

九月一七日、ドイツと不可侵条約を結んでいたソ連が、東からポーランドに侵攻。ポーランドは、あっけなく独ソに分割占領された。

一方、避難民となったユダヤ系ポーランド人の多くは、東隣の中立国リトアニアのビリニュスへと流れ着く。

本来、同国の首都であったビリニュスは、戦前からポーランドにより占領されていた。「リトアニアのエルサレム」とも呼ばれ、多くのユダヤ人が住み、ユダヤ文化にあふれ、関連教育機関がいくつもあった。首都ビリニュスがポーランドにより長らく占領されていたので、政治や外交など首都機能はリトアニアの別の街カウナスに移っていた。そこで、リトアニアに逃げ込んだ避難民の中には、カウナスへ行き書類を整え、ヨーロッパ脱出を図ろうとする人々がいた。

「父がビリニュスからカウナスに何度か行った」と、当時一〇代だった「杉原ビザ」受給者の家族が言う。

一九四〇年六月、ソ連がリトアニアに進駐。八月、併合。ソ連からの命令で、各国公館は次々と閉館。しかし、日本領事館は開いていた。七月下旬以来、領事館に押し寄せたポーランドからのユダヤ系を主とする避難民に日本通過ビザを発給していたのだ。[*5]

---

*4　Martin Gilbert, *Atlas of the Holocaust*, London, Michael Joseph, 1982, p. 244.

*5　杉原幸子『六千人の命のビザ・新版』大正出版、１９９８年、第1章。

ポーランド人ばかりではない。リトアニアや他の国々からのユダヤ系の人々も、ヨーロッパ脱出の最後の望みをかけ、カウナスの日本領事館前に並んだ。こうして、杉原領事代理による日本通過ビザ大量発給へと事態が動いたのである。

逃亡の果てに着いたカナダ

日本通過ビザは手に入れたが、ビザ受給者らはその後も次々と難題に襲われる。

日本へ渡るためにはソ連を横断して極東の港町ウラジオストクに至らねばならない。そのため必要なソ連占領下リトアニアからの出国ビザやソ連通過ビザを、ソ連秘密警察（ＮＫＶＤ）が潜む同国当局で得なければならない恐怖。ソ連横断のため乗車するシベリア鉄道の切符は、一人二〇〇ドル（当時）という高額を米ドルで支払わねばならない驚き。パスポート・身分証明書・最終目的国のビザなどを持たず、書類不備のまま日本へ向かう不安。限られた日本滞在期間中に最終目的国のビザを得なければならない焦り。

一方、当時カナダはユダヤ系避難民に対して、厳しく門戸を閉ざしていた。それでも、限られた可能性を手繰り寄せ、戦中のみ滞在が可能なカナダ入国ビザを獲得した避難民らは、神戸や横浜の港から日本郵船の氷川丸・日枝丸・平安丸に乗船。太平洋に出て、カナダ西海岸の港バンクーバーを目指した。

「杉原ビザ」受給者が日本から直接カナダに入国したのは、知りうる限りでは一九四〇年九月中旬以降始まり、四一年八月初旬まで続いた。*6

バンクーバーの七家族とビデオ制作

二〇一一年、カナダ、バンクーバー近郊に住む私は、岐阜県八百津町にある杉原千畝記念館との交流を通し、バンクーバーに住む「杉原ビザ」受給者や子孫たちからメッセージをとの依頼を受けた。

翌年一月、バンクーバー市内で開催された映画「命のビザ」(加藤剛・秋吉久美子主演)上映会で、同ビザ受給者の子孫の一人ジョージ・ブルマンさんと出会った。杉原千畝記念館からの依頼について相談すると、バンクーバーには他にも「杉原ビザ」受給者の子孫がいると言う。そこで、彼らにビザ受給者の逃亡談や、日本通過ビザへの感慨などを話してもらいビデオ収録することを企画した。

ブルマンさんから紹介してもらった六家族それぞれに打診すると、全員から、ビデオ収録「参加」の声が打てば響くように返ってきた。「とても大切なこと」「協力を惜しまない」との励ましも添えられていた。

撮影には、ワーキング・ホリデーでバンクーバー滞在中の服部節子さんが、日本の職場での経験を生かし貢献してくれた。日本語新聞「バンクーバー新報」を刊行しているバンクーバー新報社が、コンピューターやビデオ編集ソフトの使用を許してくれ、同社内でデータ編集を行うことになった。こうして、二〇一二年九月、「チウネ・スギハラへのメッセージ」と題した七家族ごと、合計三時間のビデオが完成した。

ビデオは八百津町の杉原千畝記念館へ寄贈。また、イスラエル国立ホロコースト記念館ヤド・バシェム、バンクーバー・ホロコースト教育センター、バンクーバー海洋博物館、モントリオール・ホロコースト博

*6 「杉原リスト」で2番のモーゼス・カプラン(本書37頁)は、1940年8月の福井新聞での報道や、モーゼスの親戚一家のカナダ到着時期などを考えあわせると、同年9月中旬から10月初旬までにカナダに到着している。日本郵船株式会社『七十年史』、1956年、279、280頁。1941年7月17日、横浜出帆の平安丸が「杉原ビザ」受給者を乗せバンクーバーに向かった最後の船になった。ただし、同船は米国シアトル止まりとなり、乗船客はカナダ船に乗り換え、8月2日、バンクーバー到着。以降、日本郵船のシアトル線は休止となった。

ビデオ収録7家族から集まった32人と制作者・高橋文（中央）2012年11月（ブルマン家 提供）
32人の内訳：両親に連れられリトアニアから逃亡した2人、直系の子孫19人、残る11人は配偶者。

物館への贈呈もかなった。

以来、カナダに到着した「杉原ビザ」受給者に関する情報が、Eメールで続々と私に送られてくるようになった。「スギハラからのビザを保存している」「両親が日本人外交官からビザをもらった」「他にもビザ受給者を知っている」「戦中、日本から上海に渡って住んだ」等々。

かくして、日本の約二六倍の国土、国内に六つの時間帯をもつ広大なカナダを横断・縦断しての取材が始まった。ネットワークはそのうち米国・オーストラリア・ヨーロッパの国々へと広がり、世界地図を頭に描きながらのEメール交信を重ねた。これらの情報を本書でまとめ、記録として残せるなら本望だ。

I

ビデオ収録の七家族

カナダまでの長い道のり

生き延びることを可能にしたビザ

ワルシャワ脱出

一九四一年七月九日、カナダ西海岸の港バンクーバーが見えてきた。太平洋を二週間かけ横断した船旅だった。緑濃い半島と山並みが近づいてくる。絵のような自然を船の上から眺めながら、ナテック・ブルマンと妻ゾシアは何を考えていたのだろうか。やっとたどり着く安全な場所での新しい生活についてだろうか。それとも、二年近くに及んだ恐怖と不安に満ちた逃亡の日々についてだろうか。

ナテックは一九一四年一〇月一〇日、ゾシアは同二〇年九月一日、共にポーランドのワルシャワで、裕福なユダヤ人家庭に生まれた。ナテックの家族は食品加工業を、ゾシアの家族は衣料品業を営んでいた。ナテックは家業に役立つようにと、ワルシャワの大学で農業技師になるための勉強をして、三八年六月、卒業した。

一九三九年、高校を終えたゾシアが一九歳の誕生日を迎えた九月一日、ワルシャワは早朝から大爆撃に見舞われた。西隣ドイツによるポーランド侵攻開始だった。二日後、ポーランドと相互援助条約を結んでいた英国とフランスがドイツに宣戦布告。第二次世界大戦が勃発した。

ポーランド政府はワルシャワ市民に、特別な任務にある者以外は、街から退避するようにと警告する。続々と逃げ始めた人々の群れが、川の流れのようになり街から反対方向へと動いていく。ナテックも兄ロレックと彼の妻ダンカとそのうねりに加わった。

ナテックから、一緒に逃げようと誘われていたゾシアは、父親から二週間だけという許可をもらい彼の後を追った。再会した二人は、結婚。兄夫婦と共に、ポーランドの東隣の中立国リトアニアへと逃亡を続けた。ゾシアがワルシャワに戻ることは二度となかった。

日本通過ビザ受給

九月一七日、ドイツに続きソ連がポーランドの東側から侵攻。ポーランドは、独ソに分割占領された。さらにソ連は翌四〇年六月一六日、リトアニアへ進駐する。その頃には、ポーランドから一万五千人ものユダヤ系避難民がリトアニアに流れ込んでいた。[*1]

日増しに濃くなるソ連の影に、リトアニアに吹き溜まった避難民らの脳裏には「共産主義体制」「シベリア送り」という言葉がちらつくようになる。

「ここから脱出しなければ」。こう考え、避難民たちは目的地となる国のビザを求め、カウナスにある各国公館を訪ね回った。

「オランダ領事が、カリブ海にあるキュラソー島のビザを出す」「日本領事館で通過ビザを発給している」。うわさは瞬く間に避難民たちの間に広まる。

ロレックとダンカは七月三一日、日本通過ビザを受給した。[*2]

---

*1 *Flight and Rescue*, Washington, D.C., United States Holocaust Memorial Museum, 2001, p.21.
*2 「杉原リスト」で、ロレックは516、ダンカは515番。

八月三日、リトアニアを併合したソ連は、在リトアニアの各国公館に向け、同月二五日までに国外退去するよう命じた。

ロレックから日本通過ビザの話を聞いたナテックも、八月九日、持っていたパスポートにビザを受給する。[*3] そのパスポートにはゾシアが含まれていた。

日本での滞在

日本へは、ソ連を横断し、極東の港町ウラジオストクから船に乗る。シベリア横断鉄道の切符は、ソ連国営旅行会社「インツーリスト」で購入しなければならない。しかし、高額なうえ米ドルでの支払い。ナテックとゾシアが持っている額だけでは無理だ。二人で「インツーリスト」へ行き、ありったけのドルを係員に見せる。交渉の末、なんとか切符を売ってもらえた。

ウラジオストクからの船は敦賀港に着いた。汽車に乗り、四一年二月二日、神戸到着。ようやく一息ついた。

二人は、逃亡中に通ったどの場所よりも清潔な神戸の街に感心する。食事も、時には西洋料理が楽しめた。しかし日本には通過ビザで滞在しているだけ。いずれ出なければならない。

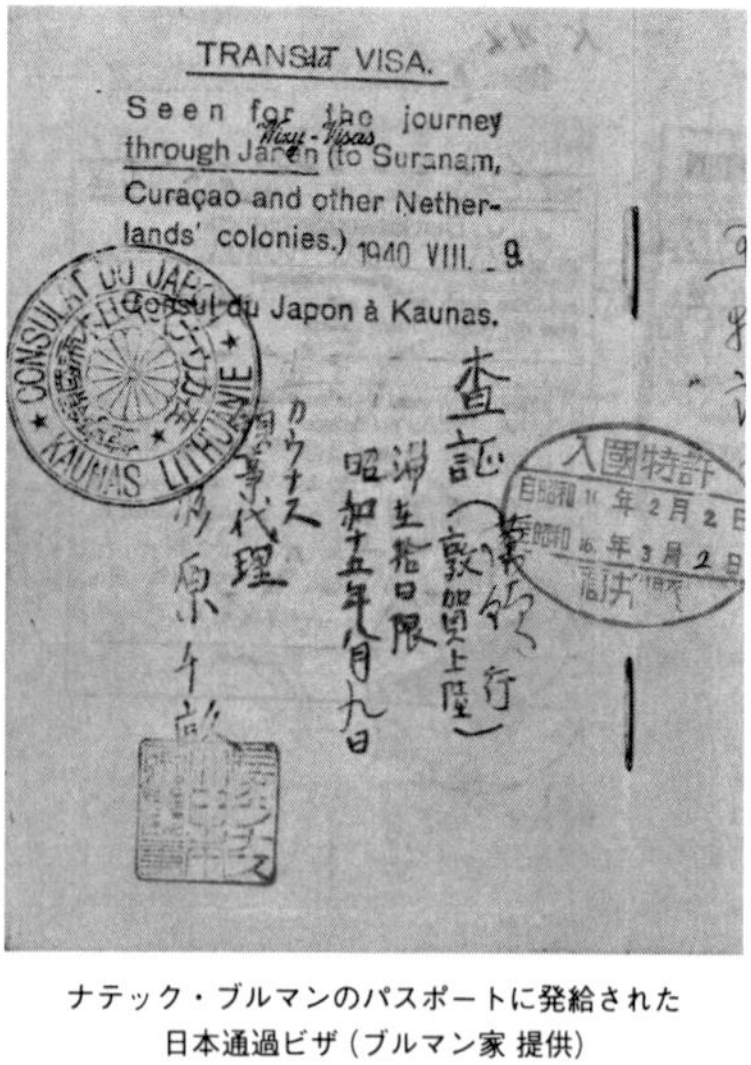

ナテック・ブルマンのパスポートに発給された
日本通過ビザ（ブルマン家 提供）

カナダで生活再建

ナテックは最終目的国のビザを得ようと、神戸と東京の間を何度か往復した。ある日、知り合いから、カナダ公館で専門職を対象に二五人分のビザを発給していると聞く。幸い、農業技師の資格をもっているナテックは受給することができた。しかし、一人分だけだ。そこで、ゾシアを伴って再度出向き懇願。領事を説得し、戦中だけ有効なカナダ入国ビザを二人分受給した。

一九四一年六月二六日、二人は横浜から日枝丸に乗船。七月九日、カナダの西玄関バンクーバーに着いた。手元に残っていたのは四〇ドルだけ。家族も友人もいない国。英語はほとんど話せなかった。

ナテックは、いくつかの職を経た後、カナダ軍に加わる。戦中、同軍にいたことと、戦後、カナダ政府が移民受け入れ方針を変更したことで、二人は戦後もカナダにとどまることが許された。

ナテックはブリティッシュ・コロンビア大学で農業

*3 「杉原リスト」1569番。

ナテック（後列左から2人目）ゾシア（ナテックの右斜め前）
ユダヤ系避難民らと 神戸 1941年（ブルマン家 提供）

の勉強をしなおし、食品製造技術の学位を取った。卒業後、カナダ厚生省で生化学者として働く。ゾシアは、バンクーバーの婦人服店で働いた。息子が二人、娘が一人誕生した。

長男のジョージ・ブルマンさんは、父親が杉原千畝から日本通過ビザを受給したことに、「感銘を覚える。身に降りかかるかもしれない危険を予想しながらも決断したスギハラの例は、私にとっての指針」と話す。

次男のボブは、「人生では岐路に立つことが何度かある。その都度どういう選択をすべきかをスギハラは私に教えてくれている。私も人の役に立つような選択をしたい」と言う。

ジョージは、「勇気ある決断のおかげで私の両親の命が救われたことは、家族にとって大切な歴史。私はその話を聞きながら育ち、私の子どもたちに語り、孫たちにも話すつもりです。彼らからさらに先の世代へと語り継がれていきます」

ブルマン家では、毎年春、「過越《すぎこし》の祭《まつり》」*4の晩餐《ばんさん》で家族が集まる時、杉原千畝をしのぶことにしている。

ナテックとゾシア
バンクーバーに着いてしばらくして（ブルマン家 提供）

ジョージが、「スギハラに敬意を表し、私の孫の一人はアリ・センポ・ブルマンと名付けられた」と教えてくれる。「センポ」とは、杉原が自身の名前「千畝《ちうね》」を外国人が呼びやすいよう「センポ」と音読みで紹介したことにちなんでいる。

ボブが言葉を添えた。

「私の家族は、スギハラがビザを発給した話をこれからも讃《たた》えていきます。私の両親の入国と滞在を許してくれた日本の方々にも感謝します。日本でも末永くスギハラの人道的行為を語り続けてください」

*4 古代エジプトで、過酷な労働を課せられたりして苦難にあったイスラエル人が、モーゼの先導でエジプトからパレスチナへと脱出した。（旧約聖書「出エジプト記」）過越の祭は、この故事を祝う春祭り。

ボブ・ブルマンさん
バンクーバー7家族ビデオ撮影時
2012年8月（筆者 撮影）

ジョージ・ブルマンさん
岐阜県八百津町 杉原千畝記念館にて
2013年5月（筆者 撮影）

recollection
［記憶］

ロレックとダンカ、その後

ロレック・ブルマンとダンカ・ワパッチ
撮影時期・場所不明（ブルマン家 提供）

ナテック・ブルマンがワルシャワから一緒に逃げた兄のロレック・ブルマンと、彼の妻ダンカ・ワパッチも「杉原ビザ」を受給した。

ダンカは、ユダヤ系ではなかったので、ロレックらがドイツ占領下ポーランドを逃亡する際に役立った。

ロレックとダンカは、日本到着後、オーストラリアに渡り、さらに、ニュージーランド、キューバへと移動。その後、米国ニュージャージー州に移住した。

ナテックの長男ジョージ・ブルマンさんによると、正確な日付は分からないが、ロレックは一九七〇年代に亡くなった。

汽車に飛び乗った母

発車間際に出たソ連出国許可

思い出をおいて出発

玄関のドアが開くと、くるりとした目の顔が待っている。一九三九年に撮った写真の中の活発そうな少女の顔と、今、家の中へ迎え入れてくれるノーミの顔はあまり変わらないような気がする。そう話すと、ノーミは愉快そうに、目をさらにくるりとさせる。

ノーミ・カプランさんは、一九三三年一二月、リトアニアのメーメルで生まれた。現在、クライペダと呼ばれるバルト海に面した海港都市だ。ユダヤ系の家庭で、父ベルナルド、母ナディア、兄イゴルとノーミは、海辺に立つ瀟洒《しょうしゃ》な家に住んでいた。

父は実業家で、リトアニアのたばこ産業の重役。母は写真撮影に興味があり、肖像写真の撮り方を勉強していた。兄は学校に、ノーミは保育園に通っていた。

「逆立ちしてアクロバットのようなことをして遊んだり、楽器を弾いたり、歌ったり」とノーミは思い出す。メーメルは安全な町だったので、家の近くであれば子どもだけで歩くことができた。

しかし、「メーメル」という街の名はもともとドイツ名。ドイツ支配下の時期もあり、ドイツ人も多かった。ナチス・ドイツの影がメーメルにも及んできて、ヒトラーが反ユダヤ主義であることを聞いたノーミの両親は、住み慣れた街を出ることにした。

カプラン一家は車に乗って町から町へと移動する。その途中、通りに沿った窓にはナチス・ドイツの旗や写真が飾られ、ドイツ軍の到来を歓迎する準備が進んでいた。

一家はリトアニア内陸部の街カウナスまで来た。ノーミは、家族で旅している理由を知らない。両親も兄も、ノーミが怖がらないようにと気をつけていたからだ。

一九三九年三月、メーメルは再びドイツ領となる。

車の窓から「杉原ビザ」

一九四〇年六月、ソ連がリトアニアに進駐。同年八月、併合。

その頃、ノーミの母方の祖父母はカナダにいた。ヨーロッパの情勢を見越し、一年前、リトアニアから農業従事者としてカナダに渡ってきていた。その際の条件として、未婚の子どもたちは連れてこられるが、既婚の子どもやその家族は連れてくることができなかった。そこで、六人いる子どものうち、既婚の長男モーゼスと長女ナディア以外の四人の未婚の子どもたちを連れて移民。オンタリオ州ウィリアムズタウンで農場経営を始めた。そこへ合流しようとノーミの両親は計画する。

ヨーロッパの西側では戦火が広がっている。カナダへ行くに

リトアニアのシャウレイにて 1939年（ノーミ・カプラン 提供）

（左から）兄イゴル 父ベルナルド ノーミ

（左から）母ナディア 兄イゴル ノーミ

は東側のソ連を横断し、日本を経由して太平洋を渡るしかない。

八月二九日、カプラン一家はカウナスの日本領事館を訪ねた。だが、領事館は閉まっている。ソ連が各国公館に閉館を命令したからだ。ちょうど領事代理・杉原千畝一家が車で領事館を去るところだった。*5

杉原は、車の窓から父の安導券*6に日本通過ビザを発給してくれた。*7 その安導券にはイゴルとノーミの名前が載っている。

杉原は、ビザを発給した安導券を父に戻すと、今度は母の方に顔を向けた。杉原と母の目が合う。母が、「パスポートを持っていない」と言う。すると、杉原は肩をすくめ、去っていった。*8

懇願の末にソ連出国許可

安導券に日本通過ビザを受給し、さらにトルコ・パスポートを持つ父と、父の安導券に含まれているイゴルとノーミは、ソ連領リトアニアを出るのに問題はない。しかし、ソ連のリトアニア併合でソ連人となった母は、パスポートを持たず、父の安導券にも含まれていないので、ソ連出国許可が下りない。だが、どうしても家族と一緒に行きたい。

*5 ナディア・カプラン生前の証言録音テープによる。
*6 交戦国内を安全に通行するための保障書。
*7 カプラン、前掲録音テープによる。8月29日付ビザを受給したベルナルド・カプランの名前は「杉原リスト」に記載されていない。
*8 Documentary film "SUGIHARA Conspiracy of Kindness" Director: Robert Kirk, 1999. 杉原が肩をすくめて去っていったことをナディアが話している。

母は何度もソ連当局に足を運んだ。しかし、「なぜソ連を去りたいのか。ここでよい生活をしているではないか」と言われるばかり。

「子どもと一緒に行きたい」と懇願を重ねた。やっと発給されたソ連パスポートと出国許可書を手に、母が駆けつけたのはカウナスの駅。既に家族が乗車して待っている発車間際のモスクワ行き列車に飛び乗った。

シベリア横断鉄道での旅は、とても長かった。その間、ノーミとイゴルは小さな客室でじっとしていなければならなかった。両親は、子どもたちが何か事を起こして、汽車から降ろされるのを恐れていたからだ。

持てるだけの荷物を持って乗車

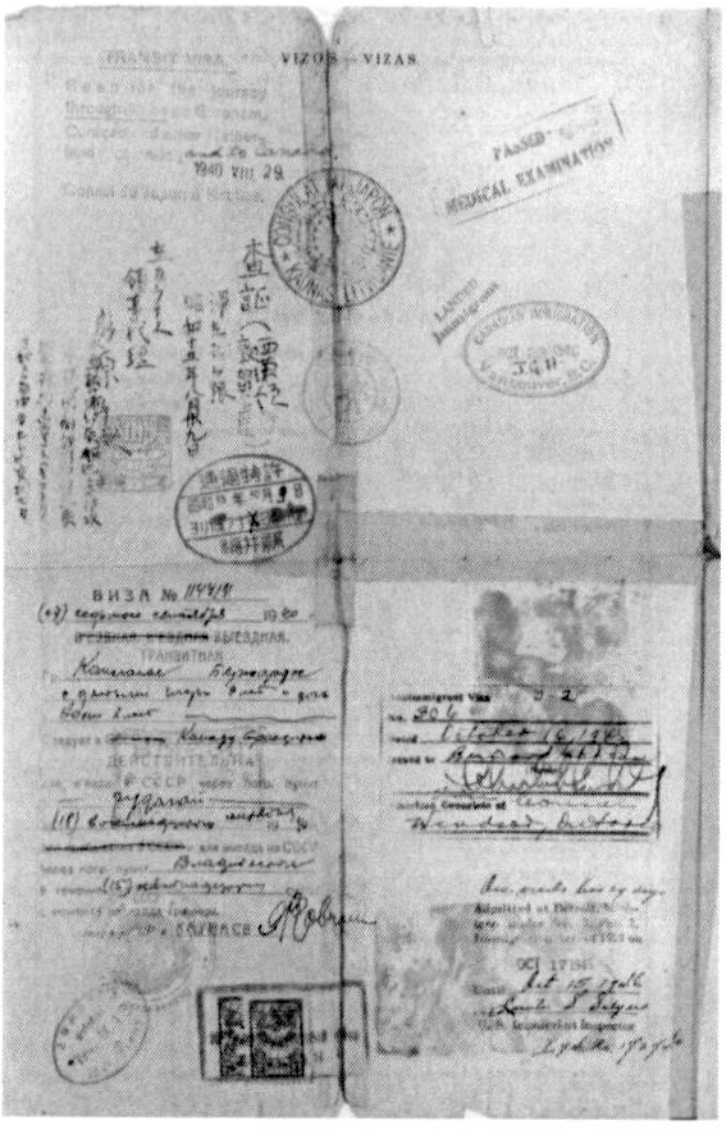

安導券の裏面に発給された「杉原ビザ」（左上）
ソ連出国／通過ビザ（左下）
カプラン一家がバンクーバー港に着いた1940年10月23日の日付のあるカナダ移民局のスタンプ（右上）

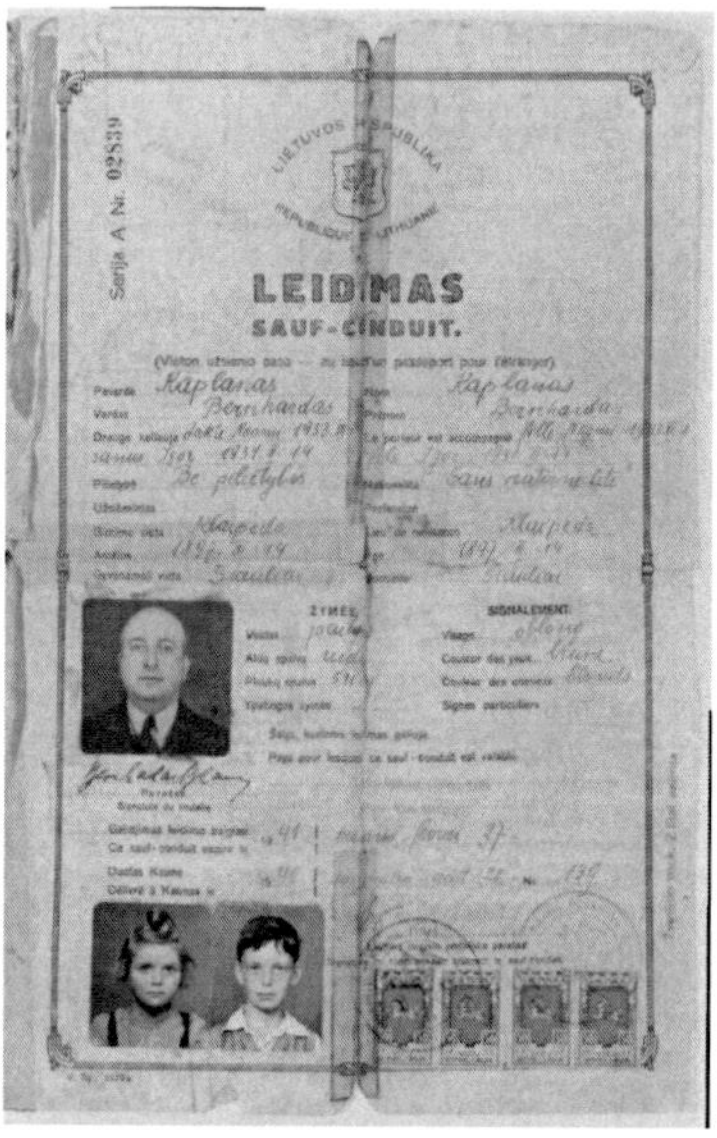

ベルナルド・カプランの安導券
（ノーミ・カプラン 提供）

したが、途中で取り上げられたり盗まれたり。ウラジオストクに着いた時には多くがなくなっていた。それでも、とにかく家族四人は一緒で無事だった。

家族で着いたカナダ

列車を降りると、カプラン一家はウラジオストク日本総領事館に向かった。ここで母は日本通過ビザを手に入れることができた。[*9]

港から乗った船で、一九四〇年一〇月九日、敦賀港に到着。ノーミが父に抱かれて船を降りると、見学していた日本人がノーミの髪に触れた。父がノーミに、「髪の色が違うから」と言った。「でも、怖くはなかった」とノーミは思い出す。

日本からカナダ船に乗り、同年一〇月二三日、バンクーバーに着いた。一家は、ノーミの祖父母らが待つオンタリオ州の農場を目指す。

一年後、ノーミ一家は農場を出て、同州ウインザーに移った。父が仕事を探す一方、母は写真撮影の腕を生かせないかと周囲の人々に相談する。すると、カメラやレンズなどを譲り受けることができた。母は写真館を開いた。

「私たち一家がウインザーでなんとか暮らせたのは、いろいろな人々からの親切のおかげ」とノーミは言う。

ノーミが杉原千畝や日本通過ビザについて知ったのは、ずっと後のことだ。当時は小さかったので、そ

*9 カプラン、前掲録音テープによる。

のビザが家族にとってなぜ必要かなど理解していなかった。しかし、シベリアを横断する汽車の旅が長かったこと、ウラジオストクでは大きなトラックが黒い排気ガスを出して走っていたこと、敦賀に着くと空気がきれいで思いきり息を吸うことができたことなどは子ども心にも覚えている。

現在、バンクーバーで暮らすノーミ。箱いっぱいに入った杉原千畝に関する記事や写真を披露しながらこう語る。

「ユダヤ人という理由で殺されるべきではない、助けてやりたいというスギハラの思いは、数千人の命を救い、子孫の誕生につながった。この世にはなかったかもしれない多くの命を救ったことは、歴史上ほんとうに素晴らしい出来事でした」

ノーミ・カプランさん（左）と娘のエイミーさん
バンクーバー 2018年2月（筆者 撮影）

モーゼス・カプラン 妻ソニア 息子アティッド
1934年（ノーミ・カプラン 提供）

record
［記録］

「杉原リスト」二番だったモーゼス

「モーゼス・カプラン」。杉原千畝が作成した日本通過ビザ発給表で、二番目に記載されている名前だ。モーゼスはリトアニア国籍で、ノーミ・カプランさんの母方の伯父だった。*10 ビザ受給は七月一五日。

モーゼスも、ノーミの両親が計画したように、既にカナダで生活している両親や弟・妹らに合流しようと、杉原から日本通過ビザを得て、妻ソニアと息子アティッドを連れリトアニアを出た。

三人の名前が載っている事例表を添付した書類が、外務省外交史料館に保存されている。一九四〇年（昭和一五年）九月一三日付け、内務省警保局長から外務省アメリカ局長宛て「欧州避難民に対する査証付与制限に関する件」*11で、次のような内容だ。

*10 母ナディアの姓は、婚前も「カプラン」。

*11 1940年9月13日付 内務省警保局長報告 外発乙第89号「欧州避難民に対する査証付与制限に関する件」、外交史料館所蔵。

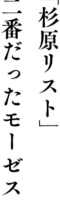

ヨーロッパからの避難民が増加してきている。その中には、避難先国の入国許可を取ることができると偽り日本通過ビザを得て来日。しかし実際には避難先などなく、そのまま日本にとどまろうとする者がいる。また、日本を経由して避難先国へ行くのに、日本までの乗船券しか持っておらず、目的地まで到達するための費用がない者がいて、取り締まりにいろいろ支障を来している。日本通過ビザ発給は、事前に内務省からの承認をとった者だけにしてほしい。また、避難先国までの乗船券・所用費用・避難先国政府からの入国許可を事前に取得していない者には絶対に日本通過ビザを発給しないでほしい。最近、敦賀港で取り扱った事例表を添付する。

事例表には六例が挙げられており、そのうちの一例がモーゼス・カプラン家についてだ。

[渡来日] 八月一〇日
[国籍] ユダヤ系　リトアニア
[職業] 農夫
[氏名（年齢)] モーゼス・カップマン（三四)、妻ソーネ（二四)、長男アジダス（七)
[所持金] 米貨二ドル、邦貨二円五〇銭、ウラジオストク東京間切符
[通過査証の月日および官職] 昭和一五年七月一六日、在カウナス帝国領事代理杉原千畝
[行先地] カナダ
[備考] カナダ移住者であるが同地入国査証は持たず、所持金が僅少なため上陸を禁止したところ、
　八月一九日、再渡来したので一応上陸を許容した。

事例表ではモーゼスの職業は「農夫」とある。しかし、カナダのモントリオールに住む彼の姪の一人は、モーゼスはリトアニアで「ビジネスマン」であったと父親（モーゼスの弟）から聞いていた。しかし、「ビジネス」の内容は判然としない。いずれにせよ「農夫ではなかった」と言う。

モーゼス一家のカナダ渡航目的は、同国で農業従事者として暮らしている親族との合流だったので、自らの職業も「農夫」と言ったのだろうか。それにしても、カナダ入国に必要なビザを持っていなかったとの理由も不明だ。

また、モーゼス一家の所持金が、敦賀到着時、わずかであったことも注意を引く。リトアニアからカナダという遠地に向かうのに、家族三人分の旅費を十分に用意していなかったのだろうか。あるいは、リトアニアから日本到着までの間に予期せぬ出費がかさんだのだろうか。場合によっては没収や盗難にあった可能性があることは、他のユダヤ系避難民らの経験からも考え得る。

書類不備と所持金不足で、モーゼス一家は敦賀からウラジオストクへ送り返される。しかし、ソ連も受け入れ拒否。数日後、三人は敦賀に戻ってくる。

「伯父一家のその話は、母から聞いたことがある」とノーミは思い出す。

興味深いのは、杉原が七月一五日の時点で、最終目的国カナダからの入国許可書類を持っていないモーゼスに日本通過ビザを発給していたことだ。（内務省事例表では一六日）

杉原が、日本領事館前に群がったユダヤ系避難民を最初に見たのは七月一八日。ビザ発給を求める彼らへの対応について外務省に請訓電報を打つ。返ってきた訓電には最終目的国からの入国許可を持たない者へのビザ発給を認めないとあった。それにもかかわらず、書類不備の避難民らにビザ大量発給を始めるのは同月二九日から。[12] しかし、それ以前に杉原は、書類不備のモーゼスに日本通過ビザを発給していた。ノーミは、「スギハラは、前年にリトアニア人の家庭に招かれ、そこで会ったユダヤ人からナチス・ドイツ占領下ポーランドで起こっているユダヤ人の窮状について聞いた。[13] 伯父一家に日本通過ビザを発給してくれたのは、逃がしてやりたいというスギハラの『思いやり』だったのだろう」と語る。

日本通過ビザを挟んで向かい合った杉原とモーゼス。同様のビザを求めて、数日後、多数の避難民が領事館を囲むことなど、その時二人は予想していただろうか。

*12 杉原幸子『六千人の命のビザ・新版』大正出版、1998年、第1章。

*13 ソリー・ガノール 著/大谷堅志郎 訳『命のロウソク―日本人に救われたユダヤ人の手記』祥伝社、2002年、第2章「杉原千畝との出会いと別れ」。

戦禍の中、懸命に生きた父

写真で知った「杉原ビザ」受給

父の経歴

父ボルフ・ベイレスが亡くなったのは一九六八年。息子のアランは一三歳だった。父の人生について詳しいことは知らなかった。ただ、戦中、ヨーロッパから日本を経てカナダに来たということは聞いていた。父が残した書類に目を通したのは、ずっと後になってからのことだ。父の経歴に関して、いくつかのことが分かった。

ボルフは、一九〇六年八月、ポーランドのワルシャワで生まれた。織物の勉強をし、織物技師になった。同二〇年代後半、ポーランド軍にいた時期がある。軍から戻ると、繊維業が盛んなポーランド中央部の街ウッチへ行き、機械織り工場で見習いをした。その後、繊維製品に染色仕上げをする工場で働く。

一九三五年からは、父親とワルシャワでハンカチやスカーフの製造工場を共同経営した。

三八年、ウッチにボルフ自身が経営するハンカチ製造工場をもち、製品の輸出を手掛けた。

三九年九月一日、ドイツのポーランド侵攻で第二次

アラン・ベイレスさん
バンクーバー7家族ビデオ撮影時
2012年7月（筆者 撮影）

世界大戦が勃発すると、ポーランド軍に呼び戻された。同月二三日、既にポーランド東部を占領していたソ連軍に捕まり、捕虜収容所に入れられる。一〇月一六日、釈放されると、リトアニアへ逃亡した。

ボルフは、リトアニアからさらに東に移動する。日本に渡り、滞在した後、一九四二年、カナダに来た。

写真に写っていた父

父ボルフの戦前・戦中の経歴を知ったのはアランが二〇代で、新聞社に勤めていた頃だ。しかし、杉原千畝が戦中にリトアニアで多くのユダヤ系避難民にビザを発給した話は知らなかった。

ところがある時、インターネットを通して「杉原ビザ」について知った。父がたどった経過とビザの話が一致するように思えた。杉原は父にも日本通過ビザを発給したのではないかと考える。杉原に関する本を読んでみた。

「するとその本に一枚のグループ写真があり、その中の一人がなんと父でした」とアラン。

その後、杉原が発給した日本通過ビザのリストを見たところ、二千人以上もの名前の最終あたり、八月二〇日発給二〇三六番に父の名前があった。

父が「杉原ビザ」受給者であったことを確信する。

父と杉原、それぞれの人生が絡《から》み合っていた。

迂回して至ったカナダ

一九四一年二月から八月まで、ボルフは、駐日

ボルフ・ベイレスのパスポートにある写真
（ベイレス家 提供）

ポーランド大使タデウシュ・ロメルが設置した「ポーランド人救済委員会」避難民課の代表として神戸で働いた。避難民らが日本を経て最終目的国へ渡航するための諸業務に、ボルフが抜群の事務処理力を発揮し貢献したことが同委員会からの感謝状で分かる。

東京のポーランド大使館がボルフに交付したパスポートを見ると、彼がカナダ入国ビザを得たのは四一年七月一〇日。しかし、「ポーランド人救済委員会」から、九月まで避難民たちのために仕事を続けるよう要請があった。ボルフは承諾し神戸にとどまる。そして、いよいよカナダに向かおうという時には、日本から直接渡る船がなかった。日本郵船の北米線は、同年八月以降、運航休止になっていたからだ。[*14]

一方、日本政府は、八月・九月、日本に滞在していたユダヤ系避難民を日本軍支配下の上海へ移動させる。ボルフも、上海へ。

上海から香港、インドネシア、オーストラリア、米国と移動し、カナダの西海岸ブリティッシュ・コロンビア州ホワイトロックに到着したのは四二年三月だった。

日本製のティーセット

戦争が終了すると、ボルフは建国中のイスラエルへ行く。空軍に加わり同国の独立のため戦った。その後、カナダに戻り、モントリオールで繊維業に携わる。結婚後、娘シェリーと息子アランが誕生した。

---

*14　日本郵船歴史博物館『氷川丸ガイドブック』、2016年、11頁。1937年に日中戦争、1939年に第2次世界大戦勃発。以来、戦局の拡大とともに遠洋航路は次々と休航に追い込まれる。米国は日米通商航海条約の破棄を通告。英国・米国をはじめ英国属領諸国は、1941年7月の日本軍による南インドシナ進駐に対する措置として対日資産凍結令を発動。太平洋海域の情勢は急速に険悪化する。日本郵船のシアトル航路は同年8月17日、平安丸の横浜帰着をもって休止となった。

ソーサーの絵柄（ベイレス家 提供）

ボルフが日本からカナダまで持ってきた
日本製ティーセット（ベイレス家 提供）

「よく働く父だった」とアランは思い出す。

「私の子どもたちにもスギハラのことを知ってもらいたい。同時に、ヒーローとはどういう人かを理解してほしい」とアランは言う。

「本物のヒーローとは、本や映画に出てくるようなヒーローとは違い、自らを犠牲にして他者を助ける人。簡単なことではなかったけれど、正しいと信じることを行ったスギハラの勇気を、私は心から讃《たた》えます。同じような状況に立たされた時、私も、私の子どもたちも含め、多くの人たちがそのような勇気をもてればと望んでいます」

ボルフが日本から数カ国を経てカナダまで運んできたティーセットを、アランは今も大切に保存している。

名古屋市の日本陶磁器意匠センター専務理事・櫻井健二郎さんの調べで、裏印や絵柄装飾の技法から、一八九三年（明治二六年）創業、同市東区にあった「合資会社鈴木商店」（戦後は「株式会社ヤマスボシ鈴木商店」）による製造と分かった。同社は、一九八四年（昭和五九年）に廃業しているが、戦前・戦後を通し、輸出陶磁器の名門として貿易関係者に知られていた。

戦禍にあっても祖国や同胞のため力を尽くしたボルフ。日本で何を思いながらこのティーセットを手にし、カナダまで運んできたのだろうか。聞いてみたかった。

バイタリティあふれた両親

乳児抱えて必死の逃亡

戦争勃発前夜、町から脱出

アルトゥル・レルメルは一九〇八年一〇月、ポーランド南部の街クラクフで生まれた。リトアニアのビリニュスにあったイディッシュ語*15教師養成学校で勉強し、イディッシュ語教師になった。その後、ポーランド中央部ウッチ市に移る。保険を扱う仕事をしながら、ユダヤ人による社会民主主義団体「ブンド」からの代表として市会議員になった。

アルトゥルの妻マニャは、一九一四年一二月、ウッチで父親がストッキング工場を経営するユダヤ人家庭に生まれた。五人姉妹の長女で、アルトゥルと結婚後も会社勤めをしていた。

一九三九年、ヨーロッパではナチス・ドイツの不穏な動きが日々加速する。アルトゥルはマニャに、ポーランドのユダヤ人にも降りかかるかもしれない危険を避けるため、安全な場所に移ることを相談していた。だがマニャは、初めての子どもの出産を同年一〇月に控え、住み慣れた町を出ようとは思っていなかった。

八月三一日、マニャの気持ちが変わる。勤め先の隣にあったポーランド軍地方司令部が突如慌ただしくなったからだ。

*15　ユダヤ系の人々が使う古いドイツ語に基づいた言語。

その晩レルメル夫妻は、マニャの出産の世話のため彼女の一番下の妹ゾシアを連れ、ポーランド南東部へ向かう最終列車で町を出た。

翌九月一日、ドイツが西からポーランドに侵攻。第二次世界大戦が勃発した。

逃亡途中の出産

安全と思われた南東部だったが、ドイツ軍の進撃は速い。大きなおなかを抱えたマニャも、行く手に爆撃の火の粉を見てはアルトウルやゾシアと逃げ惑う。

九月中旬、東からソ連がポーランドに侵攻。ソ連占領下ポーランドにいた三人は、アルトウルの古い友人たちを頼りながら逃亡を続ける。

一〇月一八日、マニャに待望の男の子が生まれた。

しかし、生まれたばかりのゾリアを連れての逃亡は困難を極める。ユダヤ人家族が一緒にいると目立つ。そのうえ、アルトウルは「ブンド」の活動家で、ウッチの市会議員。ソ連兵に見つかればたちまち逮捕だ。安全のため、四人は分かれて進んだ。

アルトウルが森の中を歩く一方、ゾリアを抱いたマニャとゾシアがバスに乗っていた時だ。民兵がバスを止め、近隣に住む者以外は下車するようにと乗客に命令した。

レルメル家の安導券
(Montreal Holocaust Museum, Courtesy of Judith Lermer Crawley)

「降りればバスには二度と戻れない」。こうマニャが思った瞬間、ゾリアが泣きだした。

すると、隣に座っていた男性がマニャの耳元でそっとささやいた。

「降りずにここに座っていなさい」

マニャたちはその助言に従いバスに残り、難を逃れた。

カナダで打ち立てた生活

避難場所を点々としながらリトアニアにたどり着いた。そこに一九四〇年六月、ソ連が進駐してくる。八月、併合。ソ連は各国公館に退去を命じた。しかし、日本領事館は開いていた。

八月一六日、アルトウルとマニャは領事代理・杉原千畝から日本通過ビザを受給。[*16] 同年一〇月一七日、敦賀港に到着した。

だが、希望する米国ビザがなかなか手に入らない。七カ月近くに及ぶ日本滞在の末、ようやく親子三人の名前をカナダ入国ビザの割当てに連ねることができた。四一年五月六日、横浜から日枝丸に乗船。同月一九日、バンクーバーに着いた。[*17]

*16　「杉原リスト」で、アルトウル1829、マニャ1830番。
*17　レルメル家の逃亡談は、アルトウル・レルメルの手記「ナチスが来る前に―ある家族の一風変わった放浪談」（本書263～293頁）に基づいた。

（左から）
ジュディス　マニャ　アルトウル　ゾリア
手前はブラム　1958年
（ジュディス・レルメル・クラウレイ 提供）

レルメル一家は、その後カナダ東部へ移動。モントリオールに落ち着く。

アルトウルは英語を学び、経済学を勉強する一方、生計のため生命保険セールスの仕事に就く。後にモントリオールにある大学の経済学教授になり、学部長にもなった。

マニャは福祉を勉強。カナダへのユダヤ系移民受け入れの仕事をしながら夫の保険セールスを手伝った。その間、長女ジュディスと次男ブラムが誕生。懸命に働きながら、ポーランドから逃亡中に生まれた長男とあわせ三人の子どもを育てた。

ジュディスは、両親の足跡を評して「バイタリティあふれた人生」と言う。

ブラムは、「私の子どもたちは、スギハラのビザ発給の話をきっかけにホロコーストについて学ぶようになった。異なった民族からの見知らぬ人々を助けたスギハラの勇気は記憶にとどめられるべき」と話す。

ゾシア、その後

姉マニャの出産の世話のためレルメル夫妻と一緒に逃亡したゾシアは、カウナスで米国入国ビザと日本通過ビザを手に入れた。その後、姉夫婦とは別行動になる。

ゾシアはウラジオストクから敦賀までの船中、ユダヤ系避

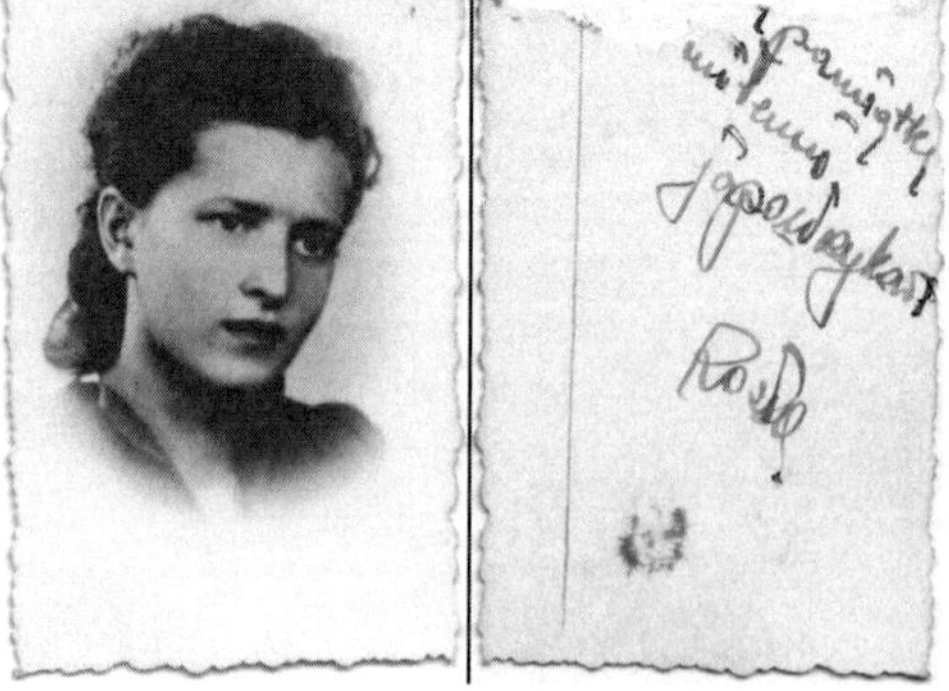

ゾシアが大迫辰雄に手渡した写真
自筆のメッセージと名前（北出明 提供）

難民の輸送に携わっていたジャパン・ツーリスト・ビューロー職員・大迫辰雄《おおさこたつお》に、彼女の顔写真を渡す。裏に、「私を思い出して。素敵な日本人へ。ゾシア」と書いた。[18]

七〇年後、大迫のかつての部下でフリーランス・ライターの北出明さんが、「大迫アルバム」に貼ってあったゾシアを含む七人の顔写真の身元調査を始める。これら避難民の写真を、イスラエルのホロコースト記念館ヤド・バシェムのウェブサイトで公開。ゾシアの写真がレルメル家の娘ジュディスの目にとまり、身元が判明した。

米国に着いたゾシアは、名前を「ソニア」と変え、カート・リードという名のドイツ系ユダヤ人と結婚。三人の子どもに恵まれ幸せに暮らしたことが分かった。

かつてゾシアが大迫に託した写真の憂いを含んだようなまなざしは、当時ユダヤ人が置かれていた厳しい状況を、今の私たちに思い出させるかのようだ。

*18 北出明『命のビザ、遥かなる旅路―杉原千畝を陰で支えた日本人たち』交通新聞社、2012年、50頁。

次女シェリーを抱くソニア
夫カート・リード 息子デイビッド 長女デボラ
米国ニューヨーク州ウェストバリー 1958年
（ジュディス・レルメル・クラウレイ 提供）

recollection

［記憶］

フェデルマンを捜せ

二〇一四年四月、「大迫アルバム」に貼ってあった七枚の写真のうち一枚はゾシアのものと判明した。ゾシアが日本を出て米国に着いてからの暮らしについても、彼女の三人の子どもでリード家のデボラ、デイビッド、シェリーから伝わってきた。しかし、一九二三年生まれで、戦中の四〇年・四一年当時は一七歳だったゾシアが、姉マニャ・レルメル夫妻とカウナスで別れてからの状況には、いくつか疑問が残ったままだった。

二〇一五年四月、米国に住むゾシアの三人の子どもたち、彼らの従姉でカナダのモントリオールに住むジュディス・レルメル・クラウレイ、バンクーバー近郊に住む私とで、ゾシアに関する空白の時間について調査ならぬ想像が始まった。鍵となったのは、「フェデルマン」という姓。

ゾシアの子どもたちは、彼らの母親は戦中のことをほとんど語らなかったと言う。

一方、ジュディスは、彼女の両親レルメル夫妻がゾシアに関して話す時、たびたび「フェデルマン」という姓が出てきたことを覚えていた。さらに、「フェデルマン」は、娘二人をなんらかの理由で亡くしていたこと、レルメル夫妻は杉原から日本通過ビザを得た後、一九四〇年一〇月に日本に到着したが、ゾシアが日本に着いたのはそれより後だったこと、ゾシアはすでに米国ビザを持っていたので間もなく日本を離れたこと。このようなことをジュディスは両親から聞いていた。

以上を手掛かりとし、「杉原リスト」、一九四〇年一一月福井県作成「拾月分猶太避難民入国者表」、神戸ユダヤ協会が当時作成した種々のリストで「フェデルマン」姓をあたってみた。すると、四人の「フェデルマン」を発見できた。スラ・フェデルマン、サウル・フェデルマン、ラファル・フェデルマンと彼の妻ハナ。サウルは一八歳で、「学生」と記されていた。

「杉原リスト」を見ると、この四人へのビザ発給日と発給番号は、夫婦であるラファルとハナ以外は離れている。スラは八月一六日、一八二〇番。サウルは八月一七日、一八八〇番。ハナとラファルは八月二〇日、一九九九・二〇〇〇番。

目を引くのは、スラの発給番号が、レルメル夫妻の一八二九・一八三〇番と近く、同じ八月一六日発給ということだ。

そこで考え得るのは、ゾシアはフェデルマンの亡くなった娘に代わり、フェデルマンが取得していた米国ビザを使ったのではないかということ。しかし、決め手がなかった。それを説明できるゾシア本人も、フェデルマン夫妻もレルメル夫妻も、もういない。

結局、ゾシアがカウナスから米国までにたどり着いた状況については、その間のエピソードがいくつか浮上してきたものの、一貫した話としては分からないままになっていた。

半年後の二〇一五年一〇月、「大迫アルバム」の七人の写真の身元調査をさらに進めていた北出明さんから、四人の「フェデルマン」に関して重要な情報がもたらされた。

北出さんの調査協力者が、この四人の米国到着時の船の乗客名簿や、スラとおぼしき女性の米国での社会保障に関する書類を発見。それらを精査すると、ゾシアは「スラ」という名前を使い、ラファル・フェデルマンの娘として、サウル・フェデルマンと一緒に、一九四一年四月、八幡丸で横浜からサン・フランシスコに到着。米国でスラは「ソニア」という名前になり、さらに結婚後は「ソニア・リード」となったことが分かった。

ようやく謎解きができ一同得心していたところ、二〇一七年、ゾシアの二人の娘デボラとシェリーが、スラ・フェデルマンとなったゾシアが日本から米国に向かう八幡丸の船上で、サウル・フェデルマンと共に写った写真を数枚発見。ゾシアの足取りが裏付けられた。

しかし、サウルのその後の情報はない。また、ゾシアを、ひょっとしてサウルをも、自分たちの子どもとして米国入国ビザと日本通過ビザ受給を可能にし、一〇代の二人の逃亡を助けたラファルとハナの行方も、杳《よう》として知れない。

サウル・フェデルマン（リード家 提供）

スラ（ゾシア）とサウル
八幡丸船上にて 1941年4月（リード家 提供）

感謝を胸に日本とビジネス

輸出入で成功

実業家だった父

バンクーバー、ダウンタウン。目の前の入り江に浮かぶ色とりどりのヨット。その向こうに広がる緑の山並みと青い空。それを見ながらナタン・ザルコウさんが両親について語り始めた。

父、ヤクブ・ザルコビシュスは、一九〇八年五月、リトアニアのメーメル（現・クライペダ）で生まれた。若くして実業家となり、食品流通業、主にチョコレートの生産・流通に携わり成功する。水泳が得意で、バルト海に沿って美しい砂浜が広がるメーメルの青い海で泳ぐのがとても好きだった。

ヤクブの妻メラは、一九一一年一二月、リトアニアのテルシェイで生まれた。音楽を愛し、ピアノを弾くのが上手だった。

二人はメーメルで豊かな生活を営み、時にはヨーロッパの国々を旅して楽しんだ。

一九三八年七月、長男ナタン誕生。

しかし、三九年三月、メーメルがドイツに割譲

ヤクブとナタン カウナスの街角にて
1939年（ナタン・ザルコウ 提供）

されると、ユダヤ系のザルコビシュス一家は、ナチス・ドイツによる危険な事態を予想して町を出た。たどり着いたカウナスで四〇年八月二九日、日本領事代理・杉原千畝からヤクブのリトアニア・パスポートに日本通過ビザを受給。*19 カナダに行くためだった。

農場経営者として入国したカナダ

リトアニアを出て、ソ連をシベリア鉄道で横断。極東の港町ウラジオストクから乗った船で一九四〇年一〇月一九日、敦賀港に到着。

ナタンは、後年、両親が何度も「日本ではとてもよくしてもらった」と言っていたことを思い出す。

ザルコビシュス一家は日本滞在中、東京のカナダ公館で、当初得た同国通過ビザを永住ビザに切り替えることができた。

カナダは戦前、広い土地を有効に利用しようと、ヨーロッパからの農業移民を受け入れ

ヤクブ・ザルコビシュスと妻メラの写真があるリトアニア・パスポート
(ナタン・ザルコウ 提供)

ていた。ザルコビシュス家は、ナタンの曽祖父がリトアニアに農場をもっていたので、農場経営者としてカナダ入国を許された。

横浜から氷川丸に乗り、四一年一月八日、バンクーバーに着く。

「両親がリッチモンド市にもっていた養鶏場のことが、小さい頃の最初の思い出」とナタンは言う。

しかし、再び芽を出したのは父ヤクブの商才だった。

日本と商売

戦後、ヤクブは、小麦グルテンをカナダから日本へ輸出。それは日本でグルタミン酸ナトリウムに精製され「うま味調味料」の原料となった。ヤクブは仕事で訪れた日本で、さらにビジネスチャンスを探る。そして、日本の

*19 「杉原リスト」に名前は記載されていない。

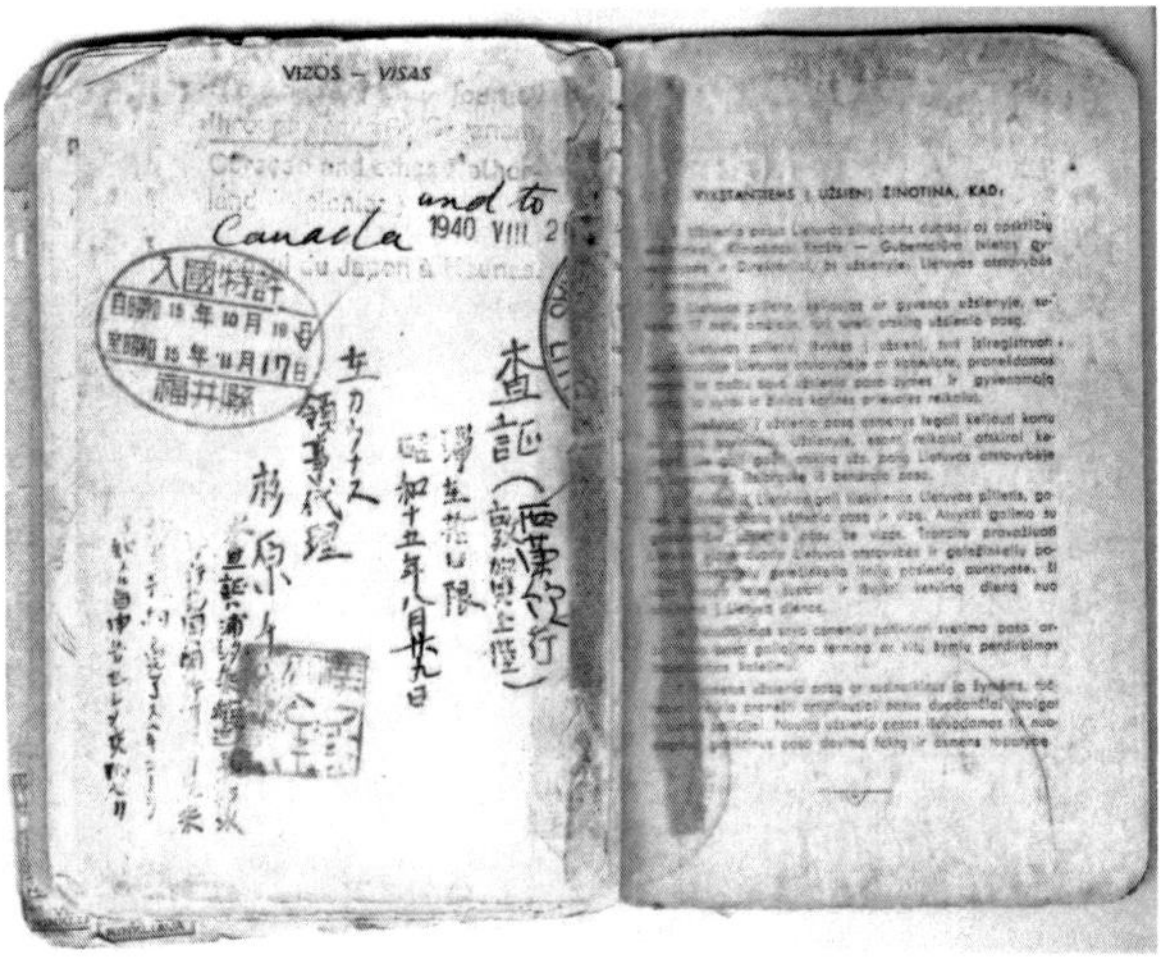

杉原千畝発給の日本通過ビザ（左頁）
（ナタン・ザルコウ 提供）

建築用金具をカナダへ輸入する会社をつくった。カナダでは戦後の人口増と経済発展で建築ブームだった。思惑は当たり、この会社も成功。さらに数年後、日本の「うま味調味料」を、逆にカナダへ輸入するようになった。

ヤクブは商用で日本へ行くたび、「心配ない」と家族に言って旅立った。一九四〇年、日本に滞在した時のよい思い出があったからだ。

父の会社は息子ナタンへ、そしてナタンの子どもたちへと引き継がれた。

再び、同じ空の下

杉原千畝は、一九四〇年八月下旬、カウナスの日本領事館を閉館した後も、一家でヨーロッパにいた。四五年八月、日本敗戦。杉原一家が日本に引き揚げてきたのは四七年四月。その後、杉原は外務省を辞め、五〇年代は東京で働いていた。

ナタンは、「スギハラがいる東京を父は商用で歩き回っていた。父はカウナスでビザ受給時にスギハラと会っているので、二度以上も同じ空の下にいたことになる」と話す。そのナタン自身も、杉原家とは縁がある。

ヤクブ　長男ナタン　次男サム
バンクーバーの海岸にて
1943年（ナタン・ザルコウ 提供）

「両親は、カウナスで日本人領事からビザを受給したと言っていた。しかし、私はその領事の名前を知りませんでした」。ところが、一九九六年春、バンクーバー・ホロコースト教育センターで、「命のビザ」と題し、戦中に日本の外交官だった杉原千畝に関する展示会が開催されることになった。ナタンは、両親がビザを得たのはこの外交官からに違いないと思い、レセプションに出席することにした。その会場で、杉原の長男・弘樹と会う。

「お互い同じ時期にカウナスにいたと分かり、一緒に笑いました」とナタン。カウナスの街角で、両親に連れられた幼い二人がすれ違っていたかもしれないと。

「私の子どもや孫たちは、私がカナダに来ることになった歴史的背景やスギハラが果たした役割を理解しています」とナタンは言い、「孫が学校で、スギハラを題材にしたスピーチをしました」と顔をほころばせる。

「世界では数多くの悲惨なことが日々起こっている。だから、勇気をもって行動した人々のことを記憶にとどめることは大切。そうすることで、私たちは他の人々を理解し、助ける努力をすべきです」

こう語ったナタンの目には、窓から望むバンクーバーの入江の水に、父ヤクブが好きだったバルト海の真っ青な水の色が重なって見えていたのかもしれない。

ナタン・ザルコウさん（中央）弟サムさん（左）アラン・ベイレスさん（右）
2012年7月（筆者 撮影）
ザルコウさん兄弟が、ベイレスさんのビデオ撮影を見学に来た。

偽造書類で救われた命

見逃してくれたソ連秘密警察

薬品で消した名前

ヨニア・フェインと妻ニウタが、日本通過ビザを受給しようとカウナスの日本領事館の前に立った時には、領事代理・杉原千畝らは退去した後だった。一九四〇年八月、ソ連はリトアニアを併合すると、各国公館に閉館を命じたからだ。

しかし、ヨニアとニウタが属していた「ブンド」の仲間が、杉原からの日本通過ビザを重複受給した人々から余分なビザを集め、後から来たメンバーに渡していた。それを手に入れた。その書類には最終目的地となるオランダ領キュラソー島のビザもあった。

化学者だったヨニアの父親は、書類にあった元の受給者の名前を薬品で消し、ヨニアとニウタの名前にした。顔写真も二人のものに貼り換える。しかし、生年月日や生まれた場所は変えずに、元のままにしておいた。そして二人にこう忠告した。

「消えた名前は一カ月ほどすると、また浮かび上がってくる」

「捕まる」

シベリア横断鉄道の切符購入金も「ブンド」が与えてくれた。米国のユダヤ団体からスウェーデンを経て調達されたものだった。

乗車にはソ連通過ビザも必要だ。ヨニアとニウタは、カウナスのソ連当局に行って並んだ。

二人の順番がきてヨニアが係員を見ると、その顔に見覚えがある。同じ学校に通っていた男性で、互いに知っている。

「ソロノイェツ」。ヨニアは彼の名前を思い出す。「NKVDだ」[*20]

ソロノイェツも、ヨニアとニウタの書類を手に、じっと二人を見つめている。生まれた年や場所がヨニアの身元とつじつまが合わず、偽造書類と悟ったかもしれない。「捕まる」。ヨニアは思う。だがソロノイェツは、少し間をおいて、確認し終えた書類に通過ビザのスタンプを押し、無表情にそれを返すと、二人を去らせた。

「NKVDが偽造書類を見逃してくれた」。ヨニアとニウタは胸をなでおろした。

*20 「エヌカーベーデー」と呼ばれるソ連内務人民委員部。秘密警察・対外諜報などの部門が含まれていた。https://kotobank.jp/word/NKVD-37044

ヨニア・フェインと妻ニウタ
ワルシャワ 戦前（デボラ・ロス‐グレイマン 提供）

ところが、ソ連通過ビザのある書類を持ってシベリア横断鉄道の切符を買いに行くと、係員は「満席」と言い切符を売ってくれない。そこで、ヨニアとニウタは駅に行ってみた。出発前の列車の中を見ると、いくつか空席がある。車掌に交渉し切符の代金を支払うと、乗車させてくれた。二人は再び安《あん》堵《ど》する。しかし、汽車がソ連を横断する間はずっと、書類の元の持ち主の名前が浮かび上がってくるのではないかと、とても心配だった。

幸いソ連を出て日本に渡ることができた。一九四一年二月二五日、神戸に着く。

日本での滞在が六カ月ほどになった同年夏、二人は日本政府により、他の避難民と共に上海へ移動させられた。そこで終戦まで暮らすことになる。

悲しみと幸せ

ヨニアは一九一三年六月、ウクライナ南部で生まれた。絵画と詩について勉強し、戦前は、ワルシャワの大学で芸術を教えていた。戦中、日本から渡った上海でも芸術活動を続け、肖像画を中心に絵を描き、それを売って生活費の足しにした。

ニウタが神戸で受け取ったリトアニアにいる家族からのソ連製はがき（デボラ・ロス - グレイマン 提供）

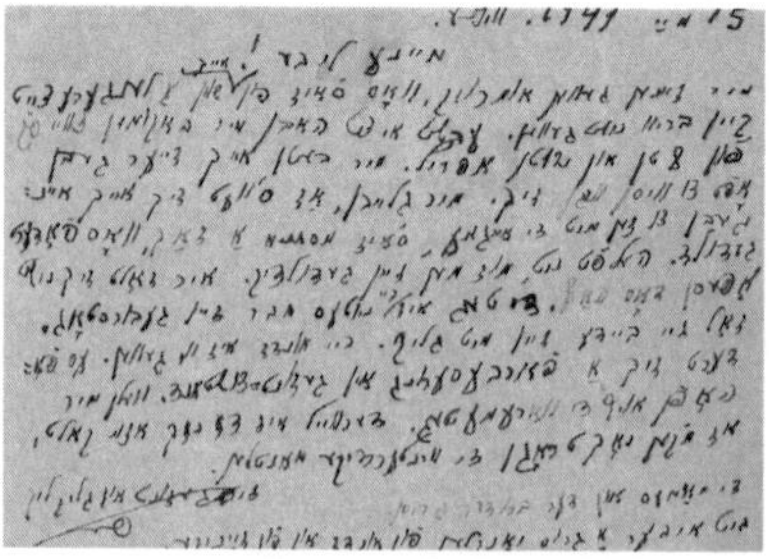

イディッシュ語で書かれたはがきの文面。
1941年5月15日、音信が途絶えているので連絡がほしい、家族再会を信じて現状に耐えること、寒いのでまだ冬のコートを着ている、家族からニウタとヨニアによろしくなど、書かれてある。

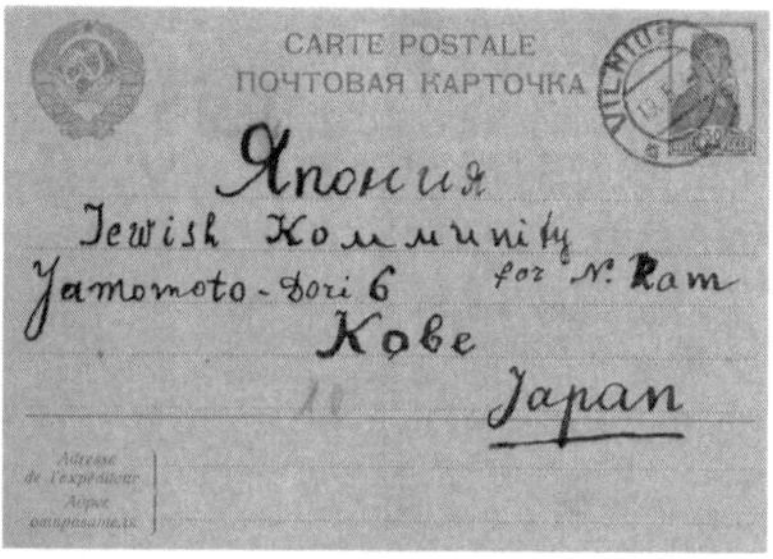

1941年5月19日消印、宛先住所は日本、神戸、山本通り6、ユダヤ・コミュニティーとある。

上海のユダヤ人クラブで個展を開いたり、グループ展にも参加。イディッシュ語で多くの詩を書いた。

ニウタは一九一四年三月、やはりウクライナ南部で生まれた。戦前はワルシャワの病院の看護師だった。戦中も、上海の病院で小児専門の看護師として働いた。

終戦後の一九四六年、二人は上海からメキシコに渡る。ヨニアは大学で再び芸術を教え、彼の作品の展示会の開催にはニウタが手伝った。しかし数年後、二人は別れ、米国でそれぞれ再婚する。

バンクーバーに住むデボラ・ロス-グレイマンさんは、ニウタと彼女が再婚した夫との間に生まれた。ニウタは戦中のことに関し、デボラにほとんど語らなかった。

「たとえ話しても、脈絡があやふやになったり、内容が変わったり。揚げ句に、その話はもうしたくないと言う」。しかし、「日本通過ビザを手に入れたこと、書類を偽造したこと、日本を経由して上海に行ったことなどは確かに話していた」とデボラはニウタとの会話を思い出そうとする。

ニウタは、ヨニアと逃亡中も、ポーランドに残った家族のことが気掛かりだった。全員がホロコーストの犠牲になって

ヨニア（右端）ニウタ（右から2人目）ブンドの仲間と
上海 戦中（デボラ・ロス-グレイマン 提供）

いたことを戦後に知り、言葉にならない悲しみに打ちのめされた。

「その悲嘆が母のその後の人生に付きまとい、一人だけ助かったという罪の意識にさいなまれた」。「その一方、生きていることを心の底から喜び、料理や生活のちょっとしたことに幸せを見出した。母も画家になり、花や自然を明るい色で描くことが好きだった」とデボラは言い、ニウタが赤やピンクなど鮮やかな色合いで描いた絵を見せてくれた。

ホロコーストを描いた半生

一九九七年、ニウタが亡くなった後、デボラは、ニューヨークに住むヨニアに連絡をとった。ヨニアは相変わらず美術学校や大学で教え、イディッシュ語の詩の本も出版していた。デボラはヨニアに会い、彼とニウタがナチス・ドイツ占領下ポーランドから日本まで逃げたことや、その間に起きた奇跡のような話の全容を聞いた。日本通過ビザと偽造した書類についてもニウタが語った通りだった。

デボラ・ロス–グレイマンさんと日本海地誌調査研究会・会長の井上脩さん
敦賀 2013年5月(デボラ・ロス - グレイマン 提供)
バンクーバー7家族のビデオを岐阜県八百津町 杉原千畝記念館に贈呈した後、敦賀市を訪問。
1941年、敦賀に上陸したユダヤ系避難民について調査を行った井上さんから当時の話を聞いた。

「スギハラが発給したビザのおかげで母の命は救われた。そして、私に生を与えてくれた」とデボラは感謝する。

ヨニアは、戦争による残虐・苦しみ・喪失を精力的に描き続けた。よくこう言った。

「人生の目的とは、しっかり生きること。そして創造すること。我々は生き延びた。負けはしなかった」

杉原千畝のことも忘れない。

「信念を貫き、人道的行為をとったことで自らの人生を危険にさらした人々がいた。しかし彼らの行為こそが、狂気をものともしない勝利であった」と。

ヨニアは二〇一三年一二月、一〇〇歳で亡くなった。「杉原ビザ」と偽造書類で救われた命だった。

兄弟別れて渡った国

カナダへ、オーストラリアへ

暗号の手紙

一九三九年一一月、ポーランド、ワルシャワに住むマルタ・ヘイマンは、夫ステファンからリトアニアにいるという手紙を受け取る。

マルタは、一九〇九年六月、ワルシャワで生まれた。語学が得意で、夢はフランスのソルボンヌ大学で勉強し、通訳になることだった。しかし、一九歳の時、父親が亡くなったので、フランスへ行くことは諦めた。ポーランドの大学で経済学を勉強し、卒業後、ある会社の役員秘書として働いていた。

ステファンは、一九〇八年八月、やはりワルシャワで生まれた。同二〇年代、バルト海南部に臨む自由都市ダンツィヒにあった専門大学で、機械設計士になるための勉強をする。卒業後、両親の経営する自転車店を助けるためワルシャワに戻った。そして、後に妻となるマルタと会う。二人は、一九三六年、結婚した。

三年後の一九三九年、九月一日、ドイツのポーランド侵攻を引き金に第二次世界大戦勃発。

ポーランド軍に新部隊が作られると聞いたステファンと彼の弟ユゼフは、それに加わるため、九月三日、自転車で同国東部へと発った。*21 しかし、新部隊が作られることはなく、二人はリトアニアのビリニュスに行き着いた。

ワルシャワを出発する前、ステファンは手紙の検閲を予想し、マルタと暗号を作っておいた。

一一月、マルタが受け取ったステファンからの手紙の暗号は、「リトアニアに来るように」と語っていた。マルタは家財など売れる限りを売る。旅立つのに必要な偽造書類も手に入れた。十字架を身につけクリスチャンに見えるようにして汽車に乗る。途中、ソ連兵から行先や目的を聞かれたが、言いつくろった。

兄弟の別れ

リトアニアに着いたマルタは、ビリニュスで夫ステファンと義理の弟ユゼフに再会する。

一九四〇年八月一〇日、三人は同国カウナスの日本領事館で日本通過ビザを受給。[*22] その後、日本へ向かい、四一年二月二五日、神戸に到着した。

日本滞在中は、最終目的国のビザを手に入れようと、いろいろと手を尽くした。幸い、マルタの母方のいとこがカナダのバンクーバーに住んでいるので、マルタとステファンの保証人になってくれる。また、マルタはビリニュスと神戸で、米国ユダヤ人共同配給委員会から派遣されていたモーゼス・ベッケルマン[*23]の秘書として働いたので、彼を通して駐日ポーランド大使タデウシュ・ロメルに、カナダのビザが手に入

*21 *Flight and Rescue*, Washington, D.C., United States Holocaust Memorial Museum, 2001, p. 3.
ポーランド東部地方にある町ブレスト（現・ベラルーシ共和国の西部地方）で、新部隊をつくるというものであった。
*22 「杉原リスト」で、ユゼフ1589、マルタ1590、ステファン1591番。
*23 モーゼス・ベッケルマンも「杉原ビザ」受給者。「杉原リスト」1890番。同リストで唯一の米国籍。

Via GLOBE

RADIOGRAM

COPY

Via GLOBE

April 22, 1941

ROMER POLISH EMBASSY TOKYO

SHALL GREATLY APPRECIATE ANYTHING YOU CAN DO FACILITATE FAVORABLE CONSIDERATION CANADIAN VISA APPLICATIONS MRS MARTA HEYMAN MY FORMER SECRETARY AND MEMBERS HER FAMILY WHO POLISH CITIZENS STOP MANY THANKS GREETINGS BECKELMAN

モーゼス・ベッケルマンからポーランド大使タデウシュ・ロメルへの電報（ヘイマン家 提供）
1941年4月22日付、ヘイマン夫妻のカナダ入国ビザ受給への働き掛けを依頼している。

平安丸乗船時の船内持ち込み荷物用ラベル
（ヘイマン家 提供）

ヘイマン夫妻が利用したと思われる
バンドホテルのステッカー（ヘイマン家 提供）

るよう働き掛けてもらった。

カナダ入国ビザを手にした二人は、四一年五月二七日、横浜から平安丸に乗り日本を離れた。六月九日、バンクーバー到着。

一方、ユゼフは日本に残った。マルタの母方の親戚とは血縁関係にないので、保証人になってもらえなかったからだ。しかし、オーストラリアのビザがとれ、同年七月六日、鹿島丸で日本を後にした。

適応した異郷での生活

バンクーバーでは、マルタもステファンも英語ができたので仕事を得るのに困らなかった。

マルタは、カナダ入国の保証人になってくれた親戚が働くベニヤ板製造所で秘書の職を得る。しかし、子どもが二人になると家庭に入った。戦中はワルシャワで隠れて暮らしていた母親が、戦後にカナダに来て一緒に暮らすようになると、マルタは彼女にも献身的に尽くした。

ステファンは戦中、ある製造工場で機械操作の仕事をした。戦後しばらくは製図家として働く。機械技師としての下地があったので、カナダで資格を取りなおし、有能な機械設計士として成功した。米国・日本・ドイツ・スカンジナビアの国々へ、たびたび出張した。

マルタとステファンの娘でバンクーバーに住むジェーン・ヘイマンさんは、「父は機械設計士としてと

娘のジェーンを抱くステファン 後ろはマルタ
バンクーバー 1944年（ヘイマン家 提供）

ても尊敬されていた」と話す。

マルタとステファンは芸術を愛し、特に音楽が好きだった。家賃や食費などを払った後、生活費がいくらかでも残ると、バンクーバー・シンフォニー・オーケストラや劇を鑑賞しに行った。

バンクーバーには、もともとユダヤ系コミュニティーがある。その上、ポーランドから同時期に日本を経由してやってきたユダヤ人が他にもいた。その中で友人を作り、週末に集まって食事をしたり、一緒に出かけたりした。その一方、住んでいる地区にもよく溶け込み、彼らの子ども二人にはコミュニティーの一員であることを教える。子どもたちが通っている学校のPTAの会長も引き受けた。同じ国から来た人々とだけ付き合うことで孤立しないようにと心掛けた。

「両親は、バンクーバーの生活にすんなりとなじんだと思う」とジェーンは言う。

一方、一人でオーストラリアに渡ったユゼフは、そこで結婚して落ち着いた。

ユゼフの後年の写真を見ながらジェーンはこう語る。

「父と叔父はワルシャワを出てから日本までずっと一緒だった。でも、カナダとオーストラリアに別れて暮らすことになり、その後の人生で二度しか会う機会がなかった」

マルタと娘のジェーン
バンクーバー 1944年(ヘイマン家 提供)

日系カナダ人戦後補償を支援

マルタとステファンの息子ジョージも、バンクーバーに住んでいる。

一九八〇年代、日系カナダ人戦後補償運動が展開されている最中、非日系カナダ人にも支持を呼びかける集会が市内の日本語学校で開かれた。ジョージは「ブリティッシュ・コロンビア州政府ならびにサービス関連労働組合」からの代表として招かれ、十数人の発言者の中の一人としてスピーチに立った。その時の気持ちをこう振り返る。

「この運動の社会的・歴史的意義を日系人ではない立場から述べ、カナダ政府に対する日系社会からの要求を支持した。政府が第二次世界大戦中、日系人に行った差別対応を認め、正しい補償を求めることは重要だと思ったから」

そして、「スギハラの場合のように自らの身に影響したり危険を冒すようなことではなかったけれど、小さいことでも私ができることでした」と語った。

（左から）ジェーン・ヘイマンさん ジョージ・ヘイマンさん ビデオ撮影担当の服部節子さん
バンクーバー７家族ビデオ撮影時 2012年8月（筆者 撮影）

episode.1

戦後カナダ、日系を助けたユダヤ系

自らの判断で援助

戦中・戦後の日系人排斥

一九四一年一二月七日（カナダ時間）、日本海軍が米国真珠湾を攻撃。この直後、カナダ政府は、日本に宣戦布告。[*24] 国家の安全を目的に「戦時措置法」を発令した。これにより、違法と訴えられる可能性のない無制限の権力を発揮できるようになる。同政府は、日本に民族的起源を有するカナダ国内全ての日系人を「敵性外国人」とし、公民権や人権を剥奪した。[*25]

翌四二年二月、カナダ政府は、カナダ西海岸ブリティッシュ・コロンビア州の沿岸から内陸に向けて一六〇キロ幅を「保護地域」と指定。そこに住む二万一千の日系人の財産を没収し、退去を命じた。このうち一万七千人以上はカナダで生まれた同国市民であった。[*26]

日系人は、バンクーバー市内の家畜用建物に集められ、州内陸部へ移動させられる。男性は、他州での伐採や道路工事などの労働に駆り出された。家族との離別に反対した者は、オンタリオ州の戦時捕虜収容所に送られる。

テントやバラック小屋での限られた生活、厳しい自然の中での重労働。日系人はさまざまな不便と苦難

*24 カナダと米国は1938年9月以来、軍事同盟国であった。
*25 グレーターバンクーバー日系カナダ市民協会 人権委員会編『日系カナダ人のための人権ガイド』、2003年、64、65頁。
*26 全カナダ日系人協会『裏切られた民主主義—補償問題のために』、1989年、要約、4、5頁。

「敵性外国人男性へ」というカナダ連邦政府警察からの布告を読む日系カナダ人
バンクーバー 1942年 (Vancouver Public Library 1343)

NOTICE TO ALL
JAPANESE PERSONS
AND PERSONS OF
JAPANESE RACIAL ORIGIN

TAKE NOTICE that under Orders Nos. 21, 22, 23 and 24 of the British Columbia Security Commission, the following areas were made prohibited areas to all persons of the Japanese race:—

LULU ISLAND (including Steveston)
SEA ISLAND
EBURNE
MARPOLE
DISTRICT OF QUEENSBOROUGH
CITY OF NEW WESTMINSTER
SAPPERTON
BURQUITLAM
PORT MOODY
IOCO
PORT COQUITLAM
MAILLARDVILLE
FRASER MILLS

AND FURTHER TAKE NOTICE that any person of the Japanese race found within any of the said prohibited areas without a written permit from the British Columbia Security Commission or the Royal Canadian Mounted Police shall be liable to the penalties provided under Order in Council P.C. 1665.

AUSTIN C. TAYLOR,
Chairman,
British Columbia Security Commission

「日系人ならびに日本に民族的起源を有する全ての人々へ」という
ブリティッシュ・コロンビア州保安委員会からの布告 (Vancouver Public Library 12851)
同州14の市や地域への日系人の立ち入りを禁止している。
また、同保安委員会かカナダ連邦政府警察からの許可書を持たずに
これらの場所に立ち入った場合には、いかなる日系人でも罰則が科せられると警告している。

を強いられた。

一九四五年八月、戦争終結。しかし日系人は戦前の生活場所へ戻ることは許されなかった。国内移動が可能となったのは、四九年四月、「戦時措置法」が解除されてからであった。

ユダヤ系からの救いの手

終戦間近の一九四五年四月、カナダ政府はブリティッシュ・コロンビア州の内陸部に収容していた日系人に、東部州への移動か日本への帰還かの選択を迫った。多くの日系人は、住んだこともない日本よりは、東部州への移動を選んだ。四七年までに、ブリティッシュ・コロンビア州に住んでいたほとんどの日系人がオンタリオ州に移る。

一九六四年、同州トロント市に、「日系文化会館」が創立された。日系コミュニティーの憩いの場として、また、カナダにおける日系文化の発信基地として成長を続け、現在では会員数約四三〇〇人を誇っている。*[27]同会館の理事長ゲアリー・カワグチさんが、自身の家族の戦中の経験を書いてEメールで送ってきてくれた。

「私の母は一九二六年、ブリティッシュ・コロンビア州のバンクーバー島で生まれた。戦中、家族と一緒に州内陸部の日系人収容所で暮らし、一九四五年、彼女の弟とオンタリオ州トロントに行って仕事を探した。二人はまだ一〇代だったが、いつかまた家族全員で暮らしたいと願いながら働いた。一方、母の両親は、他の四人の子どもたちを連れて同州山中へ行き、そこでタール・ペーパー*[28]を貼った家に住み、伐採所で働いた」

戦争が終わっても、戦中に「敵性外国人」と見なされていた日系人への偏見はカナダ社会に根強く残った。他州に移っても、仕事に雇ってもらえない、家や部屋を貸してもらえないと、生活には多々困難が付きまとった。

そんな時、手を差し伸べてくれたのはユダヤ系の人々だった。日系人に雇用の道を開いてくれ、住む場所を貸してくれた。トロントでは、多くの日系人がユダヤ人地区の衣料品業で職を得た。カワグチさんは、次のように説明する。

「一九四〇・五〇年代にトロントに移った日系カナダ人の家族らに、最初の仕事はどこで得たか、どこに住んだかを尋ねると、返ってくる答えは驚くほど同じ。ユダヤ人経営の店や職場だったり、ユダヤ人家族からの助けによるものだった」

ゲアリー・カワグチさん（本人提供）

助けは、ユダヤ系コミュニティー内での呼びかけによるものではない。むしろ、個々人からの自主的なものだった。

「日系カナダ人は、働き者。戦中、日系人がカナダ政府から受けた扱いは不当だったとユダヤ系の人々は分かってくれたから」とカワグチさんは書く。

「オンタリオ州に移って、別れて暮らしていた私の母の家族も、全員が懸命に働き、蓄えを作り、一九四八年、再び家族一緒に暮らすことができるようになった」

*27 会員の半数以上は日系以外である。https://www.jccc.on.ca/jp/about/
*28 タールを染み込ませた重い紙で、建築用の防水材料。

「戦中、リトアニアで日本人のスギハラがユダヤ人を助けた。戦後、カナダでユダヤ人が日系カナダ人を助けた。ヘブライ語で『ティクーン・オラーム』[29]とは、世界を修復していくというユダヤ人の考え方。大西洋を挟んで、別々に起こった二つのコミュニティーの助け合いは、この考え方をよく表している」

トロントでは、一九九三年と二〇一四年の両一一月、杉原千畝の功績を讃《たた》えると同時に、ユダヤ系と日系、二つのコミュニティーの長年の絆を祝う盛大なレセプションが開催された。二度とも杉原の家族が招待され、「杉原ビザ」受給者や子孫らと交流したことが、当時の新聞やテレビ報道の記録、日系文化会館のウェブサイトなどを通して知ることができる。[30]

「トロントでは、共に歩んできたユダヤ系と日系が感謝し合って住んでいる。それぞれに寄せられた親切が個人の自主的な判断に基づいていたことを忘れず、次世代に生かしていってほしい」

こう最後に書き、カワグチさんは二つのコミュニティーの共存共栄が続くことを期待した。

リドレス、忍耐と献身の長い道のり[31]

一九八〇年代、全カナダ日系人協会「NAJC」（National Association of Japanese Canadians）は、カナダ政府が戦中に行使した日系カナダ人への数々の不正義に対する「リドレス」（補償）運動を展開した。しかし、政府との交渉は難航する。

一九八四年、自由党のピエール・トルードーを首相とする政府は、NAJCからのリドレス要求を却下。これに対し、進歩保守党のブライアン・マルルーニ党首は、同党が政権を執れば日系人への賠償金支払いを約束すると明言した。

八四年九月、政権は自由党から進歩保守党に交替。NAJCはすかさずリドレスに関する文書「裏切られた民主主義」をマルルーニ首相の政府に提出する。しかし、政府からの反応は鈍かった。

三人交替した多文化担当大臣それぞれから補償内容の提示があったが、NAJCが提案する内容とは隔たりがあった。政府との交渉は暗礁に乗り上げる。

しかしNAJCは運動をさらに強化・拡大。リドレスをカナダの人権問題とし、広くカナダ人や各種団体をも巻き込もうと計画を練り直す。民族・人権擁護・先住民などの団体、労働組合や教会などにも呼びかけ支持を得ていく。

八八年四月一四日、オタワの国会議事堂前でデモ集会を決行。カナダ各地から日系人が参集しデモに加わった。

リドレスに賛同したユダヤ系大臣

デモ集会での大々的アピールは、リドレス運動を急進展させた。時の多文化担当大臣はジェリー・ウィナー。ユダヤ系のウィナー大臣は、それまでのどの大臣よりもリドレスに理解を示した。八八年八月、首相側からNAJCに交渉再開の打診がある。

同年九月二二日、マルルーニ首相は下院議会で、カナダ政府が第二次世界大戦中と戦後、日系カナダ人に不正を行ったことを認め、NAJCとの話し合いで合意に達した補償を行うことを発表。生存している

*29 Tikkun olam.

*30 日系文化会館ウェブサイトで、2014年のレセプション（桜ガラ）の写真閲覧にはパスワードが必要。

*31 「在バンクーバー日本国総領事館開館125周年記念フォーラム、『二つの歩み』～日本外交と日系人の遺産～第5回『1990年代までの戦後補償運動』」バンクーバー新報、2014年、12月4日、筆者執筆の記事からの抜粋・編集を含む。

リドレス合意に調印するブライアン・マルルーニ首相（手前）とアート・ミキさん
オタワ 1988 年（ゴードン・キング 提供）
マルルーニ首相の後ろに立つのがジェリー・ウィナー多文化担当大臣。

一万八千人以上へ一人につき二万一千ドルの個人補償金の支払いと、一千二〇〇万ドルのコミュニティー基金の設置などが着手された。供与された額は約四億四千万ドル。これは、戦中・戦後の日系人の経済損失が少なくとも四億四千三〇〇万ドル（一九八六年換算）と調査報告された数字と近いものであった。*32

コミュニティー基金は、二〇〇〇年、ブリティッシュ・コロンビア州バーナビー市に完成・開館した「ナショナル日系博物館・ヘリテージセンター」（現・「日系文化センター・博物館」）の土地購入費にもあてられた。*33

NAJC会長としてリドレス運動を推し進めたアート・ミキさんは、カナダ政府との合意の背景をEメールでこう書いている。

「多文化担当大臣がジェリー・ウィナー氏に変わったことは幸いだった。それまでの大臣には、戦中・戦後、日系人が味わった痛みを十分には分かってもらえなかった。ユダヤ系のウィナー大臣には、日系人の経験とホロコーストの惨事とを関連付けて考えてもらえた」

もう一人、リドレス合意に尽力したのはルシアン・ブチャード国務長官だった。同長官は、ケベック州出身のフランス系カナダ人。カナダでは、フランス系住民もしばしば差別を受けてきた少数グループだ。

「ウィナー大臣とブチャード国務長官の出自や経験が、マルルーニ首相とのリドレス交渉に重要な役割を果たしてくれた。二人は、日系人からの提案を理解してくれ、リドレス問題解決に向けての意気込みを示してくれた」とミキさんは回顧する。

「同じように、私たち日系カナダ人も、カナダの社会で差別・偏見を受けている人々やグループに対し、もっと心を寄せ、正義が遂行されるよう支援していくべきだと思う。それが、全カナダ日系人協会の役割と信じる」

ミキさんの言葉には、日系カナダ人が多民族国家カナダの一員として、これからも民主主義の推進に加わっていくようにとの願いが込められていた。

---

*32 NAJC旧ウェブサイトの「日系社会の蘇生」ならびに"REDRESS-25 YEARS LATER- Presented by Art Miki" 25th Anniversary Redress Celebration, September 21, 2013 at the Japanese Canadian Cultural Centre (JCCC) in Toronto を参照。

*33 ナショナル日系博物館・ヘリテージセンターによる資料「日系プレース」(2008年9月)より。

II

ブリティッシュ・コロンビア州
バンクーバー

家族再会を果たしたバンクーバー

グランビル通りのデイレス靴店

九〇〇ブロック探索

ジャック・デイレスという「杉原ビザ」受給者が、バンクーバーのグランビル通り九〇〇ブロックに靴店を経営していたという情報が入ったのは二〇一三年七月。しかし、番地は分からなかった。

グランビル通り九〇〇ブロックといえば、私が土曜日午前中に通うダンスセンターがある。ジャックの靴店の名残《なごり》がないかと、同年九月、ある土曜日の朝、九〇〇ブロックを探索してみることにした。通りの両側の店を順番に一軒ずつ観察する。しかし、予想通り、六五年ほど前の店の面影など、どこにも発見できなかった。

それから一カ月後の一〇月、ジャックの息子のマイケル・デイレスさんにトロント市内で会った。

戦前の恵まれた生活

マイケルは、一九三三年一月、ポーランドのワルシャワで生まれた。家族からは、「ミハシュ」と呼ばれていた。

父ジャックと母ヘレンは、ワルシャワのユダヤ人地区ナレブキ通りに「インペリアル」という名の靴製作所をもっていた。靴のパーツを下請けの製作所から集め、それを「インペリアル」で組み合わせるという工程だ。小規模ながらも経営は順調で、隣国リトアニアやラトビアにも取引先があった。資産に余裕ができると、デイレス夫妻は賃貸アパートの建物を二つもつようになる。アパート賃貸業にも成功し、一家の生活は豊かだった。

両親がワルシャワに住み仕事をする一方、ミハシュ、兄サム、妹エラの三人は叔母ルシアと共に、ワルシャワから三〇キロほど離れたスロドボロウという村で生活する。空気がきれいなところだ。両親は週末になるとやってきた。

兄サムは学齢になると、伯父がいる英国に渡り学校に通う。

一九三九年九月、第二次世界大戦勃発。父は、彼自身の安全と、いずれ妻と子どもたちを呼び寄せようと、商取引のあったリトアニアに向かった。

カナダで靴店を開いた父

リトアニアも危険と感じた父ジャックは、ヨーロッパ脱出を図る。一九四〇年八月八日、同国カウナスの日本領事館で領事代理・杉原千畝から日本通過ビザを受給。*1 敦賀港から日本上陸後、四一年二月二日、神戸到着。「フジ・ホテル」に滞在した。*2 近くの公衆浴場に行ったことを覚えている。

日本滞在中にカナダ入国ビザを手に入れ、同年六月、日枝丸に乗船。七月九日、バンクーバーに着いた。ジャックは船荷の積み下ろしの仕事をしながら、靴の修理法を習い、靴修理店を始めた。同時に、新し

*1 「杉原リスト」1540番。

*2 1941年4月21日、米国のマディソン銀行から神戸の米国公館を通しジャック・デイレスに3000ドルの送金があった。その通知にジャックの住所として「フジ・ホテル」の記載がある。

ジャック・デイレス
バンクーバー市内 1943年
（マイケル・デイレス 提供）

ジャック・デイレス グランビル通りの靴店内で
1940年代中頃（マイケル・デイレス 提供）

ジャック・デイレス　グランビル通りのデイレス靴店の前で
バンクーバー　1940年代中頃（マイケル・デイレス 提供）

い靴を集めては蓄え、十分に集まると、バンクーバーのグランビル通りに靴店を開いた。戦中で靴が不足していたので飛ぶように売れた。

家族離れて暮らした戦中

ワルシャワに残っていた母ヘレンは、ゲットーにいた。

ある日、他のユダヤ人と一緒に、強制収容所に向かう貨物列車の駅まで行進させられる。ヘレンは、駅の集積場に着くと、列からそっと抜け出し、周辺で一晩潜んだ。翌朝、屋根伝いに逃げて身を隠す。その後、知り合いからの紹介で、ある家の家政婦として住み込んだ。その家の家族は、ヘレンがユダヤ系だとは気付かなかった。

一方、スロドボロウにいたミハシュ、妹エラ、叔母ルシアは、住んでいた家のそばの道を、ドイツ軍の隊列が東に向かっていくのを見ながら、息をひそめて生活していた。

ある晩、近くの町オトフォックのゲットーから騒々しい物音が伝わってきた。不穏な事態が起こっている。三人は森の中の使われていないホテルに隠れた。戦前、ワルシャワからの避暑客が使っていたホテルだ。だが、いつ何時、そこにもドイツ軍がやってくるかもしれない。ルシアの機転で森を出て、ワルシャワに戻った。

ワルシャワでは三人が一緒にいると危険なので離ればなれになった。互いの運命がどうなっているのか全く分からない。ミハシュは非ユダヤ系ポーランド人の家庭を点々と移動させられた。かくまってくれている人々も、とても神経質になっている。ドイツ兵に見つかれば、このポーランド人と家族の命も危うい。

一九四四年のある時から終戦まで、ミハシュはワルシャワから四〇キロほど離れた修道院にいた。修道女たちはミハシュに親切にしてくれた。

同年秋、ワルシャワの方角の空が真っ赤に染まっているのを見た。その街のどこかにいるはずの母や叔母、妹のことを思う。それが「ワルシャワ蜂起」*3の火だったことを知ったのは後になってからのことだ。

終戦後、ホロコーストを逃れたミハシュ、母ヘレン、妹エラは、英国で戦中を過ごした兄サムと合流。四八年一一月、全員でカナダのバンクーバーに渡り、父ジャックと家族再会を果たした。叔母ルシアも生き延びたが、ポーランドにとどまった。

グランビル通りのジャックの靴店は、ヘレンの手伝いが加わり、ますます繁盛する。デイレス夫妻は、バンクーバー市内に二店目の靴店をもった。さらに不動産業も営む。「杉原ビザ」を受給したジャックは、一九九八年一月、九八歳で亡くなった。

ジャックとヘレン
ノース・バンクーバー 1960年代後半
（マイケル・デイレス 提供）

浮き出た番地

ミハシュことマイケルとは、トロントの日系文化会館で会った。面談中、同会館スタッフが、マイケルが持参した父ジャックの写真や書類をスキャナーにかけコピーを作ってくれた。それを一つずつEメールに添付し私に送ってくれた。

高画質でのスキャンだ。おかげでダウンロードに時間がかかる。ようやく全てのコピーをコンピューターに保存し終え、写真を一枚ずつ見ていて驚いた。高画質のおかげでジャックの靴店の番地が浮かび上がっている。「九二七」。私が通うダンスセンターだ。

さっそくトロントのマイケルに報告した。するとこう返ってきた。

「父は、ダンスシューズは売ってなかったけどね」

マイケル・デイレスさん 日系文化会館にて
トロント 2013年10月（筆者 撮影）

*3 「ワルシャワ蜂起」は、1944年8月から10月、ナチス・ドイツによる支配からの解放のためポーランド国内軍を中心に同国抵抗組織がワルシャワ市民と共に起こした武装蜂起。一方、1943年4月から7月に起こったのは「ワルシャワ・ゲットー蜂起」で、ゲットーの住人がナチス・ドイツに対して起こした武装蜂起。

record
［記録］

ジャック・デイレス、靴修理業に着手

1942年2月6日(金)
『ジューイッシュ・ウェスターン・ビュルティン』※5頁より
(Jewish Museum and Archives of BC 提供)

※ Jewish Western Bulletin は、1930年創刊、
カナダ、ブリティッシュ・コロンビア州のユダヤ系コミュニティーの新聞。
2005年からは、Jewish Independent と名称を変えている。

NEWCOMER MANAGES CANADA SHOE REPAIRING COMPANY

Mr. Jack Dales, a recent arrival in Vancouver from Poland, has taken over the Canada Shoe Repairing Co., of 836 Granville St., situated in the heart of Vancouver's business district.

During the several months Mr. Dales has been in this city, he has become well acquainted and made many friends, who wish him the best of luck in his new venture.

The new manager of the Canada Shoe Repairing Co., has assured that complete satisfaction is guaranteed all customers, as only the highest quality of material and workmanship are employed.

A

新来者「カナダ靴修理社」経営

近頃、ポーランドからバンクーバーに来たジャック・デイレス氏は、バンクーバーのビジネス街のど真ん中、グランビル通り836番の「カナダ 靴修理社」を引き継いだ。

数カ月というものデイレス氏はこの街にいて、多くの人々と知り合い、友人を作ったことから、ビジネス着手の応援者を得た。

「カナダ 靴修理社」の新経営者は、最良の材料と最高の技術で、全ての客に100%の満足を保証している。

CANADA

SHOE REPAIRING CO.

NOW UNDER THE MANAGEMENT OF

JACK DALES

Equipped to do any kind of work on shoes, quicker and at very reasonable prices.

836 GRANVILLE STREET

B

カナダ靴修理社

現在 ジャック・デイレスが経営

靴に関する修理ならなんでもお任せ
はやくて、たいへんお手頃代金

836番　グランビル通り

それでも、「わが街ワルシャワ」

バンクーバーに来た同郷たち

ワルシャワ・ゲットーからの脱出

イザ・ラポンスさんは、戦前、ポーランドのワルシャワで生まれた。一九四〇年秋、ナチス・ドイツがワルシャワにゲットーを作ると、イザは父親と一緒にそこにとどめ置かれた。第二次世界大戦中、ドイツが作った最大規模のユダヤ人強制居住地区だった。一九四三年四月、ワルシャワは「ゲットー蜂起」で揺れる。その三週間前、イザの父は、地下組織で活動するポーランド人警官と密約し、一〇代半ばだった彼女を荷車の中に隠しゲットーから外へ運び出した。イザはその後、ある女性の養女として終戦までかくまわれる。

養母は戦後、ユダヤ系男性と結婚。イザは、養父母となった彼らと、一九四九年、カナダのバンクーバーに移住した。養父の兄夫婦が住んでいたからだ。

ゲットーからイザを逃がしてくれた実の父親が、いつどこで亡くなったのかは分からない。

日本を経て北米に来たポーランド人

イザの養父の兄夫婦でバンクーバーに住んでいたヘンリク・フィシュハウトと妻ポリーナ、ポリーナの両親で米国に住むゼリク・ホニングベルグと妻ライズラの四人は「杉原ビザ」受給者だった。*4 ホニングベルグ夫妻はビザ受給時、息子ブロニスワフを連れていた。

この二家族五人の他にも、イザの養父母がバンクーバーで親しくした人々で、戦中にカナダに来た個人と家族が一〇組一九人いた。そのうち、「杉原リスト」に名前があるのは一〇人。うち一人には妻と子ども二人、もう一人には妻が、それぞれのビザに含まれていた。つまり一九人のうち一四人が「杉原ビザ」で日本を経由しカナダに来たことになる。*5

*4 「杉原リスト」で、ヘンリク・フィシュハウトは421・422番。2枚ともヘンリクの名前。ゼリク・ホニングベルグは2078、妻ライズラは2080番。

*5 ここで述べているのは、イザの両親がバンクーバーで親しくしていた「杉原ビザ」受給者の数。戦中にカナダに来た「杉原ビザ」受給者は他にもいる。

バンクーバーに住んだポーランドからのユダヤ人　1950年前後（イザ・ラボンス 提供）
写っているうち以下8人が「杉原ビザ」受給者と家族
ヘンリク・フィシュハウトと妻ポリーナ（前列右と中央）
ブワディスワフ・リクテンバウム（左端）
ミェチスワフ・リクテンバウムと妻フェリシャ・ミンク - リクテンバウム（左から5人目と右から4人目）
マルタ・ヘイマン（左から2人目）
ヤクブ・カリスキと妻ルドビカ（右から2人目と5人目）

残りの五人のうち三人は女性で、婚前の姓が分からず、「杉原リスト」で特定できない。あとの二人は男性だが、いずれも戦中、ポーランドから日本を経由してカナダに来たということであれば、三人の女性も含め、「杉原ビザ」を受給していた可能性がある。ただし、モスクワの日本大使館、ウラジオストクの日本総領事館などソ連国内の日本公館で日本通過ビザ、あるいは渡航証明書を受給したことも考え得る。*6

「杉原リスト」とビザ受給者名

一九四〇年七月・八月、杉原千畝がカウナスで発給したビザの状況をまとめた「本邦通過査証発給表」いわゆる「杉原リスト」は二一三九番まで打ってあり、氏名、国籍、ビザのタイプ、発給日、徴収した料金が記載されている。同リストで受給者の名前を調べる際、念頭に置いておかねばならないことがいくつかある。

・一枚のビザが、受給者一人のみならず家族員も含めて発給されたケースがある。この場合、受給者の名前はリストに記載されているが、*7 家族員の名前はリストに載っていない。一枚のビザで夫婦二人、家族三・四・五人に有効だったケースがある。中には、他人を家族の一員として含め、逃亡を助けたケースもある。*8
・婚前の姓でビザが発給された場合、その姓を知らねばならない。
・姓名のつづりを後年、部分的あるいは全体的に、簡略化したり英語風に変えたりした受給者がいる。その場合、元の名前のつづりを知らねばならない。
・重複して出てくる名前がある。同姓同名の別人物か、あるいは同一人物がビザを二枚受給したのかは必ずしも判断できない。

・受給者の名前全てが載っているわけではない。特に、八月下旬の発給でリストに載っていない受給者がいる。*9

---

*6　筆者の調査中、モスクワの日本大使館で渡航証明書を得た家族、ウラジオストクの日本総領事館で日本通過ビザを得たケースがある。

*7　夫や父親の立場にあった男性の名前の記載が多い。

*8　Abraham Brumberg, *Journeys through Vanishing Worlds*, SCARITH/New Academia Publishing, 2007, p. 40.
「杉原リスト」１８０２・１８０３番のブランベルグ夫妻は、実の息子の他に、他人を息子として家族に含め米国まで連れて逃亡した。

*9　次の5項目の7通のビザ発給はいずれも8月下旬であるが、それぞれの受給者名はリストに記載されていない。
(1) Shmuel Solts, *Eight Hundred and Fifty Days from Border to Border during the Second World War*, Israel, Givatyim, 1988, pp.70-74.
著者ソルツは、8月1日に「キュラソー・ビザ」を得て、同月21日に杉原から日本通過ビザを得たことを記述し、同書でビザを紹介している。
(2) 筆者が調査したカプラン家（4人）とザルコビシュス家（3人）では、それぞれ父親が8月29日付ビザを受給した。（両家のビザは本書34、55頁で紹介）
(3) 「杉原千畝の覚悟示すビザ、米で発見　領事館閉鎖期に発給」２０１６年5月20日、福井新聞D刊。ワルシャワに住んでいたジェリー・シュモイスは、両親と共に逃亡。一家が受給した8月29日付ビザを保存している。
(4) エヴァ・パワシュ＝ルトコフスカ、アンジェイ・T・ロメル著／柴理子訳『日本・ポーランド関係史』彩流社、２００９年、２３２頁。ユゼフ・ブルンベルグのポーランド・パスポートに8月29日付ビザが発給されている。
(5) ニューヨークの「ユダヤ人遺産博物館―ホロコーストへ捧げる今を生きる記念碑」（Museum of Jewish Heritage, A Living Memorial to the Holocaust）では、ソラ・パギルスキス（母）とイザスカス・パギルスキス（息子）それぞれに発給された8月31日付ビザを所蔵している。（本書95、97頁）
8月31日付ビザに関しては、他にも書籍での記述やインターネットを通して閲覧できるものがある。
以上より、8月下旬発給ビザで、リストに名前が記載されなかった受給者がさらにいた可能性が考えられる。

・他人が受給したビザを何らかの理由で手に入れた場合[*10]や、偽造ビザの場合[*11]は、そのビザを使用した人の名前はリストに載っていない。

非ユダヤ系へのビザ発給

イザの養父母がバンクーバーで親しくした先述ポーランド人の「杉原ビザ」受給者のうち二組四人はユダヤ系ではなかった。[*12]

ナチス・ドイツのポーランド侵攻で身の危険を感じたのは、ユダヤ系ばかりではなかった。多くの非ユダヤ系ポーランド人も脅威を感じた。実際、ナチス・ドイツは、国民を含めてポーランドの消滅を目論《もくろ》んでいた。

第二次世界大戦中、ポーランド国民の死亡率は二〇%。ヨーロッパで最高値であった。そのうち九〇%はユダヤ系、一〇%が非ユダヤ系であった。[*13]

先導者となり得る政治家・聖職者・教育者、

ポーランド・ユダヤ人歴史博物館 ワルシャワ 2015年6月（筆者 撮影）
戦前はユダヤ人街で、戦中はゲットーがあったムラヌフ地区に建てられた。
ポーランドのユダヤ人1000年の歴史・文化を紹介する近代的博物館。

報道に携わるジャーナリストなどは、ユダヤ系・非ユダヤ系を問わず逮捕のターゲットとなった。

「杉原ビザ」を得てバンクーバーに着いた非ユダヤ系の二組も、政治的・社会的理由からの逃亡であった。

---

*10 筆者の調査中、重複ビザを手に入れたケースがある。

*11 Solts, *Ibid.*, p.71. シオニストらが「杉原ビザ」のスタンプを作り、ビザを偽造したことが記述してある。また、Ilya Altman, "The Issuance of Visas to War Refugees by Chiune Sugihara as Reflected in the Documents of Russian Archives", *DEEDS AND DAYS* 67, Vytauto Didžiojo Universitetas, 2017, pp. 231-237 では、ソ連諜報部は、１９４１年3月1日までに４９２の偽造「杉原ビザ」を摘発したとある。

*12 「杉原リスト」１９７・１９８番アントニ・ブルハクと妻バンダ、１８４４番ヤヌシュ・ミフロブスキと妻ゾフィア。（本書１０８、１１０頁）

*13 Irene Tomaszewski, Tecia Werbowski, *ŻEGOTA: The Council for Aid to Jews in Occupied Poland 1942-45*, Montreal, Price-Patterson Ltd., 1999, p.9.

ワルシャワ・ゲットー英雄記念碑
2015年6月（筆者 撮影）
ゲットー蜂起の様子と蜂起指導者モルデハイ・アニエレビッツが彫刻されている。ポーランド・ユダヤ人歴史博物館と向かい合って立つ。

ワルシャワの思い出

一九五〇年代、バンクーバーで養父母の同郷たちを見ていたイザは当時二〇代。面談とEメールで寄せられた彼女からの情報はかなりしっかりしていた。時には、イザ自身の思い出も含まれていた。

「ワルシャワ・ゲットー蜂起」から七〇周年にあたる二〇一三年四月、ゲットー跡地に「ポーランド・ユダヤ人歴史博物館」が開館した。その建物の写真を見ながらイザは、「戦前、そこから数ブロックの旧市街に父方の親戚の家があった」と語る。しかし、「ゲットーでの二年間は、私の人生で最も惨めだった時期」とも。それでも、「ワルシャワは懐かしい人々との思い出がある場所」。だから今でも彼女はこう言う。

「わが街、ワルシャワ」と。

イザ・ラポンスさん
バンクーバー 2013年9月（筆者 撮影）

record
［記録］

八月三一日、ホテル・メトロポリスで発給されたビザ

杉原千畝が作成した日本通過ビザ発給表には、杉原がビザ発給を行った全ての人々の名前が記載されているわけではない。それが分かるのは、名前の記載がない受給者が得たビザがこれまで発見されているからだ。その中に、杉原が一九四〇年八月下旬、日本領事館を閉め、ベルリンに発つ九月初旬まで家族と滞在したカウナス市内のホテル・メトロポリスで、八月三一日に発給されたビザ二つがある。

受給者は、ソラ・パギルスキスとイザスカス・パギルスキスで、二人は母と息子。ビザが発給されたリトアニア・パスポート二冊とイザスカスの手記が、ニューヨークの「ユダヤ人遺産博物館――ホロコーストへ捧げる今を生きる記念碑」（Museum of Jewish Heritage, A Living Memorial to the Holocaust）で保存されている。

手記は、一九一九年生まれのイザスカスが、一九九六年、七七歳の時に書いたものだ。「杉原ビザ」受給時は、二一歳だった。ビザ受給に至る経緯を次のように書いている。

警官がパスポートを没収に来るのを見て、家の奥の窓から外へ飛びだした。そして駅へ行き、カウナスへ行く汽車に乗った。

（カウナスに着くと）すぐさま日本領事館へ向かった。着いてみると、そこには、掃除夫以外は誰もいなかった。お金をやると、彼は、領事が滞在している場所と、領事がもうすぐカウナスを離れることを教えてくれた。

　ホテルはカウナスの大通りにあった。そこまで、歩かなかった。走った。ところが、着いてみると、警備員が中へ入れてくれない。ここでも、お金がものを言った。彼は、領事が滞在している階と部屋番号を教えてくれた。そして私に、いったん外に出て待つように、彼が振り返ったら、（ホテルに入り）上の階へ走って上がれば、彼は私の後を追わないと言った。

　彼が振り返ると、私は脱兎《だっと》のごとく駆け上がった。そこには日本人の警備員がいた。*14

　領事に会えるよう中に入れてもらえな

イザスカス・パギルスキスのリトアニア・パスポートにある写真
（Gift of the family of Irving Pagirsky, Museum of Jewish Heritage, NY）

いかと、少し声高に交渉しているうちに彼と口論になった。すると、ドアが開いて子どもの手を引いた女性が出てきた。彼女は警備員に、騒々しく何が起こっているのかと聞く。私は、たどたどしいドイツ語で説明しながら、米国ビザがある私のパスポートを見せた。すると彼女は、そこで待つようにと言い、部屋の中へ戻っていった。

数分後、総領事のミスター・スギハラが出てきた。彼は、もう荷物をまとめたので、ビザは発給できないと言う。しかし結局、彼は書類鞄を開け、ビザを発給してくれた。

*14 諸文献によると、杉原千畝がリトアニア駐在中、同国には杉原一家以外に日本人はいなかった。「日本人の警備員」というのは、イザスカスの記憶違いと判断される。

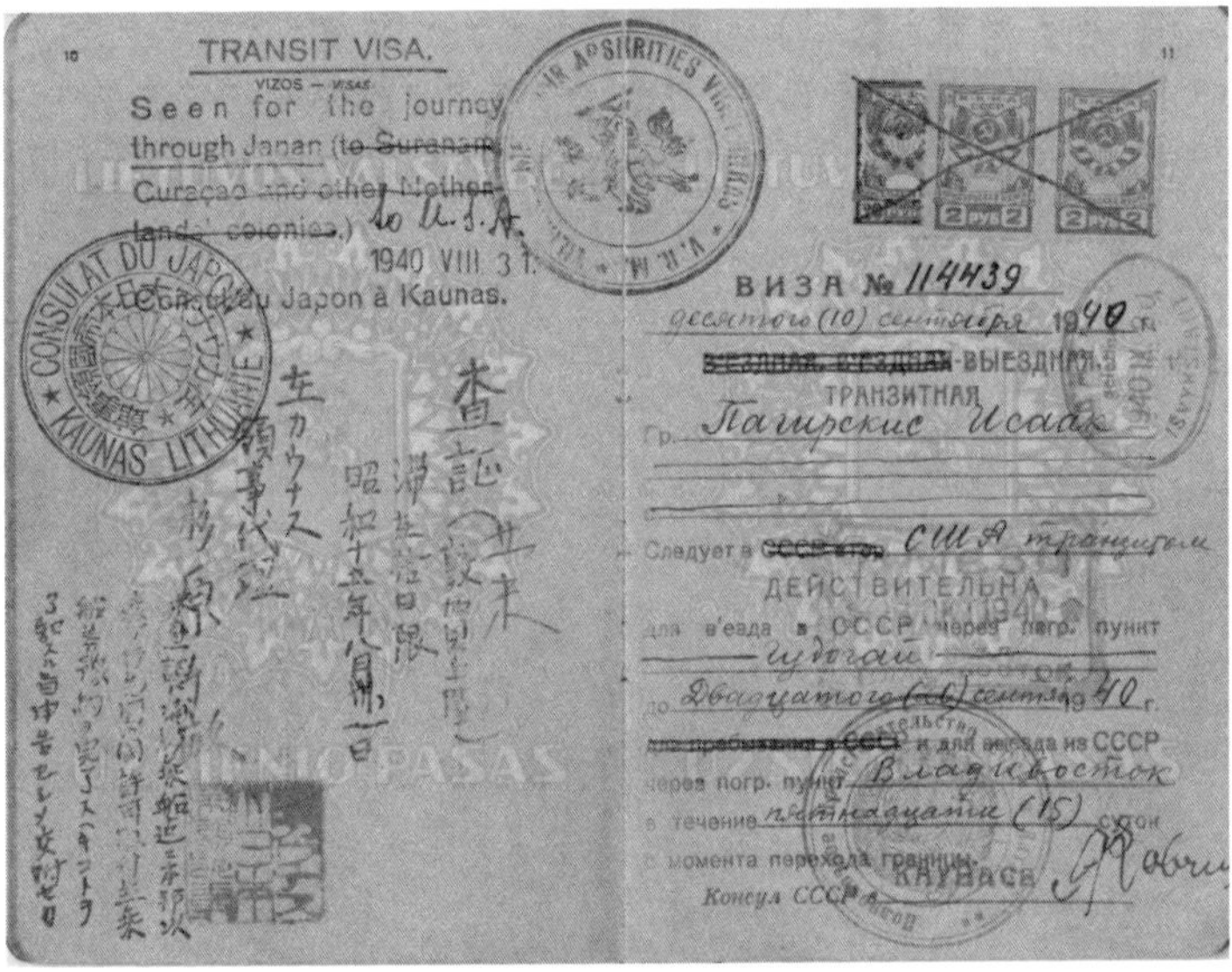

パギルスキスのパスポートに杉原千畝が発給した8月31日付の日本通過ビザ（左頁）
(Gift of the family of Irving Pagirsky, Museum of Jewish Heritage, NY)

白いコート着て雪の国境越え

今も目に浮かぶあの時の光景

逃亡の始まり

テッド・カリスキさんは、一九二四年六月、ワルシャワのユダヤ人家庭に生まれた。

父ヤクブは、弁護士として名を上げたあと裁判官となり、ワルシャワ大学法学部の教授も務めた。高い教養と道徳心を備え、周囲から「信頼の人」と呼ばれていた。

母ルドビカはワルシャワの良家出身。当時、数学分野ではヨーロッパ最高峰とも目されていたワルシャワ大学で、数学の修士号を得ていた。

テッドには四歳違いの弟ステファンがいる。

裁判所に近い建物の二階全てが、カリスキ家の住居と父の法律事務所だった。依頼人が訪ねてくると、使用人がドアを開け、廊下を通って控室に案内する。税金に関する相談が多かった。

一九三九年九月一日、ドイツが西からポーランドに侵攻。第二次世界大戦が勃発した。

第一次世界大戦の時は、開戦後二・三カ月というもの、ドイツ軍からの攻撃はなかったと聞いていた。しかし今回は、開戦と同時に爆撃が始まった。

ラジオから、「特別な任務にある者以外はワルシャワから退避せよ」と警告が流れてくる。両親は慌ただしく荷物をまとめる。母は事態を予想して、以前から衣類に宝石を縫い込んでいた。

一家は、親戚のヤネックが運転する車で出発。郊外へ向かう道は、急いで逃げようとする人々や荷車などでごった返している。中には、トラックの荷台に飛び乗り、積んであったキャベツを次々と溝に放り投げ、空いた場所を占領する人たちがいるのには驚いた。

リトアニア密入国

ドイツ占領下から脱出しようと、カリスキ一家が乗った車は、ワルシャワから南東へと移動する。両親は、一家が逃亡している理由を子どもたちに詳しくは話さない。

ポーランドの東側にはソ連軍が侵攻してきていた。そのうち、乗っていた車はポーランド軍に徴用され、運転していたヤネックはワルシャワに戻った。カリスキ家の四人はスーツケースをさげ、徒歩で逃亡を続ける。

ポーランド東部のリビィウに滞在している間、町はソ連軍に占領された。両親は隣国リトアニアへの密入国を計画する。リトアニアは当時まだ中立国だった。

ソ連占領下ポーランドとリトアニアの国境には雪原が広がっていた。身を隠す場所も木立もない。そこを、夜、歩哨《ほしょう》の交替時間をねらって横切る。道案内に雇った男性が、雪に紛れるようにと白いレインコートを用意してくれていた。それを着る。

「とても寒かった」。テッドは思い出す。凍えるほどの寒さと恐怖で震えながら、家族は黙々と進んだ。暗闇の中、行く手の雪原の白さが、今もテッドのまぶたに焼き付いている。

日本通過ビザのうわさ

国境を越えリトアニアに入ると、道案内はカリスキ一家を農夫の家に連れていった。四人はそこからビリニュスへ向かう。

年が明けて一九四〇年。この年の冬の寒さはことのほか厳しかった。ビリニュスでは、夜は氷点下三〇度まで冷え込む。ところが父は、着ていた温かい毛皮のコートを警官に譲った。どういう理由があったのかは分からない。

ある家の二部屋に家族四人で住んだ。その家には、他にも避難民がいた。

四〇年、春・夏、テッドは弟とビリニュスの学校に通った。

夏、周囲の大人たちは、どこかの大使館か領事館が出すキュラソー島のビザと、日本のビザのうわさをしていた。両親は、日本を経由して、キュラソー島ではなく、米国に行くことを話し合っている。父は、日本と米国のビザを手に入れようと、二度カウナスへ行った。ある日、日本のビザを受給してきた。*15

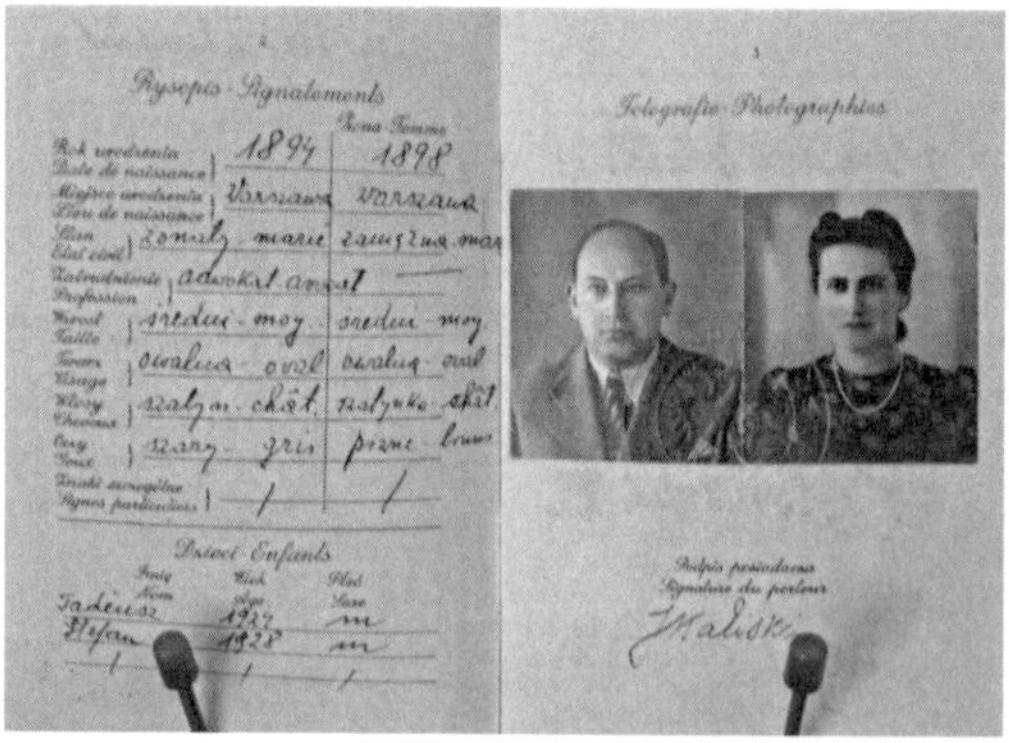

パスポートに記載されているカリスキ家4人の名前や生年月日（左頁）
ヤクブとルドビカの写真（右頁）
（カリスキ家 提供）

ヤクブ・カリスキの
ポーランド・パスポート表紙
（カリスキ家 提供）

長い旅

シベリア横断鉄道に乗車するためモスクワへ行き、ホテルで数日過ごした。ここでも父は米国ビザを求めて出かけて行く。一方、テッドと弟はホテルを抜け出し、有名なモスクワ地下鉄の探検に行ってみることにした。

三つか四つ目の駅で車掌がやってきて、話しかけられた。だが、ポーランド語とロシア語のコミュニケーションはうまくいかない。揚げ句に、車両から降ろされた。ホテルへ戻りたいと身振り手振りで頼むと車掌は分かってくれ、再び地下鉄に乗って戻ることを見逃してくれた。モスクワでの大冒険だった。

シベリア横断鉄道は寝台列車だった。コンパートメントに四つ寝台があり、そのうち二つは折り畳み式で二階になる。テッドと弟は二階の寝台を使った。弟が、二階の寝台は日中も畳まず、そのままにしておいてほしいと両親に頼んだのを覚えている。

外にも出られず、退屈な長い旅だった。途中、汽車が駅で停車すると、空っぽの籠を持った地元の女性たちが乗り込んできて食堂車へ行き、食べ物の残りがないかと探していた。乗客には、よい食事がでた。

忘れられないのは、列車の窓から見たバイカル湖の美しさだ。とてもきれいだった。今でも目に浮かぶ。車中で揺られている間ずっと、家族で米国に向かっているものだと思っていた。一度も列車から降りず、九日ほどたってウラジオストクに着いた。

ウラジオストクでは、日本へ渡る船に乗るまで、二・三日ホテルに滞在した。窓から、駅と商店が見える。

---

*15 「杉原リスト」でヤクブ・カリスキ（Jakub Kaliski）と思われる名前は、7月29日発給の150番Jacob Kaliskyと、8月20日発給の2009番Jacob Kaliskiの二つがある。テッドによればヤクブは二度カウナスに行ったということだが、両番号ともヤクブのものなのか、どちらか一つだけなのかは不明。

店で何を売っているのか興味があった。しかし、ここでも家族はホテルから一歩も外に出なかった。ある時、窓から外を見ていると、ウオッカの瓶をたくさん積んだ車がホテルの前に止まった。宿泊客は、二・三本ずつ持っていってもよいとのこと。二本だけ持って行く人はいない。皆、三本持っていく。だが父は取りに行こうとしない。だれかが何本か持ってきてくれた。

ウラジオストク港から乗った船は、途中の港で泊まった。石炭の入った籠を頭に置いた女性たちが船に乗り込んでくる。石炭を下ろすと船を降りる。そういった作業をしばらく繰り返した後、船は再び沖へ出た。日本で滞在した神戸では、同じポーランド人の子どもがいて一緒に遊んだ。一方、父は米国のビザを得ようと神戸から東京へ行く。そしてついに、米国ではなく、カナダのビザを得てきた。横浜からバンクーバーへ向かう平安丸に乗ったのは、一九四一年七月一七日だった。

乗船して待ったシアトル入港

カリスキ家が乗船した平安丸が、バンクーバーの手前、シアトルに到着するのは七月二九日の予定だった。しかし、その四日前の二五日、米国は、同月、日本軍が南インドシナに進駐した制裁措置として「在米日本資産の凍結令」を交付。太平洋海域には緊張が張りつめていた。当局からの指令で平安丸は洋上で一時待機のうえ、三一日シアトル入港となる。

積荷は全て陸揚げ、乗船客は全員下船。一三人は米国入国、六九人はカナダ船に乗り換えた。[*16] 平安丸はバンクーバーには向かわず、空船で横浜に引き返す。[*17]

「シアトル沖で、船は二日間、待機した。接岸して船から降りると、そこにバスが待っていて、バンクーバーに向かう人たちをカナダ船まで運んだ」。こうテッドは思い出す。

八月二日、カナダ船でバンクーバー到着。バンクーバーで父ヤクブは、公証人として働いた。ユダヤ系・非ユダヤ系を問わず、ポーランド系コミュニティーで絶大な尊敬と信頼を寄せられ、多くの依頼人を得た。

二〇一四年六月、私は、ケベック州モントリオール近郊のテッドの住まいを取材に訪ねた。テッドがちょうど九〇歳になった

*16 "Heian Maru in Seattle Berth" Seattle Daily Times, July 31, 1941, p.30.
バンクーバーへ向かった69人のうち23人がポーランド国籍の避難民であった。これら避難民には、ワシントンの避難民受け入れ事務局の代表者から、たばこ・新聞・他物品が供与された。
神戸ユダヤ協会作成のリストには該当平安丸に乗船した21人のポーランド国籍避難民の名前がある。うち19人は「杉原リスト」に名前の記載がある受給者とその家族である。

*17 日本郵船株式会社『七十年史』、1956年、279、280頁。

シアトル港に着いた平安丸にて
テッド(右端)ルドビカ(左から2人目)ヤクブ(ルドビカの右斜め後ろ)
(Seattle Post-Intelligencer Collection, Museum of History & Industry, Seattle; All Rights Reserved)

月だった。ソファに埋もれるように座り、用意してくれていたヨーロッパの地図を広げ、一九三九年の秋、カリスキ家がワルシャワから移動していった地点を指でたどりながら、道中のエピソードを一生懸命に話してくれた。

一時間半ほどの面談の最後、テッドに、「七三年前、ポーランドからの長い旅路の果てにカナダに着き、この国で暮らすことになったけれど、満足しているかどうか」と聞いた。

テッドは即座に、「よかったよ。カナダに来て本当によかったよ」と答えてくれた。

帰り支度を始めた私を、テッドはちょっと寂しそうな目で追いながら、「また、おいで」と言ってくれた。

テッド・カリスキさん
カークランド ケベック州 2014年6月（筆者 撮影）

memory
［思い出］

ワルシャワ、かつて父が住んだ街

ルーシー・カリスキ

二〇一八年五月、私は約二週間、ポーランドを旅した。美しい国だった。父への敬意と感謝を捧げているようで、とても意義深い旅だった。

父テッド・カリスキは、一九二四年六月、ワルシャワで生まれた。一九三九年九月、ドイツによるポーランド侵攻直後、父の一家はワルシャワから脱出した。勇気を振り絞って逃げたことを父は話してくれた。この壮大な国での子ども時代についても語ってくれた。父の足跡をたどるようにという声がどこからかしてきて、私を誘ったのかもしれない。私はワルシャワ滞在中、父が戦前に住んでいた二つの建物の住所を訪ねた。

一つは、クルレブスカ通りの住所で、旅の最初の晩に泊まったホテルのすぐそばだった。戦中に破壊された建物は再建されず、空き地になっている。しかし、通りを隔てて、子どもだった父がよく遊んだという「サスキ公園」があり、そこはとても素敵だった。父に公園で撮った写真を見せると、じっと見入り、しばらくは言葉を失っていた。そして、うっそうと濃い緑に覆われた大木が並ぶ写真に、感心したように首を振り、「ワルシャワは、公園がたくさんある美しい街だ」と言った。

もう一つの住所の辺りは、ある程度復興されてはいたが、残念ながら父の一家の住まいがあった建物は、よくは維持されていなかった。その一帯はワルシャワのビジネス街の端にあり、大部分が再建中だった。

父に、番地表示の写真や、入り口のガラスのドアを通して撮った内部の写真を見せた。父は、住んでいた二階へ続く階段をよく覚えていた。

「階段の右側にエレベーターがあったはずだ。それがないね」とけげんそうに聞く。

「エレベーターは見えたけれど、入り口のドアが閉まっていて中に入れず、撮ることができなかった」と私は説明した。

入り口のそばの外壁は、下の方のしっくいが剥がれ落ち、その部分に、れんがの壁が見えていた。その写真を父に見せると、「覚えているのは、こういうれんがの壁だ」と懐かしそうに言う。

父は写っている建物の外壁を見て、「窓がこんなにたくさんあったのか」と驚く。当時は「窓の数で税金の額が決められていた」と話す。窓が多いと、税金の支払い額は高くなる。つまり、そこの住人は裕福だという印。一緒にいたガイドもそう言っていた。

戦前ワルシャワでカリスキー家が住んでいた建物の外壁
2018年5月（ルーシー・カリスキ 提供）
戦後に塗られた壁が剥がれ落ち、戦前のれんが壁が見える。

戦前のポーランド最高裁判所
ワルシャワ 2018年5月
（ルーシー・カリスキ提供）

周辺の建物の写真も見せた。学校になっている建物は、「当時は郵便局だった」と話す。よく覚えていることだ。

通りに沿って歩いて行くと、ワルシャワ・ゲットーの壁の跡が保存されていた。それも撮った。しかし、父には見せなかった。

かつてのポーランド最高裁判所も訪れた。祖父が裁判官として働いたところだ。現在は、国立図書館の一部になっていて、その向こうに新しい最高裁判所が立っている。近代的で堂々とした建物の前には「ワルシャワ蜂起記念碑」があり、とても印象的だった。

ワルシャワは、激動の歴史を物語る建物が入り混じった街。第二次世界大戦中、原形をほとんどとどめないまでに破壊された。しかし、街は復興され、歴史的建造物も再建された。これこそポーランド人のもつ粘り強さと不屈の精神の現れだ。

ワルシャワで訪れた場所を父に報告することは、私のポーランド旅行に関する最高の部分になった。父の祖国での共通した思い出を二人でたどりながら、かつてポーランド人だった父の誇りを垣間見ることができたから。

二〇一八年八月　米国カリフォルニア州

ルーシー・カリスキさんと父親のテッドさん
カークランド ケベック州 2018年6月（筆者 撮影）

ユダヤ系ではなかったビザ受給者

迫りくる脅威を前に逃亡

ヨーロッパ情勢観察

「ミフロブスキ軍需・化学産業」。かつてポーランドにあった企業だ。日本やインドを含むアジアをはじめ、中近東の国々とも輸出取引をしていた。この会社を創設したミフロブスキ家は、ポーランド経済のみならず、絵画などの芸術領域でも知られるワルシャワの名門。その名家出身のヤヌシュは、大学で経済学を修めた後、家業の石炭・鋼鉄分野の代表としてしばらくドイツにいた。その間、同国内の物流のみならず、ヒトラー率いるナチス・ドイツの台頭と、それに伴うヨーロッパ情勢を観察する。

一九三九年九月、ドイツによるポーランド侵攻が始まると、ワルシャワに戻っていたヤヌシュはいち早く街から逃亡。彼のようなエリートたちは、軍事・諜報《ちょうほう》訓練を受けていると考えられていたので、逮捕のターゲットになったからだ。

ヤヌシュは逃げ込んだリトアニアで、ゾフィアというポーランド人女性と結婚する。二人はさらにヨーロッパ脱出を図ろうと、一九四〇年八月一七日、カウナスの日本領事館で領事代理・杉原千畝から日本通過ビザを受給。[*18] その後、ソ連を通過して、ウラジオストクから敦賀に上陸。四一年二月二五日、神戸に到着した。

警察からの疑い

二人は東京へ行き、帝国ホテルに滞在する。ミフロブスキ家は日本とも商取引があったので日本に財源があり、滞在費には困らなかった。新婚旅行でもしているかのように、景勝地・国立公園・温泉巡りを楽しむ。その間、港や山を背景に演習を行う日本海軍や空軍の様子をヤヌシュの目は見逃さなかった。そんな彼にある日、日本政府と関係するポーランド人が警告した。

「すぐに日本を出ろ」

あちこち見物して回り、海岸に出没する外国人二人を日本の警察がマークしていると言う。急ぎ汽車で長崎へ向かう。そこから渡った上海で、一九四三年、息子のアンドルーが生まれた。

ユダヤ系ではなかったビザ受給者

二〇一五年五月、オタワに住むアンドルー・ミフロブスキさんを取材に訪ねた。

両親は「杉原ビザ」を受給したが、「ユダヤ系ではなかった」と、アンドルーは話し始めた。

ビザが不要だった上海には、ヨーロッパから逃げてきた多くのユダヤ系避難民が生活していた。だが非ユダヤ系のミフロブスキ家と付き合い、アンドルー

UNITED NATIONS

International Refugee Organization
Philippines & Far East Mission
CERTIFICATE OF TRAVEL
No.

The United Nations International Refugee Organization requests all civil and military authorities of Foreign States to let pass freely ——— bona-fide refugee, eligible for IRO assistance, going to ---Canada--- under the sponsorship of IRO, and afford assistance in case of necessity.

M.C.Liang
Director, Shanghai Area
for Frederick R. Thompson,
Chief of Mission,
IRO Philippines & Far East

Place of birth:
Date of birth:
Height:
Weight:
Colour of eyes:
Colour of hair:
Special peculiarities:

Accompanied by:
(Only Dependents under 16 years)

ゾフィア・ミフロブスキに交付された
国際連合国際難民機関によるカナダまでの旅行証明
（アンドルー・ミフロブスキ 提供）

*18 「杉原リスト」1844番。

と遊ぶ子どもはいなかった。一人でいる彼に、「父は軍隊の作戦について教えてくれ、時間をつぶしてくれた」と振り返る。

終戦後の一九五二年、ミフロブスキ家の三人はカナダに渡り、バンクーバーに落ち着いた。

同五〇年代、ヤヌシュは、日本からカナダへ、金属製品・木製品・手塗り陶磁器などを輸入。特に日本製の壁張り用ガラスクロスは品質の良さで人気があった。

「メイド・イン・ジャパンは粗悪という通念があった頃、父は優れた日本製品をカナダに紹介した。かつてヨーロッパ脱出を助けてくれたスギハラや、日本に対する感謝があったからだと思う」。こうアンドルーは語った。

アンドルー・ミフロブスキさん
オタワ 2015年5月（筆者 撮影）

もう一組の非ユダヤ系ビザ受給者

バンクーバーには、ユダヤ系ではなかった「杉原ビザ」受給者がもう一組住んでいた。アントニ・ジョルジ・ブルハクと妻のバンダだ。

バンダは、一九一八年一一月、ポーランドが独立を果たした際の国家主席ユゼフ・ピウスツキの二番目の妻の姪だった。[*19] ピウスツキ自身は一九三五年に没しているが、旧体制を象徴するピウスツキの親族にとって、ドイツとソ連によるポーランド占領は脅威となる。

一方、夫ジョルジは、ピウスツキの私的軍隊に属し、第一次大戦中、ロシア戦線で武勲をあげた戦士。バンダと共に逃亡を迫られたことは想像に難くない。

二人の名前は、「杉原リスト」の一九七・一九八番で載っている。

しかし、一九四〇年一一月に福井県警察部が作成した同年一〇月の敦賀港からの入国者表では、ジョルジの名前はあるが、バンダの名前はない。「杉原ビザ」は、敦賀上陸を指定しているので、彼女もここを通過したはずだ。

敦賀港に「杉原ビザ」受給者が到着した期間の上陸者表は、これまでのところこの一〇月分のみが外務省外交史料館で発見されている。他の月の表が発見されていないので調べようもないが、バンダは何らかの理由でジョルジと一緒に敦賀に上陸しなかったことが考えられる。

*19　バンクーバーでブルハク夫妻と親交があったフィシュハウト家出身のイザ・ラポンスさんからの話に基づく。（本書92頁）

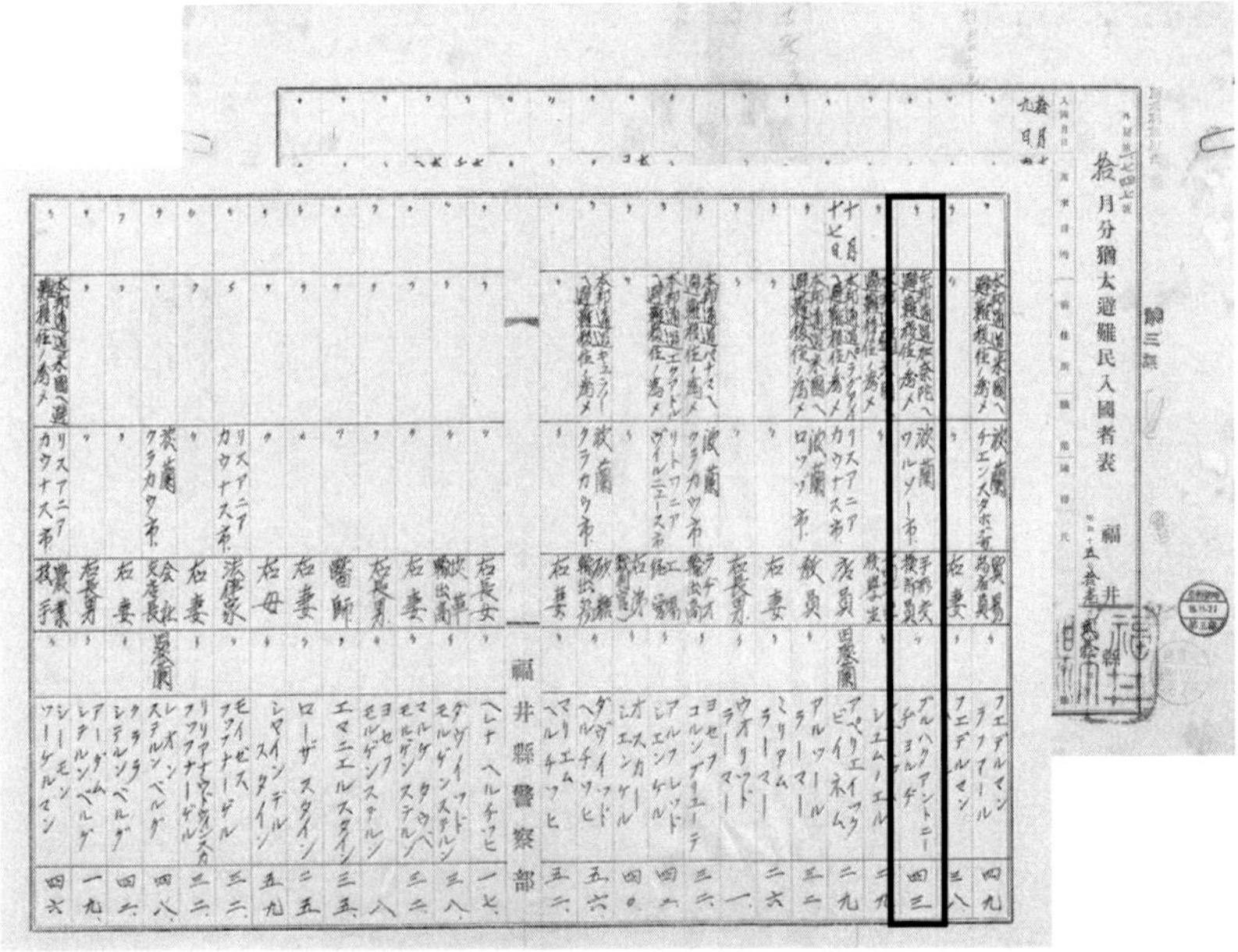

福井県警察部作成「拾月分猶太避難民入国者表」（外交史料館所蔵）
右から3番目（太線囲み）にジョルジ・ブルハクの名前。バンダの名前は記載がない。
同1・2番目、フェデルマン夫妻。（本書50頁）
同6・7・8番目、レルメル一家3人。（本書45頁、263〜293頁）

戦後の静かな暮らし

バンクーバーで、ブルハク夫妻はブリティッシュ・コロンビア大学に近い住居ビルのペントハウスに住んでいた。

ジョルジは不動産業に携わるとともに、写真家としても活躍。同大学内の建物や自然を撮った作品が同大学に、また、市内の街角を撮った写真集『ビューティフル・バンクーバー』が、今も市立図書館に保存されている。

バンダは静かで控えめな女性だった。ポーランドでの出自や政治的つながりに関しては人前で話さなかった。多くの時間をバンクーバー総合病院で、年配の入院患者の食事の世話や、見舞客のない患者の話し相手になって過ごした。

バンダは一九九〇年三月二二日に亡くなったことが、市立図書館所蔵、地元新聞「バンクーバー・サン」紙のマイクロフィルムで分かる。

「多くの友人や、ポーランドの家族によってしのばれた」とあり、通夜の祈りは市内のポーランド系カトリック教会で執り行われることが告知してあった。

バンダ・ブルハク
バンクーバー 1960年代前半（イザ・ラポンス 提供）

バンクーバー・横浜 姉妹都市提携五〇周年記念行事
バンクーバー海洋博物館開催

episode.2

見えざる糸

命の杉原ビザとバンクーバーまでの旅路

二〇一五年四月一〇日から七月一日まで、バンクーバー海洋博物館で、バンクーバー市と横浜市の姉妹都市提携五〇周年記念行事の一つとして「見えざる糸 ― 命の杉原ビザとバンクーバーまでの旅路」と題した展示会が開催された。両市のつながりを、「杉原ビザ」が救った命を通して知ってもらおうというものだった。

展示では、第二次世界大戦勃発後のポーランドやリトアニアのユダヤ系避難民の逃亡と杉原千畝のかかわりや、「杉原ビザ」受給者が日本から離れる際に神戸港や横浜港から乗った日本郵船の船の話などが、当時の写真や書類のコピーと共に紹介されていた。二〇一二年、私がバンクーバー新報社の協力で制作した七組の同ビザ受給者に関するビデオも開催期間を通し上映された。

一般公開に先立ち、四月九日、オープニング・レセプションが催され、バンクーバーに住む「杉原ビザ」関係者も出席した。その一人、ブラム・レルメルさんは、展示された家族の写真を見ながら感慨をこう語った。

「私の両親が、ポーランドに残った家族を亡くし、生涯耐えていかねばならなかった悲嘆。逃げることができなかった人々への悲しみ。その反面、私の家族をはじめ多くの避難民を救ったスギハラのような救済者がいたことへの喜び。いろいろな思いがこみ上げてくる」

デボラ・ロス－グレイマンさんは、出席者の熱気と会話で盛り上がった会場を見渡しこう話す。

「チウネ・スギハラを讃《たた》えるため、日系とユダヤ系コミュニティーの人々が一緒にいることに感激している。スギハラからのビザで母の命が救われ、そのおかげで私が今ここにいる。大切なことを教えるこの展示会を一人でも多くの人に見てもらいたい」

スピーチに立った同館学芸員のダンカン・マクラウドさんは、「チウネ・スギハラの話は当初知らなかった。準備を進めるうちにスギハラからのビザ受給者やその子孫らが身近に住んでいることを知った。実際、私の高校時代の同級生の一人がビザ受給者の孫であることが分かり驚いた」と話し会場を沸かせた。

展示パネルの一つ

ブラム・レルメルさん
レルメル家の安導券のレプリカ展示のそばで

デボラ・ロス–グレイマンさん
母ニウタが神戸で受け取った
リトアニアの家族からの
はがきのレプリカ展示の前で

ノーミ・カプランさん
逃亡中に撮った
カプラン一家の写真があるパネルの横で

ジョージ・ブルマンさん
ブルマン家の写真展示の横で

ジェイコブ・ベイレスさん（左）
祖父で「杉原ビザ」受給者のボルフ・ベイレスが
日本滞在中に使った日英旅行会話の本を
レセプション出席者（右）に見せている。
中央奥はジェイコブの父アラン・ベイレスさん。

（筆者 撮影）

III

オンタリオ州

トロント・オタワ

奇跡のような展開で果たした逃亡

リトアニア密入国失敗、再挑戦

一枚のビザで家族五人

二〇一三年八月末、取材を申し込んでいたオンタリオ州ピーターボローに住むアン・ネイベルトさんから回答を受け取った。

「九月末にブリティッシュ・コロンビア州の州都ビクトリアに引っ越すので、その後であれば喜んで取材を受ける」とある。手紙の最後にはこうも書いてあった。

「家族のうち私が最後の生存者となりました。私たちは命を救ってくれたスギハラにいつも感謝していました」。一枚のビザが一家五人の運命を左右したからだ。

ビクトリアに落ち着いたアンを、バンクーバー近郊からフェリーに乗って最初に訪ねたのは、翌一四年四月。アンは用意してくれていた古い写真をテーブルに広げ、ネイベルト家の戦前の暮らしや、逃亡中の思い出を語ってくれた。

子守のエルサ

アン・ネイベルトは、一九三三年六月、ポーランドのウッチ市で裕福なユダヤ人家庭に生まれた。

父アルフレッドは、オーストリアのウイーン大学を卒業。ドイツ語が得意で、ポーランド政府の外交官として、ドイツのミュンヘンにあった公館でしばらく勤務。その後、ポーランドに戻り、ウッチで親戚がもつフェルト工場の経営に加わった。フェルトはポーランド軍に調達していたので、アルフレッドらの工場は重要企業とみなされていた。

母マリアは、ポーランドのユダヤ系として五〇〇年も続く由緒ある一族の出身。スポーツが好きで、テニスや乗馬、水泳やスキーも得意だった。年に二回、夏と冬は、彼女の三人の子どもたち、エバ、ミハウ、アンを連れ、ポーランド南部に広がるタトラ山脈にあるザコパネの別荘に滞在するのが恒例だった。ウッチの自宅は、大きな建物の二階フロアの全て。家政婦二人と料理人が家事をした。車の運転手も雇われていた。

アンには、エルサという名の子守がいた。ドイツ系で、二〇代前半のきれいな女性だ。午前中はアンを幼稚園に連れていってくれ、午後は近くの公園で遊んでくれた。エルサと一緒にいる時間は、母といるより長かったので、アンにとってはなくてはならない人だった。

一九三九年、ある時から、六歳のアンにも分かるほど家の雰囲気が何か変わった。両親や姉たちから緊張

アルフレッド・ネイベルトと次女アン
ザコパネ 1937年（アン・ネイベルト 提供）

が伝わってくる。しかし、アンの生活に変化はない。エルサが付いている。それが変わったのは、同年八月三〇日。

ネイベルト家は父を除く家族四人が、母の双子の妹アリツィア・クルコブスキと彼女の子ども二人と共に、ポーランド東南部へ向かう汽車に乗った。父とアリツィアの夫は、フェルト工場の仕事があるので街に残った。

九月一日、ドイツが西からポーランドに侵攻。第二次世界大戦勃発。

再挑戦したリトアニア密入国

父は、ドイツ軍が破竹の勢いでポーランド中央部に進んでくると、ついに親戚二人と車に乗り街を出た。しかし、車は途中でポーランド軍に徴用される。父たちは運転手をウッチに戻し、妻や子どもたちがとどまっている場所まで徒歩でやってきた。

運転手がウッチのネイベルト家に帰ってみると、屋内が荒らされている。アンの両親は、戦争のほとぼりが冷めれば自宅に戻ると思っていたので、家財や生活用品はそのままにして家を出ていた。しかし、母の宝石や、父が置いていた現金など、全てがなくなっている。一家が出発した後、家の鍵を持っていた子守のエルサが盗んでいたのだ。彼女は一財産を持って、ドイツに逃げたことが後で分かった。

アンが覚えているのは、街から街へと移って暮らしたこと。両親はアンに、家族で「逃げている」と説明する。しかし、何から逃げているのか、なぜ逃げているのか、アンには分からない。「心配しなくてよい」とも言われた。実際、家族は一緒にいたし、不安などなかった。ただ、子守のエルサがいないことは寂しかった。

ある日、ネイベルト家五人と、クルコブスキ家四人は、他の避難民たちと、ソ連占領下ポーランドから隣国リトアニアに密入国するため馬橇《そり》で出発した。しかし、国境付近で、馬のいななきに気が付いたソ連警備隊に取り囲まれる。捕まった全員に、シベリア送りが宣告された。

この時、奇跡のようなことが起こった。アリツィア・クルコブスキが抱いていた一歳の娘が病気で、それを警備隊長が不憫《ふびん》に思った。そして、アリツィアの家族と、彼女の双子の姉マリア・ネイベルトの家族を釈放した。他の避難民はシベリアへ。

こうして二家族九人は助かった。だが、もと来た方向へ追い返され、リトアニア密入国は失敗に終わった。翌四〇年三月、密入国を再決行。危険な国境越えは、今度は徒歩で行く。そのため、道案内が雇われた。雪が積もる道で、小さなアンには歩けない。道案内はアンを彼の肩に乗せた。

ソ連国境警備兵から雪の上の足跡をたどられないように、東西南北に行きつ戻りつして進む。

突然、道案内がアンを雪の中に放り投げ、いなくなった。何が起こったのか分からない。アンはそこでじっとしていた。しばらくすると彼は戻ってきて、雪のくぼみにいたアンを抱き上げてくれた。道案内が何か異様な物音を聞いたように感じ、アンを雪の中に隠したのだった。他の大人たちも散り散りになり隠れていた。結局、物音は道案内の空耳だった。こうして、時間はかかったが、再挑戦した密入国は成功。リトアニアのビリニュスに着いた。

スイスの家を売って得た米ドル

父アルフレッドには、カナダのケベック州、モントリオールのポーランド総領事館で働いている友人がいた。彼が、ネイベルト家のカナダ入国の段取りをしてくれた。その頃にはリトアニアもソ連占領下になっていた。

一九四〇年八月七日、カナダに向かうため経由する日本のビザを、父アルフレッドがカウナスの日本領事代理・杉原千畝から受給。＊1 そのビザのおかげでソ連通過ビザも手に入った。

ところが、ソ連を横断するシベリア鉄道の切符は高額で、それも米ドルでの支払いだ。父は、スイスにもっている家を売ることにする。奇跡的に、タイミングよく売れた。かなりの額の米ドルを手に入れ、九人分の切符を買うことができた。

汽車の旅は長かった。退屈しきった姉と兄は、アンに英語を教えて時間をつぶす。

シベリア鉄道で着いた極東の港町ウラジオストクから、日本に渡るため船に乗った。ところが、日本海の真っただ中で嵐に見舞われる。船は左右に四五度傾き激しく揺れる。下層階にいたユダヤ系避難民らは猛烈な船酔いに苦しむ。敦賀港に到着できたのは、再び奇跡が起きたとしか言いようがない。

四一年二月一三日、神戸到着。日本人は礼儀正しく、

日枝丸船上のネイベルト一家 1941年5月（アン・ネイベルト 提供）
（左から）ミハウ、エバ、マリア、アルフレッド。救命ブイに座っているのはアン。

親切だ。

ある時、汽車に乗った。日本一高いという富士山が車窓から見えた。とてもきれいだった。鎌倉を観光し、大仏を見た。父が大仏の絵はがきを買った。

同年五月六日、ネイベルト家は横浜から日枝丸に乗船。日本を離れた。一九日、カナダ、バンクーバー到着。その後、モントリオールに移動する。しかし、アルフレッドの繊維関係の仕事のためオンタリオ州で暮らすことになった。*2

アンを二度目に訪ねたのは、二〇一九年五月。翌六月に、八六歳になる。人生には、いくつになっても忘れられない光景があると彼女は話した。

一九七六年夏、アンは、姉エバと彼女の家族と一緒に、

*1 「杉原リスト」で、アルフレッド・ネイベルトは1399番。親戚のアリツィア・クルコブスキは258、アリツィアの夫のエドワルドは296番。

*2 ネイベルト家の逃亡談は、アンの回顧と、兄ミハウによる手記（本書232~242頁）に基づく。クルコブスキ家は、米国に落ち着いた。

アン 日枝丸船上にて（アン・ネイベルト 提供）

一カ月かけてポーランドを車で旅した。ウッチ市を訪ねると、戦前にネイベルト家が住んでいた建物は残っていた。管理人が、アンの一家は建物のどの辺りに住んでいたのかと聞く。「二階の全フロア」と答えると、管理人はびっくりしていた。

小さい頃毎年、夏と冬に家族で過ごしたザコパネにも行った。そこでも、ネイベルト家の別荘が戦前のまま建っていた。昔のように、母の呼ぶ声と、子どもたちの笑い声が、聞こえてくるようだった。別荘は、売りにでていた。

「買い戻そうか」という考えが姉と同時にひらめいた。しかし、そうはしなかった。ポーランドで暮らすことはもうない。

その時に撮った別荘の写真を見ながら、アンは話を「杉原ビザ」に戻し、こう語った。

「私の家族が日本に入国できるようビザを発給してくれたチウネ・スギハラ、ご家族、そして私たちがカナダに発つまで安心して滞在させてくれた日本の人々に心から感謝します」

アン・ネイベルトさん
家族5人の写真が入った額を手に
ビクトリア 2014年4月（筆者 撮影）

肌身離さず持った「命のビザ」

テープで貼りつないだ国籍証明書

海運会社経営

ダニエル・ズルテクは一九一〇年九月一日、ポーランドのワルシャワで生まれた。父レオンは、大手海運会社を経営。実業家として成功し、慈善事業にも打ち込み、ワルシャワのユダヤ人コミュニティーを代表する一人として衆目に認められていた。そういう父の姿を見ながら、ダニエルも二〇歳を過ぎると家業の運営に加わる。一九三二年からは、バルト海南部の海港都市ダンツィヒで、船積みの監督・運営を任された。

一九三九年一月、父が亡くなると、ダニエルはワルシャワに戻る。その年、二九歳になった誕生日の九月一日、ナチス・ドイツがポーランドに侵攻した。同六日、ダニエルはドイツ軍から猛爆撃を受けるワルシャワを脱出。ソ連国境近くのピンスクを目指した。しかし半月後、ポーランド東部から侵攻してきたソ連軍がピンスクに迫る。実業家のダニエルなど見つかれば即刻シベリア送りだ。こう考えた彼は、隣国リトアニアのビリニュスへと逃げた。

ポーランド人部隊に志願

　ダニエルがビリニュスで避難民としてとどまっている間の一九四〇年六月、ソ連がリトアニアに進駐。

「ここにいるのは危険」「カウナスの日本領事が通過ビザを発給している」。こういうわさが、ユダヤ系避難民の間で広がった。

　同年七月下旬、ダニエルは彼の国籍証明書に、カウナスのオランダ名誉領事ヤン・ズバルテンディクから「キュラソー・ビザ」を得る。それを八月一日、日本領事代理・杉原千畝に見せ、日本通過ビザを受給。*3 その後、ソ連を横断。ウラジオストクから、四一年三月五日、敦賀港に着いた。所持金は底をついていた。幸い、神戸ユダヤ協会が保証人になってくれ、上陸が許された。

ダニエル・ズルテクの国籍証明書（アイリーン・ヘンリー 提供）
（左上）昭和16年3月5日付、福井県の入国特許スタンプ。
その右横、スタンプと一部手書きによる4行は、「本名は行先地のビザを所持しているが
日本通過に必要な現金が無く乗船券の予約もないので
神戸ユダヤ協会の保証のもと入国を特別に許可する」というただし書き。

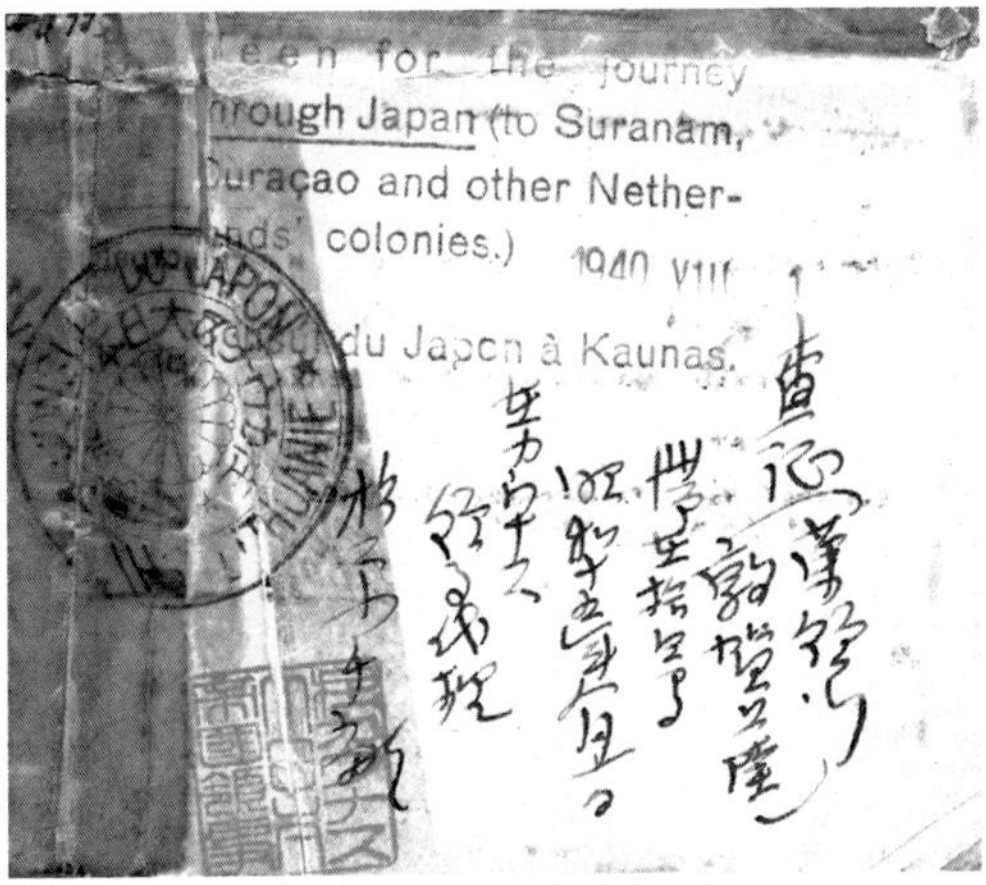

杉原の手書きによる日本通過ビザ

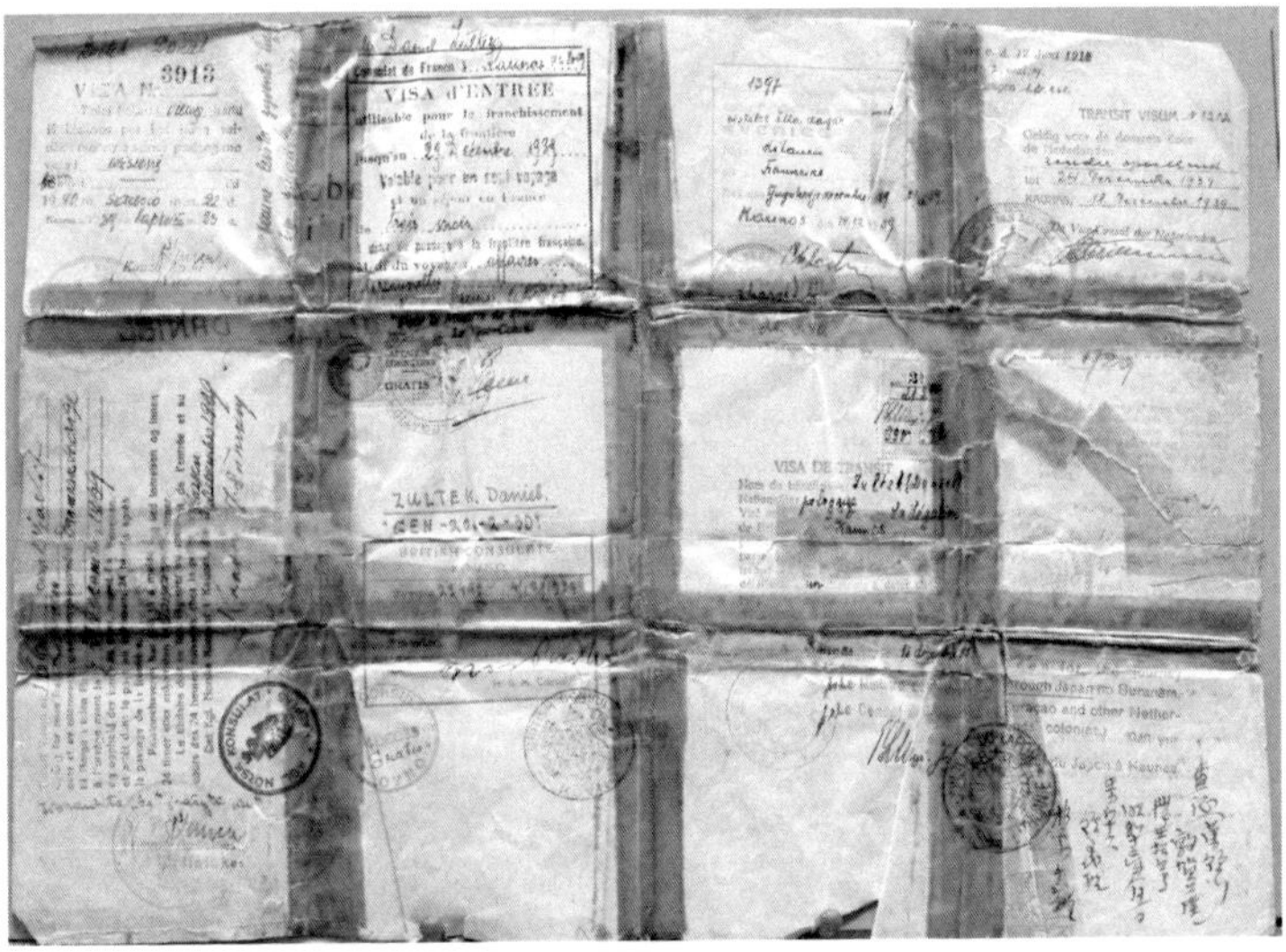

ダニエル・ズルテクの国籍証明書の裏面（アイリーン・ヘンリー提供）
（右下）杉原の手書きによる日本通過ビザ。
日本通過ビザの上に「キュラソー・ビザ」が発給してある。

*3 「杉原リスト」623番。

日本滞在中、東京の英国大使館が、同国軍ポーランド人部隊への志願者を募っていると知る。オーストラリアか米国かカナダで軍事訓練があると言う。入隊を決意。カナダに行くことになった。

四一年六月五日、横浜から氷川丸に乗船。同月一七日、カナダ、バンクーバー到着。即刻、オンタリオ州オーウェンサウンドのポーランド軍基地へ向かった。

「杉原ビザ」が作られた書類

ダニエル・ズルテクが受給した「杉原ビザ」は、カウナスのポーランド公館に代わって英国公館が交付した国籍証明書に作られている。

一九三九年九月、ドイツとソ連によるポーランド侵攻は、ポーランドの消滅を意図したものだった。しかしポーランド政府は、同国南部からフランスを経て英国ロンドンに移動。「亡命政府」となる。

一方、リトアニアでは、同年一〇月一〇日、前月にポーランドの半分を占領したソ連がリトアニア政府に友好相互援助条約を結ばせ、リトアニア国内にソ連軍二万人の駐留を承諾させる。その代償に、それまでポーランドが占領していたビリニュスをリトアニアに戻した。*[4]

だが、ソ連とリトアニアのこの条約に、カウナスにあったポーランド公館が反発。ポーランド公使と館員は同月一五日、リトアニアから退去する。以来、独ソ占領下ポーランドからリトアニアに流れ込んできた避難民への対応は、ポーランド亡命政府と同盟関係にある英国とフランスの在リトアニア公使館が引き継いだ。*[5]

英国公館では、ポーランドからの避難民に、パスポートに代わる国籍証明書を交付する。その際、カウナスのポーランド公館が使っていた用紙を用いた。

用紙には「証明書」を意味するポーランド語 Zaświadczenie とフランス語 Certificat が印刷されてある。交付を受ける者の顔写真と署名の右に、氏名・生年月日・誕生地・婚姻の有無・職業・体格や頭部の特徴が手書きで記載される。その下に、やはりポーランド語とフランス語で「当館にてポーランド国民であることを証明する」と印刷してある。

英国公館がポーランド公館に代わってこの証明書を避難民に交付したことは、用紙左上の在カウナス・ポーランド公館の名称を大きな×で消す一方、用紙右下に、在リトアニア英国公館のスタンプを押し、ポーランド亡命政府から委任を受けた英国公使の署名があることからも分かる。

これまで発見された「杉原ビザ」は、この国籍証明書・パスポート・安導券に作られたものが報告されている。

古い書類に感動

ダニエルは、オーウェンサウンドで八カ月の軍事訓練を受けたが、右目の白内障が原因で、名誉除隊となる。幸い、カナダにとどまることが許された。

英語は話せず、助けてくれる家族・友人も、財源もない。いくつかの仕事を渡り歩きながら、懸命に働いた。結婚して三人の娘をもち、トロントに住む。建築用の砂・砂利を供給する会社をつくり軌道に乗せた。父レオンのように、慈善事業にも取り組んだ。

---

*4　伊東孝之・井内敏夫・中井和夫編『ポーランド・ウクライナ・バルト史』山川出版社、2015年、342頁。

*5　エヴァ・パワシュ＝ルトコフスカ、アンジェイ・T・ロメル著／柴理子訳『日本・ポーランド関係史』彩流社、2009年、219頁。

ダニエル・ズルテク「杉原ビザ」が発給された国籍証明書を手に
トロント 1993年（アイリーン・ヘンリー 提供）

MetroPlus

ESCAPED NAZI HORROR

Saved by 'angel'

By BILL DUNPHY
Toronto Sun

After 53 years Daniel Zoltek finally got to thank his guardian angel for saving him from the Nazi killing machine.

Zoltek, now 83 and recovering from reconstructive surgery after a bout of cancer, made the trip out to Pearson Airport last night to greet his angel, Yokiko Sugihara.

Sugihara and her late husband, Senpo, are credited with saving thousands of European Jews from near-certain death in 1940. Senpo, the Japanese consul to Lithuania, disobeyed direct orders from his minister and signed nearly 6,000 transit visas in a 19-day period before being yanked out of the tiny Baltic state.

Zoltek, now living in North York, was one of the thousands of Polish Jews fleeing the Nazis who managed to get one of these precious visas.

The son of a shipping magnate, Zoltek escaped by crossing Siberia by rail, the sea by ship to Japan, and the ocean by boat to Canada where he finally found refuge.

"You are my angel," he told Sugihara, as she stepped into the arrivals lounge.

Sugihara accepted the flowers Zoltek offered and smiled.

The smile broadened on the tiny woman's face as Zoltek produced the lovingly taped and preserved visa Sugihara's husband had signed in the mad crush in Kovno, Lithuania, so many years ago.

"I would have been murdered — but you gave me my ticket for life," Zoltek said.

Senpo and Yokiko Sugihara — and their selfless act of courage — are being honored with a dinner Sunday hosted jointly by the Canadian Jewish Congress and the National Association of Japanese Canadians.

Proceeds from the event will set up a scholarship fund to honor deserving Metro students of any background who personify Sugihara's devotion to humanity.

Sugihara's son, Hiroki Sugihara, said last night that disobeying the direct order was "like committing suicide," for his father, but he thought his dad felt he had little choice.

"It was very painful for him, but I think he had this humanity in him already."

AFTER ALL THESE YEARS ... Yokiko Sugihara and Daniel Zoltak meet last night at Pearson Airport.

Holocaust remembered

People from across Metro will gather over the next few days to remember what Winston Churchill once called "a crime without a name."

The horrible revelations of the Nazi death camps will be recalled by all of them during this 13th Annual Holocaust Education Week.

The program, which actually runs 13 days and is sponsored by the Jewish Federation of Greater Toronto, will be held at 4600 Bathurst St. until Nov. 16.

The group's mandate is to remind everyone of those who suffered and died.

For information, call 635-2883.

1993年11月「杉原千畝氏感謝の夕べ」出席のため
トロント・ピアソン国際空港に着いた杉原幸子に花束を渡すダニエル・ズルテク
（アイリーン・ヘンリー 提供）
同年11月5日、MetroPlus 紙掲載記事

しかし、ポーランドに残っていた母ヘレナ、姉ナタリアをはじめ親戚の多くは、ナチス・ドイツが作った強制収容所で殺されていた。戦前は大きな一族だったが、戦後、生き残っていたのはダニエルと六人の親族だけだった。*6

一九九三年一一月七日、トロントで、カナダ・ユダヤ人議会と全カナダ日系人協会との共催「杉原千畝氏感謝の夕べ」という晩餐会《ばんさん》が催された。杉原の妻・幸子と、長男の弘樹・美智夫妻が日本から招かれる。日頃から、「スギハラは命の恩人、天使」と言っていたダニエルは、この催しのスポンサーの一人になった。二年後の一九九五年一一月、ダニエル逝去。

二〇一三年一〇月、トロントにある日系文化会館の一室で、ダニエルの末娘アイリーン・ヘンリーさんと彼女の息子ポールさんに会い取材した。アイリーンは、父ダニエルの国籍証明書を広げて置いた台紙を捧げるようにして部屋に入ってきた。

逃亡中、折りたたんで携帯していた国籍証明書は、そのうち切れ切れになってきたのだろう。几帳面にテープで貼りつないである。その古い書類を見て、アイリーンは「感動する」と言う。そして、「このビザのおかげで父の命が救われ、今、私や息子の家族がいる」と感謝する。

取材が終了すると、アイリーンは国籍証明書を置いた台紙を再び捧げるように持ち、部屋を後にした。

*6 ダニエル・ズルテクの逃亡と戦後の経過は、自身の手記に基づく。

氷川丸船上のダニエル・ズルテク（後列右端）とユダヤ系避難民　1941年6月（アイリーン・ヘンリー提供）

record
［記録］

「杉原ビザ」受給者が太平洋を渡った船

ダニエル・ズルテクが、一九四一年六月、日本からカナダに向かうのに、日本郵船の氷川丸に乗ったことを証明する写真や書類が残っている。デッキで他のユダヤ系避難民たちと一緒に写っている写真。その中にはダニエルと同様、英国軍ポーランド人部隊に志願した人々が並んでいる。

ダニエルの名前や氷川丸の船名が入った検疫とカナダ入国に関するカード。それぞれが、彼の逃亡の最終段階の足取りを裏付ける。

「杉原ビザ」受給者らが神戸や横浜から北米へ向かう船上で撮った「記念写真」を、同ビザ受給者や子孫らは大切に保存している。

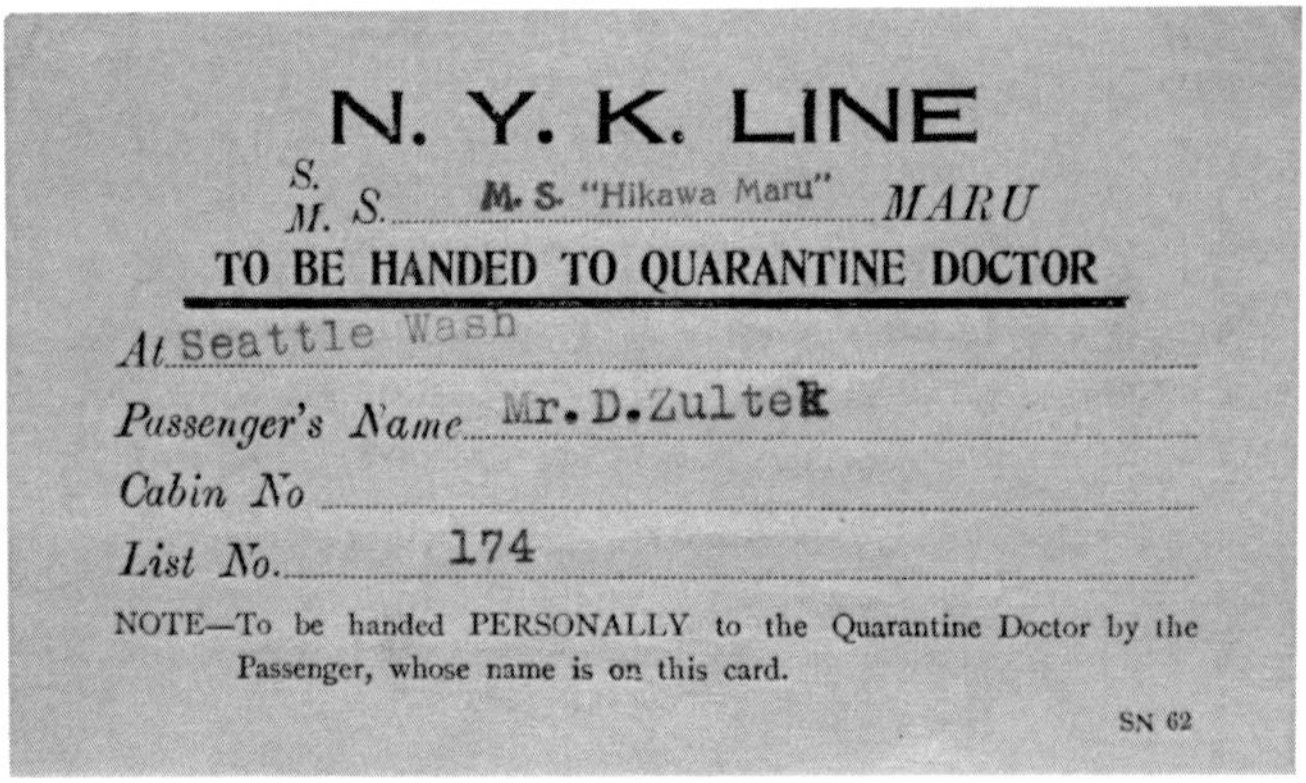

N. Y. K. LINE

S.S. / M.S. M.S. "Hikawa Maru" MARU

TO BE HANDED TO QUARANTINE DOCTOR

At Seattle Wash

Passenger's Name Mr. D. Zultek

Cabin No

List No. 174

NOTE—To be handed PERSONALLY to the Quarantine Doctor by the Passenger, whose name is on this card.

SN 62

氷川丸の船名とズルテクの名前が入ったカード（アイリーン・ヘンリー提供）
寄港地（シアトル）で検疫医師に個人的に渡すようにと書いてある。

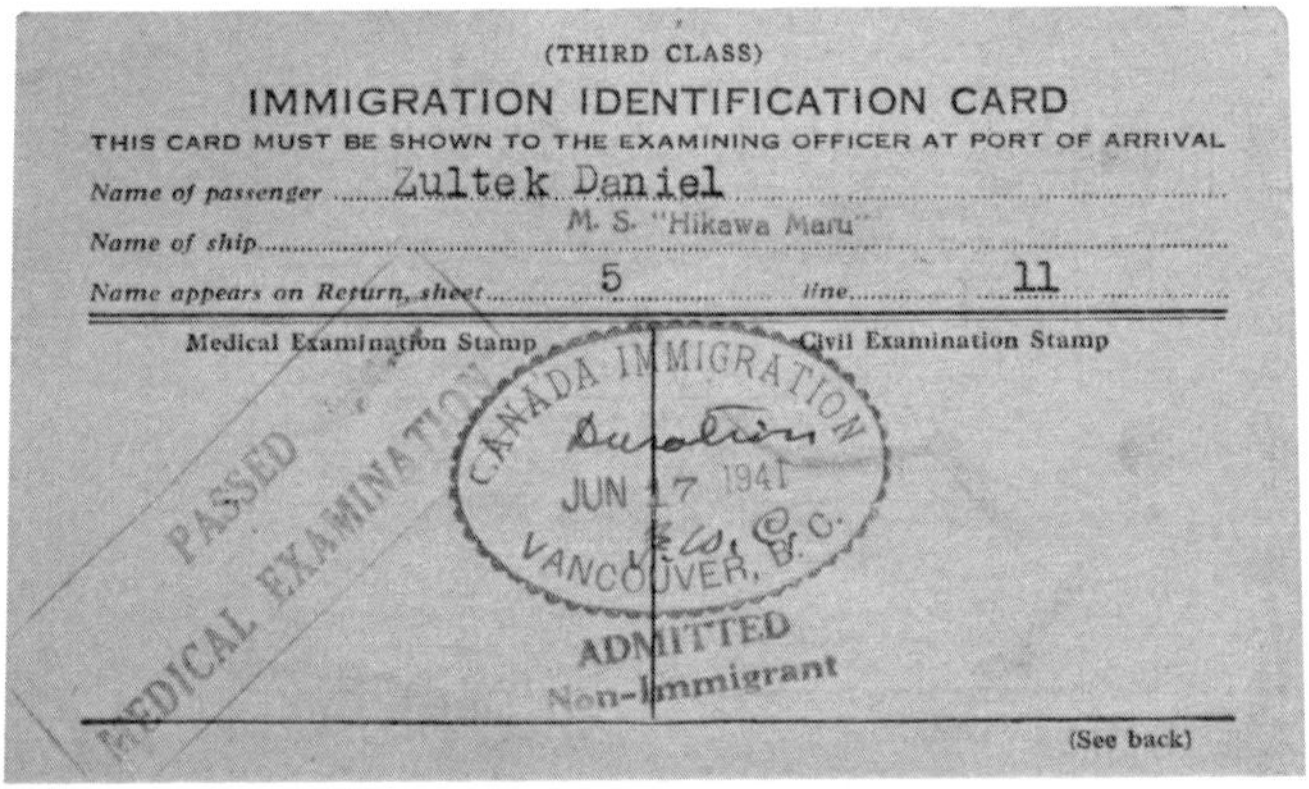

(THIRD CLASS)

IMMIGRATION IDENTIFICATION CARD

THIS CARD MUST BE SHOWN TO THE EXAMINING OFFICER AT PORT OF ARRIVAL

Name of passenger Zultek Daniel

Name of ship M. S. "Hikawa Maru"

Name appears on Return, sheet 5 line 11

Medical Examination Stamp | Civil Examination Stamp

PASSED MEDICAL EXAMINATION

CANADA IMMIGRATION JUN 17 1941 VANCOUVER, B.C.

ADMITTED Non-Immigrant

(See back)

カナダ入国カード（アイリーン・ヘンリー提供）
ダニエル・ズルテクの名前や氷川丸の船名の表記があり、
1941年6月17日付の入国スタンプ、
永住者ではないことと、健康診断通過のスタンプが押してある。

平安丸の絵はがき（ヘイマン家 提供）

日本の切手と日枝丸船内の官設郵便局で押された日付スタンプ（ブルマン家 提供）
HIE-MARU SEA POST とある。日付は1941年7月6日。

カナダへ向かう人々は氷川丸の姉妹船であった日枝丸や平安丸の船上でも、米国へ向かう人々は浅間丸や八幡丸の船上で、グループになって、あるいは家族で写っている。写真の人々の姿からは緊張や不安は伝わってこない。むしろリラックスした様子で、笑みさえこぼれている。

取材中、これらの写真や書類を見せてくれた人々の多くが、日本に関する他の知識は曖昧《あいまい》でも、自身や親族が太平洋を渡った船の名前は、はっきりと伝えてくれる傾向があった。

写真に写っている救命ブイや保存されていた書類を見れば船名は知ることができる。しかし、その船のことが忘れられない理由は他にもあった。

「快適だった」「食事がよかった」「同じ避難民の子どもたちと日光浴やトランプをして遊んだ」。こう聞いたり、手記で読んだりするにつけ、ヨーロッパからの一通りではなかった旅の中でも、ひと際明るい印象が残った期間であることが分かる。

また、子孫らは、親族が乗船した船の戦中・戦後の運命についても興味をもって調べている。日枝丸と平安丸は戦中に撃沈され、氷川丸は現在、横浜で博物館船として係留されていると説明してくれる。

ダニエルが乗った氷川丸は、戦中は病院船となり、南洋諸島の戦線に赴いた。その間、機銃掃射や空爆に遭遇。三度の触雷もあった。しかし、大破沈没は免れた。戦後しばらくは、復員船・引揚船として祖国帰還を待ち望む人々の輸送の任を負った。日本が国際社会へ戻る過程では、大志を抱いて海を渡る留学生、北米公演に向かう宝塚歌劇団員を乗せるなど、再び外航船として脚光を浴びた。*7

*7　日本郵船歴史博物館『氷川丸ガイドブック』、2016年、12、13、28、29、32頁。

幾つもの荒波を越えた氷川丸。今は水面に静かに横たわり、その船内を見学客が歩いている。

同じデッキで、かつてヨーロッパからの避難民たちが「記念写真」を撮った。彼らを日本から安全な場所へ届けた。それもこの船の歴史だ。

横浜市の山下公園前に係留されている氷川丸
2019年6月（筆者 撮影）

氷川丸・日枝丸・平安丸 1940年10月～41年8月 運航予定表

（日本郵船歴史博物館所蔵）

1940年10月～41年1月

VESSELS	EASTBOUND KŌBE Lv.	NAGOYA Ar. | Lv.	SIMIZU Ar.	 Lv.	YOKOHAMA Ar.	 Lv.	VANCOUVER Ar.	 Lv.	SEATTLE Ar.
Heian Maru . .	Oct. 16	Oct. 17	Oct. 18	Oct. 18	Oct. 18	Oct. 19	Oct. 30	Oct. 30	Oct. 31
Hikawa Maru . .	Oct. 28	Oct. 29	Oct. 30	Oct. 30	Oct. 30	Oct. 31	Nov. 11	Nov. 11	Nov. 12
Hie Maru . .	Nov. 12	Nov. 13	Nov. 14	Nov. 14	Nov. 14	Nov. 15	Nov. 26	Nov. 26	Nov. 27
Heian Maru . .	Dec. 3	Dec. 4	Dec. 4	Dec. 5	Dec. 5	Dec. 6	Dec. 17	Dec. 17	Dec. 18
Hikawa Maru . .	Dec. 18	Dec. 19	Dec. 20	Dec. 20	Dec. 20	Dec. 21	Jan. 1	Jan. 1	Jan. 2
Hie Maru . .	Jan. 6	Jan. 7	Jan. 8	Jan. 8	Jan. 8	Jan. 9	Jan. 20	Jan. 20	Jan. 21

横浜出帆後は、バンクーバー、シアトルの順での回航であった。

1941年1月～5月

VESSELS	EASTBOUND KŌBE Lv.	NAGOYA Ar. | Lv.	SIMIZU Ar.	 Lv.	YOKOHAMA Ar.	 Lv.	VANCOUVER Ar.	 Lv.	SEATTLE Ar.
Heian Maru . .	Jan. 25	Jan. 26	Jan. 27	Jan. 27	Jan. 27	Jan. 28	Feb. 8	Feb. 8	Feb. 9
Hikawa Maru . .	Feb. 9	Feb. 10	Feb. 11	Feb. 11	Feb. 11	Feb. 13	Feb. 24	Feb. 24	Feb. 25
Hie Maru . .	Mar. 12	Mar. 13	Mar. 14	Mar. 14	Mar. 14	Mar. 15	Mar. 26	Mar. 26	Mar. 27
Heian Maru . .	Apr. 2	Apr. 3	Apr. 4	Apr. 4	Apr. 4	Apr. 5	Apr. 16	Apr. 16	Apr. 17
Hikawa Maru . .	Apr. 14	Apr. 15	Apr. 16	Apr. 16	Apr. 16	Apr. 17	Apr. 28	Apr. 28	Apr. 29
Hie Maru . .	May 3	May 4	May 5	May 5	May 5	May 6	May 17	May 17	May 18

日中戦争勃発後の時局の推移に伴い、カナダ政府による輸入禁止または制限のためバンクーバー港での荷揚げが激減。
実際には4月17日横浜出帆の氷川丸より、回航はシアトル、バンクーバーの順になった。※
（※日本郵船株式会社『七十年史』、1956年、279頁）

1941年5月～8月

VESSELS	EASTBOUND KŌBE Lv.	NAGOYA Ar. | Lv.	SIMIZU Ar. | Lv.	YOKOHAMA Ar.	 Lv.	SEATTLE Ar.	 Lv.	VANCOUVE Ar.
Hie Maru . .	May 3	May 4	May 5	May 5	May 6	May 17	May 18	May 19
Heian Maru . .	May 24	May 25	May 26	May 26	May 27	June 7	June 8	June 9
Hikawa Maru . .	June 2	June 3	June 4	June 4	June 5	June 16	June 17	June 18
Hie Maru . .	June 23	June 24	June 25	June 25	June 26	July 7	July 8	July 9
Heian Maru . .	July 14	July 15	July 16	July 16	July 17	July 28	July 29	July 30
Hikawa Maru . .	Aug. 6	Aug. 7	Aug. 8	Aug. 8	Aug. 9	Aug. 20	Aug. 21	Aug. 22

横浜出帆後は、シアトル、バンクーバーの順での回航となっている。

7月17日横浜出帆の平安丸のシアトル到着予定は同月29日（上記表では28日）であったが、2日延着。

バンクーバーには向かわず、積荷もせず空船のまま8月4日シアトルを出帆、17日横浜に帰着した。

同船を最後として、日本郵船のシアトル線3船は、神戸で待機となった。※

（※同、279、280頁）

在ソ連大使館交付の渡航証明書

避難民を助けた外交官たち

二つの国境越え

一九三九年一二月末、九歳のハリナ・ヨエルソンは、母リイザ、叔母ルトカ、いとこイロナと共にリトアニアのビリニュスに着き、そこで待っていた父ヨナと叔父ミハウに再会した。

ほぼ四カ月前の九月一日、ドイツがポーランドに侵攻。二日後、ポーランドと相互援助条約を結んでいた英国とフランスがドイツに宣戦布告。第二次世界大戦が勃発した。

ラジオから、兵役年齢の男性はポーランド軍の新部隊に加わるようにという同国政府からの命令が流れる。それを聞いてヨナとミハウは、リュックサックに身の回り品とガスマスクを詰めると、ワルシャワ近郊の新開地ミエジュシンにあった自宅を出た。ハリナ、リイザ、ルトカ、イロナは見送りにいく。駅を見下ろす丘では、同じようにポーランド軍に加わろうとする男性たちが、家族ごとに座り汽車を待っていた。

汽車が着くと男性たちは乗り込み、ポーランド東部へと発つ。しかし、新部隊が作られることは結局なかった。

九月一七日、前月にドイツと不可侵条約を結んでいたソ連が東からポーランドに侵攻開始。独ソによる占領で行き場を失ったユダヤ系避難民の多くは、隣国の中立国リトアニアに流れた。ヨナとミハウも、「リトアニアのエルサレム」と呼ばれるビリニュスにたどり着く。そして、ポーランドに残っている彼らの妻や娘たちを呼び寄せるため、道案内を二人雇い、ワルシャワに送った。

一二月初旬、連絡を受けた女性たち四人は、ミエジュシンからワルシャワに行き道案内と合流する。リトアニアに入るには、二つの国境を越えねばならない。まず、ドイツ占領下とソ連占領下ポーランドの間の国境。次に、ソ連占領下ポーランドとリトアニアの間の国境。ドイツ・ソ連・リトアニア、それぞれの警備兵の網を、時にはくぐり、時には気付かず捕まったが、ルトカがリトアニア警備兵を説得。かろうじて解放された。凍える寒さと命の危険にさらされながら、一二月末、四人はヨナとミハウが待つビリニュスに着いたのだった。

親戚との別れ

一九四〇年六月、ソ連はリトアニアに進駐。八月、併合。

ハリナの両親はリトアニアからの脱出を決心する。幸い家族三人分の米国ビザの割当てを得た。米国へ至るには、ドイツの潜水艦が潜む大西洋からではなく、ソ連を横断して日本へ行き、太平洋を渡ることにする。

翌四一年三月後半、ヨエルソン家の三人はモスクワへ向かった。ビリニュスの駅での親戚との別れはつらかった。ハリナと三カ月違いで生まれ、姉妹のようにして育ったイロナは、涙を流していた。彼女の両親も言葉少なにホームに立ち、汽車の中のハリナらを見つめていた。

ヨエルソン一家はモスクワに三日間滞在した後、シベリア鉄道に乗車する。手には、モスクワの日本大使館で得た渡航証明書[*8]があった。
一方、イロナと彼女の両親は、その後ウズベキスタンへ逃亡。終戦まで同国で生活した。[*9]

避難民を救った渡航証明書

ハリナの父ヨナ・ヨエルソンと母リイザが、モスクワの日本大使館で交付を受けた渡航証明書には、建《たて》川美次《かわよしつぐ》大使の署名の横に昭和一六年三月二一日の日付がある。その四日前の三月一七日、同大使館に東京の外務本省から次のような内容の電報が入った。
「現在、日本には千数百名のユダヤ系をはじめとするヨーロッパからの避難民が書類不備のまま滞在している。これ以上の増加を防ぐため、ビザ発給方針を当分の間、次のように定める。この電報到着と同時に施行するように」[*10]
新方針は次の三項目だった。

㈠ ヨーロッパからの避難民に対して通過ビザを発給する公館を在ソ連大使館に限定する。
㈡ 在ソ連大使館は、避難民のうち通過ビザ申請に所定の条件を満たしている人数を、半月ごと、行先国別に分けて本省に電報すること。申請が取り消された場合には、その数を知らせること。
㈢ 本省からは随時、ビザ発給が可能な数を在ソ連大使館に電報で伝えるので、その人数内で条件の整っている人から順番にビザを発給すること。それ以外には発給しないこと。

一方、ユダヤ系避難民はビザ発給の望みを託しモスクワの日本大使館に集まってくる。この事態に、同大使館は本省に向け次のように打電する。

三月二一日、「書類調査を行うことは事実上不可能。ビザ取得は避難民にとっては死活問題なので、偽りの内容の申告などもあり、手を焼いている」*11

この電報には、同大使館を訪れる避難民に「杉原ビザ」受給者は含まれていないという次のような記述もある。

「発給数限定の新方針は、旧カウナス領事が発給したビザを所持する者の処置に困った結果と思われるが、これらの者はすでにビザを所持しているため当館には寄りつかない」

さらに四月二日、モスクワ大使館から本省へ発せられた電報には切迫感が漂う。

「ビザ発給数の限定により進退窮まり終日号泣して大使館を立ち去らない者がいる。新方針を、発給条件が揃っている者にも一様に、それも突然に、適用することは当館の立場を難しくしている。従来通りビザを発給できるよう再審議してほしい」*12

*8 石田訓夫・白石仁章「調査研究 第二次世界大戦前夜における極東地域のユダヤ人と日本外交」、『外交史料館報』第26号、2012年12月、49～78頁。56頁、「渡航証明書は日本に渡来しようとする無国籍人に対し旅券、査証の代わりに在外公館で発給するもの」

*9 ヨエルソン家の逃亡談は、ハリナの手記「思い出」（抜粋は本書243～262頁）と、従妹イロナが著した *When Grownups Play at War*, Sumach Press, 2005 に基づいた。

*10 外務本省発電報第283号「欧州避難民の査証取扱手続設置の件」1941年3月17日、外交史料館所蔵。

*11 在ソ連大使館発電報第334号、1941年3月21日、外交史料館所蔵。

*12 在ソ連大使館発電報第386号、1941年4月2日、外交史料館所蔵。

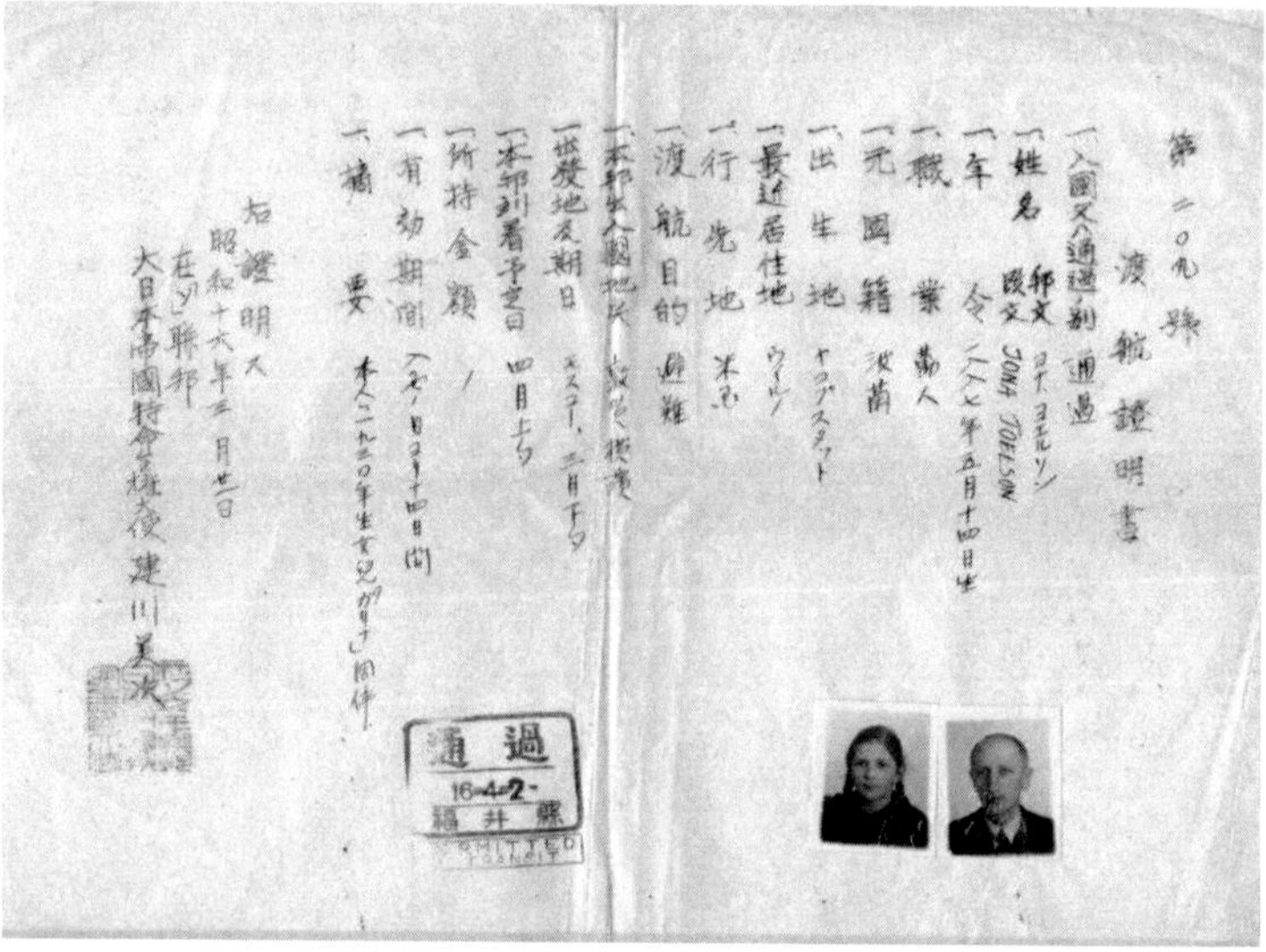

第二〇九號
渡航證明書
一、入國又ハ通過ノ別 通過
一、姓名 邦文 ヨナ・ヨエルソン 歐文 JONA JOELSON
一、年令 一八八七年五月十四日生
一、職業 商人
一、元國籍 波蘭
一、出生地 ヤコブスタット
一、最近居住地 ウィルノ
一、行先地 米國
一、渡航目的 避難
一、本邦出入國地 敦賀 横濱
一、出發地及期日 モスクワ、三月下旬
一、本邦到着予定日 四月上旬
一、所持金額 /
一、有効期間 入國ノ日ヨリ十四日間
一、摘要 本人ニ一九三〇年生女児ガリナ同伴
右證明ス
昭和十六年三月廿日
在ソ聯邦
大日本帝國特命全權大使 建川美次
通過 16-4-2 福井縣
PERMITTED TRANSIT

ヨナ・ヨエルソンに交付された在ソ連大使・建川美次の署名がある「渡航証明書」（ハリナ・カントー 提供）

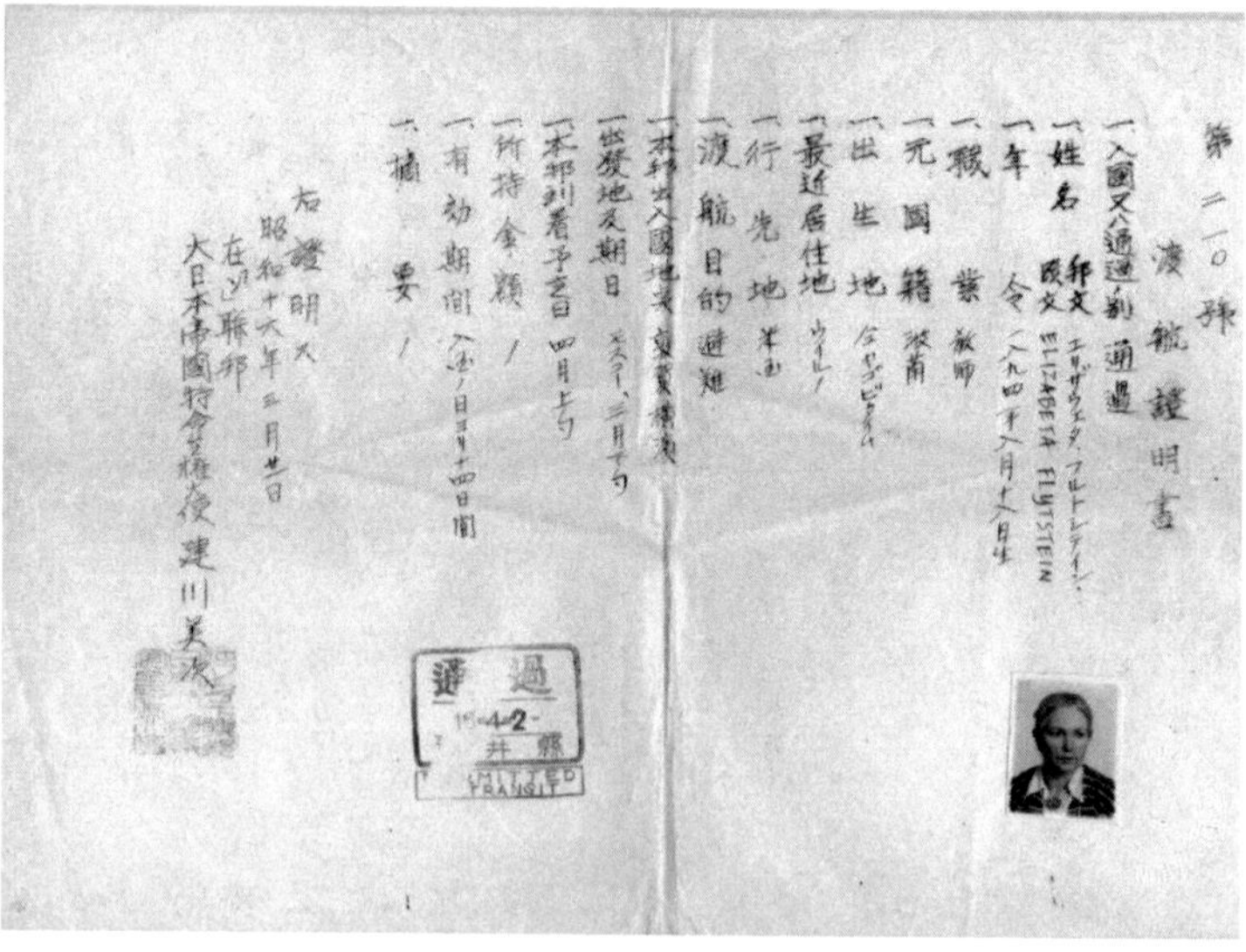

第二一〇號
渡航證明書
一、入國又ハ通過ノ別 通過
一、姓名 邦文 エリザウェタ・フルトシテイン 歐文 ELIZABETA FLYTSTEIN
一、年令 一八九四年八月十八日生
一、職業 教師
一、元國籍 波蘭
一、出生地 [illegible]
一、最近居住地 ウィルノ
一、行先地 米國
一、渡航目的 避難
一、本邦出入國地 敦賀 横濱
一、出發地及期日 モスクワ、三月下旬
一、本邦到着予定日 四月上旬
一、所持金額 /
一、有効期間 入國ノ日ヨリ十四日間
一、摘要 /
右證明ス
昭和十六年三月廿日
在ソ聯邦
大日本帝國特命全權大使 建川美次
通過 16-4-2 福井縣
PERMITTED TRANSIT

ヨナの妻エリザベタ（リイザ）・フルトシテインに交付された「渡航証明書」（ハリナ・カントー 提供）

こう打電する一方、在ソ連大使館では通過ビザに代わる渡航証明書を交付していた。

この一連の経過に関し、杉原千畝についての研究を長年行っている白石仁章《まさあき》さんは見解をこう述べる。

「在ソ連大使館はビザ発給が困難な状況において、避難民への同情と、実情に合わない本省の指示との間で、何とも苦しい板挟みに追い込まれた。そのため精いっぱいの抵抗を試みた。その証しが渡航証明書の交付だったのではないか」

また白石さんは、杉原千畝がカウナスで発給した日本通過ビザと、在ソ連大使館で交付された渡航証明書の関係について、次の二点を挙げる。

一つは、「杉原領事代理が大量のビザ発給を行ったことは、逆に他の公館でのビザ発給を難しくした面がある。しかし、在ソ連大使館の例のように、避難民に同情し、何とか彼らを救おうとした外交官たちがいたことは特筆に値する」

もう一つは、杉原の夫人・幸子の著書『六千人の命のビザ』に、杉原がカウナスを離れる際、ビザを手にできなかった避難民らに、「モスクワの日本大使館に行ってビザをもらえ」という手紙を残し、その一方、「モスクワに勤務する同僚には、ビザを出してもらえるよう頼んでおいた」とあることに注目。「しばらくは、モスクワの日本大使館でもビザが交付されたということ」[*13]との記述に白石さんは、「杉原領事代理が頼んでおいたからこそ、在ソ連大使館の領事業務担当者も唯々諾々《いいだくだく》と本省の指示に従うのではなく、渡航証明書の交付で精いっぱいの抵抗を示した可能性がある」と指摘した。

*13　杉原幸子『六千人の命のビザ・新版』大正出版、1998年、46頁。

思い出の地を訪れた孫

ヨエルソン一家は、一九四一年四月二日、敦賀港から日本上陸。神戸に着く。同月二六日、米国に向かうため浅間丸に乗船した。

米国で一〇代を過ごしたハリナは、結婚後「カントー」という姓になる。カントー夫妻は、一九六九年、二人の子どもを連れてカナダのトロントに移った。

私が取材にハリナの自宅を最初に訪ねたのは二〇一五年五月。以来、トロントに行く時には必ず彼女に会う。すると毎回、手作りのケーキやスコーンを焼いて待っていてくれる。そして、彼女の小さい頃や、懐かしい友人たちの写真が貼ってあるアルバムをひろげ、戦前の暮らしや、戦中の逃亡談を話してくれる。

ハリナが今でも覚えているのは、一九四一年四月、神戸で宿泊していた日本家屋と向かい合って「ドイツ学院」があったこと。校庭で子どもたちが行進の練習をしているのを二階の窓から眺めていた。

その場所を、ハリナの孫ジョシュ・カントーさんと妻のアンさんが、二〇一六年四月、日本を旅行中に訪ねた。

「ドイツ学院」跡地に立つジョシュさんとアンさん
2016年4月（ジョシュ・カントー 提供）

それに先立ち、「ドイツ学院」の一九四一年当時と現在の住所について、神戸市文書館が調査にあたってくれた。その結果、現在の表示は「神戸市中央区北野町三丁目一番」と分かった。

日本訪問からカナダに戻ったジョシュは、「神戸は、少女だった祖母が旅の途中に立ち寄った重要な場所。そこを訪問したことは旅のハイライトだった」とその時の興奮を思い起こす。

ハリナは、「孫たちは神戸でとても感動したことでしょう。七五年前のちょうど同じ月、私もそこで満開の桜を見上げていました」と、胸を熱くした様子だった。

ハリナ・カントーさん
トロント 2018年5月（筆者 撮影）

memory
［思い出］

ヘニエックが見た神戸

ハリナ・ヨエルソンが一九四〇年、リトアニアのビリニュスで一緒に遊んだ同年代の子どもの一人にヘニエック・クルクがいる。

ヘニエックは、一九二九年、ワルシャワで生まれた。父シュムルと母レジナはユダヤ系だった。

一九三九年九月一日早朝、クルク一家は戦闘機の飛来音と爆撃音で目が覚める。

「また、避難訓練か」。三人は思った。ドイツのポーランド侵攻はすでに予想されていた。そのためワルシャワでは、八月中から避難訓練が行われていた。その朝の騒ぎも、訓練かと思った。しかし、まもなく入った知り合いからの電話で、午前七時頃聞いた爆撃音はドイツ軍による本物の空爆だったと知る。

ポーランド政府は、爆撃で街が破壊されるのを避けるためワルシャワに防御線を張らず、ポーランド軍を同国東部へと後退させた。

九月六日、ジャーナリストだったシュムルは前線取材のため、ラジオ・新聞など他の報道関係者と共に、ポーランド軍についてワルシャワを出た。

九月一七日、前月にドイツと不可侵条約を結んでいたソ連軍がポーランド東部に侵攻。

九月二七日、ワルシャワ陥落。

戦争勃発から数週間で、ポーランドはドイツとソ連に占領されてしまった。軍事力でも作戦力でも拙劣《せつれつ》なポーランド軍は、もはや崩壊状態。同軍と一緒に動いていたシュムルらは行き場を失い、隣国の中立国リトアニアのビリニュスに逃げ込んだ。

ワルシャワに残っていたレジナとヘニエックは、ドイツ軍による空爆が始まるたび、自宅がある建物の一階に急いで降りていき、廊下に集まっている他の住人たちと身を寄せ合った。猛烈な爆撃と炸裂音に怯《おび》えながら自宅と一階の間を行ったり来たりする生活が四カ月続いた。

翌四〇年一月、レジナとヘニエックはリトアニアにいるシュムルに合流するためワルシャワを脱出。途中、ソ連兵に捕まり拘留された。レジナは一一歳のヘニエックを盾にソ連兵を説得。幸い、二人は解放される。数々の危機を乗り越え、ビリニュスでシュムルと再会したのは同年五月だった。*14

しかし六月には、ソ連がリトアニアに進駐。クルク夫妻は米国への逃亡を計画する。

シュムルとレジナは、八月一六日、カウナスで日本領事代理・杉原千畝から日本通過ビザをそれぞれ受給。*15 一家は、同年一〇月一九日、敦賀港に着いた。

すでに米国ビザを持っていたので速やかに日本を離れ、同年一一月には米国上陸を果たす。その後、ニューヨーク市に落ち着くと、「クルク」という姓を、シュムルがポーランドで使っていたペンネーム「シュ

*14 クルク家のワルシャワ脱出からリトアニアまでの逃亡談は、Veterans History Project "Interview with Joseph Henry Schwartz [11/28/2014]" のインタビュー記事に基づく。http://memory.loc.gov/diglib/vhp/story/loc.natlib.afc2001001.98776/transcript?ID=sr0001

*15 「杉原リスト」で、シュムル1807、レジナ1809番。

ヘニエック(ヘンリー)・シュワルツ（右端）
ニューヨーク 1943年5月（ハリナ・カントー 提供）
左3人はヨエルソン一家。ハリナ、父ヨナ、母リイザ。

ワルツ」に変えた。息子のヘニエックことヘンリー・シュワルツさんは、現在、米国インディアナ州に住んでいる。

「歳を重ねると最近起こったことはすぐ忘れるのに、何十年も前の古い出来事の断片は頭のどこかに残っているもの。一つの話題をきっかけに、関連する情景がよみがえってくる」。Eメールでこう書き始め、ヘンリーは一九四〇年一〇月、神戸で過ごした時の思い出を手繰り寄せてくれた。

「船で敦賀港に着いた後、神戸に向かう汽車に乗った。神戸に到着してみると、通りは日本とナチス・ドイツの旗で飾られていて、なんとも嫌な気がした。ドイツとソ連の身の毛のよだつ領地からようやく脱出して喜んでいたので、日本がドイツとイタリアとの枢軸体制の一国だということを忘れていたから」

日本から米国行きの船に乗船するまで、親子三人は神戸の「こぢんまりとしたきれいなホテル」で一〇日ほど滞在した。

「時間はたっぷりあった。でも、やることがなかった。そこで、京都に観光にでかけ、一日、古い宮殿などを見てまわった。宝塚に行って劇場で歌舞伎のようなものも見た。演技は印象的だったけど、日本語の内容はさっぱり分からずじまい。唯一理解できたのは、最後の幕が開くと、天井から巨大な日本の国旗が下りてきて、そろいの衣装を着た一〇歳前後の少女たち数十人が舞台中央まで行進して整列。日本の国歌らしきものを斉唱したこと。それが済むと、今度はナチス・ドイツとイタリアの旗が下りてきて、同じような少女たちが舞台の両側に並び、ナチス党歌とファシスト党歌を歌ったこと」

「数日後、三宮駅近くを歩いていると切手収集の小さな店が目についた。父も私も切手を集めていたので、さっそくその店に入ってみた。陳列してある切手を見ていると、店の奥のカウンターにいる男性は西洋人。一九三〇年代、一家で日本へ移り住んだドイツ系ユダヤ人とのこと。彼は私たちに宝塚劇場に行ったかどうか、舞台の最後に日本人ではない女の子が出てきたことに気が付いたかどうかと聞き、その子は彼の娘だと話してくれた」

神戸での思い出の最後にヘンリーはこう書いている。

「人生とは出来事の連続。多くの忌まわしいことがあったあの時代に、私の家族にとって、日本で滞在したことはよいことの一つでした」

二〇一六年三月　米国インディアナ州

兄弟で店を構えたハルビン

千畝も暮らした街

初めて聞いたビザの話

「父がチウネ・スギハラから日本通過ビザを受給していたことを知ったのは、トロントで開かれた催しに叔父が出席したから」。こう話すのは、オタワに住むシェリル・アルージさん。彼女の父親の名前はイジィ・フィシュバイン。

トロントでの催しとは、一九九三年一一月七日、カナダ・ユダヤ人議会と全カナダ日系人協会が共催した「杉原千畝氏感謝の夕べ」のこと。杉原の妻・幸子と長男の弘樹・美智夫妻が日本から招かれ盛大に執り行われた。

プログラムを見ると、出席者の中にシェリルの叔父サム・フィシュバイン夫妻の名前がある。他にも少なくとも三組、「杉原ビザ」受給者とその家族の名前を発見できる。

ハルビン時代のイジィ・フィシュバイン
（シェリル・アルージ 提供）

シェリルは、「父は戦中のことはあまり話さなかったので、あの催しがあるまでスギハラについては何も知らなかった」と言う。

イジィは人前に出たり注目されたりするのが苦手で、結局、催しには出席しなかった。娘のシェリルには、それがもどかしく感じられた。

兄弟で逃亡

イジィ・フィシュバインは一九一〇年、ポーランド東部の町ブレスト（現・ベラルーシ共和国西部）でユダヤ系の家庭に生まれた。両親は織物商を営み、イジィは四人兄弟の三男だった。

一九三九年、ナチス・ドイツのポーランド侵攻の気配に、イジィと弟サムは当時まだ中立国だったリトアニアへと逃げた。その直後、第二次世界大戦勃発。

ドイツとソ連によるポーランド分割占領、ソ連のリトアニア侵攻と事態が進むと、イジィとサムはヨーロッパからの脱出を決意する。四〇年八月七日、カウナスで日本領事代理・杉原千畝から日本通過ビザを受給。*16 四一年二月二日、神戸に着いた。

いずれ日本からは出なければならない。同じ避難民たちが、米国やパレスチナなどへ入国を希望していた。しかし、どの国も移民枠は狭い。そこで二人は上海へ渡り、そこから北上し、満州国のハルビンに向かった。長兄が住んでいて、同国ビザ取得の保証人になってくれたからだ。

*16 「杉原リスト」で、イジィは1504、サムは1496番。

ハルビン時代

ハルビンは、もとは中国東北部の寒村だった。一九世紀末、帝政ロシアのロマノフ王朝は、アジアでの領土拡大を目論《もくろ》み、鉄道敷設のため中国の清王朝からこの村を租借《そしゃく》する。そこへロシア系ユダヤ人が入植してきた。ここでのユダヤ人の地位はロシア国内よりよかったため、ユダヤ人の数は増えていった。当初、五〇〇人ほどだったのが、一九〇〇年代初頭に起こった日露戦争・第一次世界大戦・ロシア革命・ロシア内戦のたびに避難民が流入。ユダヤ系人口も増加した。一万人から一万五千人に達する時期もあった。シナゴーグ[*17]をはじめユダヤ系の学校・病院・墓地が作られ、大きなユダヤ系コミュニティーができた。ユダヤ人は、鉄道に関して直接従事することは許されなかったが、ホテル・銀行・会社・商店・新聞・出版など、商業活動の重要な担い手となった。[*18]

そのハルビンに一九一九年、杉原千畝が外務省留学生として渡り、ロシア語を学んだ。同二四年、外務書記生に任ぜられ、ハルビンの総領事館で在勤となる。三一年、日本が満州を占領。三二年、日本の傀儡《かいらい》政権「満州国」が建国されると、杉原はハルビン市内にあった同国外交部に転任となる。三五年、同外交部を退任し日本に戻るまでハルビンで暮らした。[*19]

一方、一九二〇年代、ハルビンでは、ソ連と中国との間で鉄道権益に関し紛争が起こり経済が悪化。その結果、多くのユダヤ人がハルビンから去り始めた。三〇年代、ドイツと協調関係にある日本の満州占領と、日本の傀儡政権発足で、ユダヤ人の流出は続く。三九年、ハルビンのユダヤ系コミュニティーは五千人ほどに減っていた。[*20]

フィシュバイン兄弟がハルビンに着いたのは四一年春。ヨーロッパでは戦火が拡大し、アジアでも環太平洋域での戦争進展に拍車がかかっていた。兄弟は戦中もハルビンにとどまり、絹織物商を営む。

終戦後の一九五〇年、兄のイジィはハルビン生まれのロシア系ユダヤ人女性と結婚。五二年、二人でカナダへ移住する。その後、ハルビンに残っていた弟サムの保証人となり、彼をカナダに呼んだ。

家族の命について考えた日

フィシュバイン兄弟はオタワで食料品店を二つもった。五年後、それらを売却し、馬具や鞄などを扱う店を始めた。この店を一九六八年に火災でなくした後は、自転車とスポーツ用品の店を買い取り、事業を兄弟で分けた。イジィの自転車店は九三年に彼が亡くなると娘のシェリル・アルージ夫妻が引き継ぎ現在に至っている。

店の前に立つと、ドアがひっきりなしに開閉する。広い店内に客足が途切れることはない。「見せたいものがある」と、シェリルは客との応対で忙しい合間に、店の奥に案内してくれた。事務所に入っていくと、机の向こうの壁にイジィ

*17 ユダヤ教の礼拝堂。

*18 Irena Vladimirsky, "The Jews of Harbin, China" https://www.bh.org.il/jews-harbin/

*19 白石仁章『杉原千畝─情報に賭けた外交官』新潮社、2015年、28〜68頁。

*20 Vladimirsky, 前掲サイト。

自転車店に飾ってあるイジィの肖像画
(筆者 撮影)

の肖像画が飾ってある。「父そのまま」と彼女は笑う。

もう一つ見せてくれたのは、杉原幸子著『六千人の命のビザ』の英語版。扉を開けると「一九九九年一一月一三日」の日付に「杉原弘樹」と署名がある。杉原の長男・弘樹がオタワを訪れ、シェリルの子どもたちが通うヘブライ語補習校で講演を行った日だ。

講演に先立ち、校長が父兄や子どもたちに杉原千畝とユダヤ系避難民に起こった出来事を話すと、みな感動した。感極まったシェリルが意を決して、父親が杉原からのビザ受給者だったと名乗り出ると、会場の人々は驚く。弘樹はシェリルと彼女の子どもたちに署名入りの本を贈った。その時の気持ちをシェリルは懐かしそうに説明する。

「ヒロキが父の命を救ってくれたかのように思えた。チウネからのビザがなければ、私も子どもたちもこの世にはいなかった」

「家族の命について、初めてじっくり考えた日だった」と語るシェリルの目は、記念の本を感慨深げに見つめていた。

シェリル・アルージさん
オタワ 2017年6月（筆者 撮影）

episode.3

ロメル大使と避難民救済

在日ポーランド大使館員の奮闘

ポーランド外交官礼装のタデウシュ・ロメル大使
同国政府からの信任状を携え皇居に向かうところ
東京 1937年（テレサ・ロメル 提供）

ポーランド系避難民の日本上陸

一九四〇年秋から四一年春、「杉原ビザ」受給者が続々と日本に上陸してきた。

杉原が作成したビザ発給表を見ると、受給者の九割以上がポーランド国籍と分かる。

自国からの避難民到来に、駐日ポーランド大使タデウシュ・ロメルと大使館員は対応に追われた。

ロメル大使は、一九三七年四月以来、夫人ゾフィアと息女三人と共に東京に駐在していた。当時一〇代だった長女のテレサ・ロメルさんは、現在、ケベック州モントリオールに住む。二〇一四年六月、テレサさんの自宅を訪ね取材した。

大使館員の奮闘

一九四〇年・四一年、東京でテレサ自身がポーランド系避難民を見たかどうか。

「見ました。彼らは敦賀や神戸にはグループで到着していたけれど、東京のポーランド大使館には、むしろ個人単位で来ていました。滞在している神戸から東京へ来るには、数時間かかるうえ、避難民にとって汽車賃は高額だったと父は後に書いています」

「大使館に来る避難民らは、ヨーロッパから日本までの長く困難な旅の後にもかかわらず、身なりは私たちとさほど違いはなかった」とも言う。

東京に滞在していた避難民の場合、新年など行事のある時には大使館に招かれることがあった。そういう時にもテレサは避難民を見た。

「ミスター・ブルハクのことを覚えている」と、今でも思い出す名前を挙げる。[*21]

タデウシュ・ロメル大使（左）
皇居での信任状捧呈に迎えの馬車に乗るところ
東京 1937年（テレサ・ロメル 提供）

ポーランド大使館と避難民との関わりにはどういうことがあったのか。

「館員が敦賀と神戸に行き、日本当局との間で、ポーランド語やイディッシュ語の通訳をしました」

「日本から最終目的国へ移動するにはパスポートが必要。しかし、多くの避難民がそのような身分証明書や他の必要な書類を持っていなかったので、大使館では各種の公式書類を交付しなければなりませんでした」

パスポート交付には、まず本人であることを証明する出生証明や婚姻証明を作らねばならない。それを日本で行うことは容易ではない。大使館員は、互いに見知っている人々を捜しあて、詳細を確認していかねばならなかった。同時に、書類申請者への対応には注意を要した。

*21 「杉原リスト」197番、アントニ・ブルハク。(本書110頁)

(右から) ロメル大使 書記官カロル・スタニシェフスキ テレサ 大使夫人ゾフィア 大使館付武官イエジ・レビトー
ポーランド大使館庭園にて (テレサ・ロメル 提供)
同大使館は東京都港区三田綱町 (現・三田2丁目)、蜂須賀侯爵邸の敷地にあった。

「ソ連が諜報《ちょうほう》員を日本に送り込んでいるといううわさがあったからです」とテレサ。
またロメル大使は、ゾフィア夫人を委員長とする「ポーランド人救済委員会」を設置。東京と神戸に事務所を置き、避難民も職員として雇い救援活動を進めた。[*22]

ロメル大使が語っていたこと

「父は仕事での話と家族との会話を厳しく区別していた」とテレサは思い出す。ロメル大使は、秘密情報はもちろん、仕事上のことは家族に話さなかった。しかし、避難民や祖国のことを心配している様子は家族にも明らかだった。

「大使館には、独ソ占領下のポーランドから電報が来ていたので、本国で恐ろしいことが起こっていると分かりました」。ドイツとソ連は、ポーランドの消滅を目《もく》論《ろ》んでいた。

一九四一年六月、ドイツは突然ソ連への攻撃を開始する。七月、ポーランドはソ連と対独共闘に関する協定締結。ドイツと同盟している日本では、在日ポーランド大使館への圧力が強まってくる。

同年一〇月、在日ポーランド大使館は

タデウシュ・ロメル 1944年（テレサ・ロメル 提供）

閉館となり、ロメル大使一家と館員は上海に退去した。ここでもロメル大使と館員は、ポーランド系避難民の登録や救済に全力をあげた。テレサはこう語る。

「上海では東京より多くの避難民を見ました。超正統派ユダヤ教の黒い帽子にスーツの人々もかなりいました」

ロメル大使が日頃から家族に話していたことがある。

「ユダヤ系であろうとなかろうと少数民族であろうと、ポーランド国民であれば、国民としての権利をもつ」

自国民に、差別なく救援の手を差し伸べようとしたロメル大使の基本的な考え方がうかがえる。

避難民への人道的対応

大戦終了後の一九四八年、ロメル大使一家はカナダへ移住。モントリオールに住み、同大使はマギル大学でフランス語を教えた。一九七八年三月、逝去。

第二次世界大戦中のポーランドと日本の協力関係について調査・研究を長年行っているワルシャワ大学東洋学部日本学科のエヴァ・パワシュ＝ルトコフスカ教授は次のように述べる。

「ロメル大使は、ポーランド外交史上、重要な人物の一人。ポーランド・日本の二国間関係においては、一九三七年、初代の在日ポーランド大使として就任して以来、四一年まで両国の友好関係に努力した」*23

*22　筆者の調査対象のボルフ・ベイレスは、「ポーランド人救済委員会」避難民課からの職員として神戸で働いた。（本書43頁）

*23　Ewa Pałasz-Rutkowska, "The Polish Ambassador Tadeusz Romer – A Rescuer of Refugees in Tokyo" *DEEDS AND DAYS 67*, Vytauto Didžiojo Universitetas, 2017, p. 245.

また、一九四〇年・四一年、日本に渡ってきたポーランド系避難民と在日ポーランド大使館の関わりをこう説明する。

「ポーランド大使館員は、敦賀港での自国避難民の上陸や、神戸をはじめとする滞在地での住居・衛生・衣類の確保に奔走した。また、日本での滞在延長・パスポートの交付・最終目的国からのビザ取得・ポーランドに残っている家族との連絡や文化面に及ぶまで献身的に助けた」*24

ルトコフスカ教授は、「ロメル大使は、命の危険さえ伴う日本軍占領下の上海でも、避難民のために救援活動を継続した。ユダヤ教の教えに、『一人の命を救うことは全世界を救うのと同じ』とあるが、これは同大使にもあてはまると思う」と語り、窮地にあったポーランド系避難民の救済に陣頭に立ったロメル大使の貢献を再度強調した。

*24 Pałasz-Rutkowska, *Ibid.*, p.250.

テレサ・ロメルさん（中央）
両親が「杉原ビザ」受給者のジュディス・レルメル・クラウレイさん（左）
父親が同ビザ受給者のシェリー・ファビアンさん（右）
モントリオールのテレサさん宅で 2014年6月（筆者 撮影）

IV

ケベック州
モントリオール

敦賀、声をかけてくれた日本人

困っている若者助け恩返し

サーシャの証言ビデオ

モントリオール・ホロコースト博物館に、「杉原ビザ」受給者サーシャ・ボランスキの証言ビデオが保存されている。一九九五年一一月、サーシャが七二歳の時の収録だ。証言の聴き手と録画担当の二人に、時折ポーランド語が混じる英語で話す。

サーシャは、一九二三年、ポーランド東部の農村コブリン（現・ベラルーシ共和国の南西部）で生まれた。ユダヤ系の両親は四人の子どもをもち、サーシャは二番目。姉・妹・弟がいた。

ボランスキ家は農場を経営していた。広い敷地内には使用人たちも住んでいて、牛や馬の世話をしたり、果樹園で収穫をしたり、チーズやウオッカなどを作っていた。のどかで幸せな暮らしだった。父が亡くな

サーシャ・ボランスキ
1936年（リサ・ボランスキ 提供）

ると、しっかり者の母と姉が家業を取り仕切った。

一九三九年九月、第二次世界大戦勃発。ナチス・ドイツが西から、ソ連が東からポーランドに侵攻してくる。母は紙幣をサーシャの靴底に隠し、「靴はいつも履いているように」と言い、彼を逃がした。一六歳の少年であれば、敵に捕まる恐れがあるからだ。

流れ着いたリトアニアで、一緒に逃亡していた親戚から日本通過ビザのうわさを聞く。四〇年八月五日、カウナスで日本領事代理・杉原千畝からビザを受給した。[*1]

ビザ受給時のこと

ビデオのサーシャは、ビザ受給の経過をこう語る。

まず、「キュラソー島のビザは、自分たちで印刷した」。つまり、偽造した。

「日本のビザを受給するのに二・三日並んだ」「日本人領事がスタンプを押してくれた」「所持金がないと言うと、ビザ料金は請求されなかった」と証言する。

日本に着いた時のこと

リトアニアから汽車でモスクワに行った。親戚とはいつか離ればなれになり、サーシャは一人だった。

モスクワから、極東の港町ウラジオストクへ向かうシベリア横断鉄道に乗車。途中、停車したユダヤ自治州ビロビジャン駅で降りた時のことだ。男性が一人近づいてきて、サーシャの腕時計を見ると、「売っ

*1　「杉原リスト」1051番。

てくれ」と言う。父の形見の「シグマ」の時計だ。断わると、その男性は「警官だ。ついてこい」と言う。押し問答しているうちに汽車の出発時間となり、サーシャは汽車に飛び乗った。男性は、まだホームに立っていた。

ウラジオストク港で日本の小さな船に乗った。どこへ行くのか分からない。航海中、乗組員から、みかんをもらった。

着いた敦賀港で、船から降ろされた。岸壁に座り途方に暮れていると、年配の小柄な日本人男性から声をかけられる。サーシャもこの男性もロシア語が話せたので言葉を交わした。

その男性は満州にいたと言う。彼についていくと、まず風呂に入れられた。用意してくれた衣服に着替え、その後、彼の家に入る。食事をし、その家で寝る。数日後、その男性から、同じ避難民がいる神戸に行けと勧められ、神戸までの汽車賃と、万が一敦賀に戻ってきたい時のためにと、余分の費用を与えられた。

神戸に着いたのは夕方。汽車を降りる人の多さに驚

サーシャ・ボランスキ
ケベック州ショーブリッジ 1959年（リサ・ボランスキ 提供）

く。西も東も分からず、郵便ポストに寄りかかり呆然《ぼうぜん》としていると、突然、「サーシャじゃないか」という声が聞こえた。リトアニアで知り合った同じユダヤ系避難民だ。先に日本に着いていて、神戸の「ユダヤ人共同配給委員会」という救援グループに雇われ、サーシャのように駅で立ち往生している同胞を発見しては宿舎に連れ帰っていると言う。

「あの時、彼が発見してくれなかったら……」「いろいろな人に世話になった」とビデオのサーシャは目を潤ませる。

ホロコーストの影

サーシャは、日本から上海に渡り、インドのカルカッタへ行く。そこで一九四七年まで暮らした。その後、米国を経て、親戚が住むカナダのケベック州に移った。同五九年、結婚。妻リタとの間に三人の娘をもった。技術者としての腕を板金加工に生かし、小規模ながらも事業を起こす。そのうちキャンピングカー・トラクター・ブルドーザーの製造と、会社を大きく成長させ

サーシャ・ボランスキ　妻リタ
長女ベルニス　次女リサ　三女マリーナ
ケベック州ショーブリッジ　1970年代
（マリーナ・ボランスキ 提供）

サーシャ・ボランスキ
キャンピングカー製造会社のオフィスで
ケベック州セント・ジェローム　1970年代
（マリーナ・ボランスキ 提供）

る。しかし、三度の倒産の憂き目も味わった。

サーシャは、九九年四月に亡くなった。リタは、彼との思い出をこう話す。

「コブリンに残った母や姉・妹・弟の全員が、戦中、ホロコーストの犠牲になった。戦後それを知ったサーシャは、家族のなかで一人だけ生き残ったことに苦悶《くもん》した」。その一方、「倒産中でも、自宅に多数の友人を食事に招くことがあった」

次女リサは、「父は、生活に困っている若者を雇って助けた」。だが、「父自身の若い頃の話は詳しく語ろうとはしなかった」と思い出す。

三女マリーナは、知り合いが「サーシャは、ボン・ビバンだった」と言うのを聞いたことがある。「ボン・ビバン」とは、フランス語で「人生を楽しむ人、美食家」という意味。それも彼の一面だったのだろう。

ビデオでサーシャは、「若かった」「どうなるのか分からなかった」と何度か言う。逃亡中に一人でいた心細さがよみがえるのだろうか。戦争で運命を翻弄《ほんろう》された彼の胸の内を垣間見るような気がした。

（左から）リサ・ボランスキさん　リタ・マークランドさん　マリーナ・ボランスキさん
ケベック州モントリオール 2017年6月（筆者 撮影）

いとこの絆

ヨーロッパに戻ったビザ受給者

それぞれワルシャワ出発

第二次世界大戦が始まって以来、ポーランドに侵攻してきたドイツ軍は、ユダヤ人を捕まえては労働収容所へ送っている。ミエテック・ランペルトは、ワルシャワからオートバイでリトアニアに逃げることにした。それを聞いて、いとこのセム・ロゼンブルムも逃げることにする。

セムは、大戦勃発でワルシャワから引き揚げたユーゴスラビア大使の車が、運転手付きで使えることを知る。プレートが外交官用ナンバーならば、スムーズに進めるに違いない。彼は友人を誘ってその車で行くことにした。

「リトアニアで会おう」。ミエテックとセムは、それぞれワルシャワを発った。二人は三〇歳だった。

危機一髪

「検問だ」。セムと友人が乗った車の前に橋が見え、ドイツ兵が立っている。車が止められ、セムたちは降ろされた。尋問と荷物検査を受ける。

「見つかった」。セムがポケットの中に隠していた金貨が没収された。

運転手はユダヤ人ではないので、橋を渡る許可が下りた。しかし、セムたちは近くの農家に連行される。

ドイツ兵はゲシュタポ[*2]に報告するため、セムたちに「そこから動くな」と言って、見張りも置かず、姿を消した。途端に、その家の農夫が窓から顔を出し、「逃げろ。ドイツ兵が戻ったら、勾留者たちは逃げたと言ってやるから」とまくし立て、川を渡る別の道を教えてくれた。

セムたちが息を切らして向こう岸に着くと、運転手が待っているではないか。期待もしていなかった事態に感激。運転手と抱き合って喜んだ。

しかし、その後も、行く手にはドイツ軍の検問所が次々と出現。車は毎回止められ、思ったように進まない。その上、尋問を浴びるので、危なくてしょうがない。そこでセムらは運転手に、「もう我々だけで歩いて逃亡を続けるから、車でワルシャワに戻ってくれ」と頼んだ。しかし、「安全な場所まで運転して連れていくと約束したからには戻るわけにはいかない」と言い運転手は動かない。説得の末、運転手が途中で帰ったのはセムらの要望によるものだと一筆書かされ、その解約書を手に彼はやっと去ってくれた。倫理観の強い運転手だった。[*3]

助け合って逃亡

ワルシャワでの計画通り、ミエテックとセムはリトアニアで合流した。しかし、一九四〇年八月、ソ連がリトアニアを併合。

「ここも危ない。脱出だ」。同月一六日、二人はカウナスの日本領事館で、領事代理・杉原千畝からそれぞれ日本通過ビザを受給した。[*4]

次は、ソ連当局で同国通過ビザを得て、その後、シベリア横断鉄道の切符購入だ。一人二〇〇ドルを米ドルで支払わねばならない。しかし、ソ連当局周辺でうろうろしている通行人をリトアニア人警官が抜き打ち止めては、外国通貨を持っている者を逮捕しているというわさ。

「外為法違反か……」

そこで二人は一計を案じた。一人がビザと切符の入手のためソ連当局に入り、窓ぎわに立つ。もう一人は子どもを見つけて、小遣いをやるからと約束し、二人分四〇〇ドルをくるんだ新聞紙を持たせソ連当局へ走らせる。そして、窓へ向かって投げ込ませる。子どもなら警官は気にもとめない。やってみると、これはうまくいった。

ウラジオストクから日本船に乗った。ユダヤ系避難民でごった返す下層階は息苦しいので、甲板に陣取る。日本海の荒波のしぶきに容赦なく襲われるが、それとは関係なく空腹を覚える。そこで、下層階へ行って、船酔いで七転八倒している人々に向かって叫んだ。

「だれか食べ物を売ってくれ」

すると、「酢漬けニシン」の瓶を持った手が伸びてきた。甲板に戻り、ニシンを平らげる。見ると瓶の底に何か横たわっている。

「金貨だ」

慌てて、その瓶を船酔いに苦しむ持ち主に返してきた。

*2　ナチス・ドイツの国家秘密警察。
*3　セムの逃亡談は、Michel Rozenblum, "Parcours famille Rozenblum" に基づく。
*4　「杉原リスト」で、ミエテック1822、セム1823番。

ミエテック・ランペルト
日本人と 神戸 1941年
（アイリーン・クラー 提供）

ミエテック・ランペルト（左端）
ユダヤ系避難民と 氷川丸船上 1941年6月（アイリーン・クラー 提供）

ヨーロッパに戻った二人

一九四一年二月二五日、敦賀港から日本に上陸した二人は神戸に着く。

ミエテックは日本滞在中、英国軍ポーランド人部隊に入隊を決意。カナダで軍事訓練を受けるため同年六月五日、横浜から氷川丸に乗船。同月一七日、バンクーバーに到着した。その後、オンタリオ州オーウェンサウンドのポーランド軍基地で訓練を受け、ヨーロッパの戦場に向かった。四四年、ノルマンディー上陸作戦に加わり、翌四五年、英国ロンドンで戦勝の日を迎えた。戦後、カナダに戻り、モントリオールに住む。日本から竹製品などの輸入を手掛けた。

一方セムは、日米開戦の気配が忍び寄る四一年夏、日本政府により、神戸に残っていた他のユダヤ系避難民と共に上海に送られた。神戸と同様、上海にも避難民救済の組織があったが、セムは自力で生活しよう

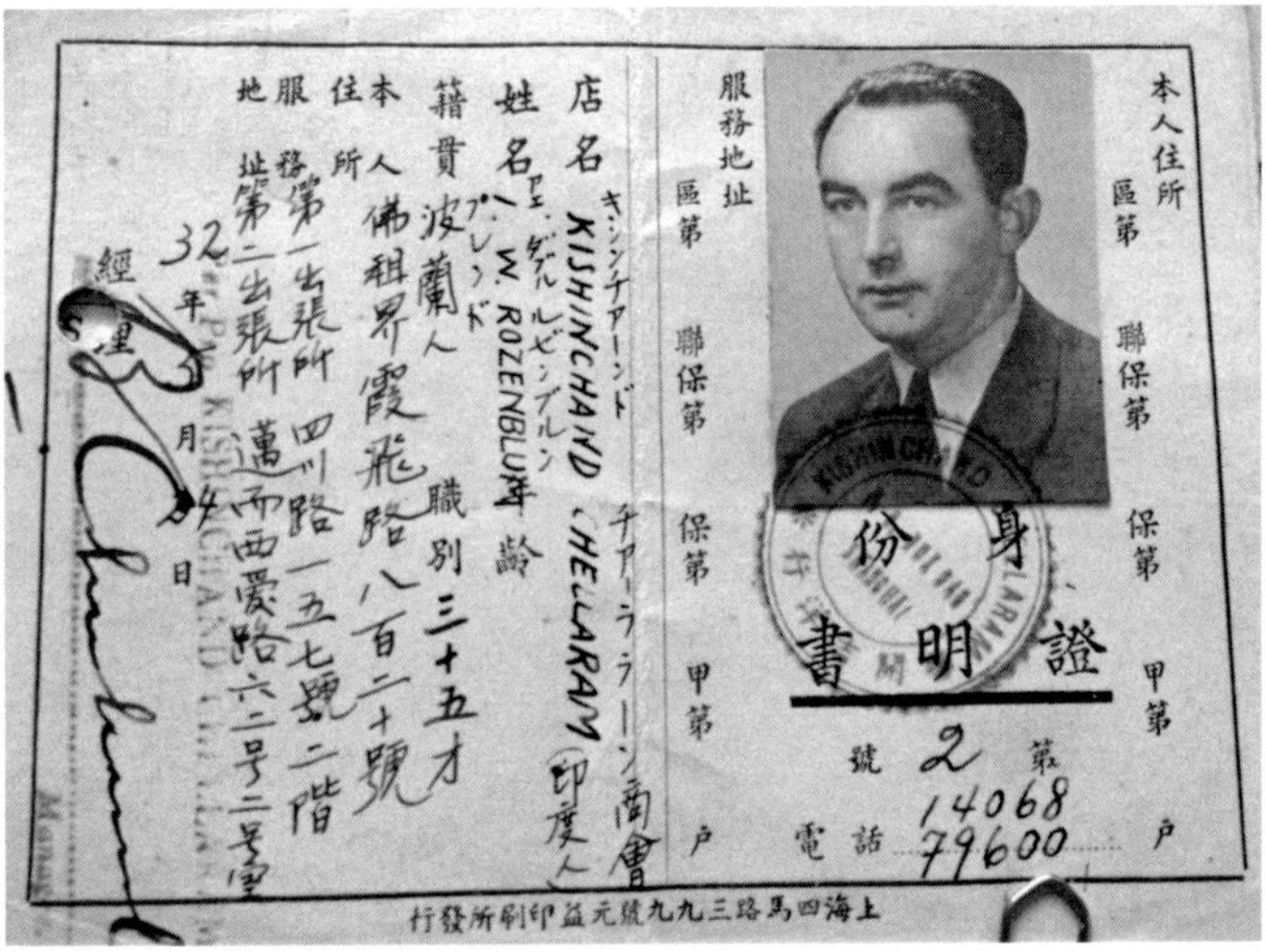

セム・ロゼンブルムの上海での身分証明書
（ミシェル・ロゼンブルム、ピエール・エリオット・ロザン 提供）
交付日の中華民国歴32年は、1943年にあたる。

と、繊維関係の仕事に就く。終戦後、戦中は南フランスで隠れて生活していた家族と再会。そのまま同国にとどまる。上海時代に築いた商取引を生かし、衣料品をフランスへ輸入する事業を興し成功した。

ミエテックの娘でアルバータ州エドモントンに住むアイリーン・クラーさんは、二人の生前の思い出をこう語る。

「父とセムは、見た目も気質も似ていた。ユーモアがあって、いつも人生を楽しもうとしていた」

逃亡中の行動もどこかユーモラス。一連の取材の中で、異彩を放った二人だった。

（左から）ミエテック・ランペルト　セム・ロゼンブルム
モントリオール 1968年（アイリーン・クラー 提供）

memory
［思い出］

二人のユダヤ人サムライ

ミエテック・ランペルトの母親と、セム・ロゼンブルムの父親は、姉と弟で、ミエテックとセムはいとこ同士だった。ミエテックは一九〇九年一月にポーランドのワルシャワで、セムは同年六月にワルシャワから四〇キロほど南の町グルエッツで生まれた。セムの一家は、後にワルシャワへ移ったので、同い年のミエテックとセムは、しばしば行動を共にした。

ミエテックの娘でカナダのアルバータ州に住むアイリーン・クラーさんは、ミエテックとセムの思い出をこう語る。

「二人は、生まれた場所や通った学校は違っていたけれど、容貌のみならず、ユーモアに溢れ、どんな状況にあっても努力するところは似ていました」

戦前、若い二人は冒険が大好きだった。

「父はオートバイを何台かもっていたので、セムと一緒にクロスカントリー・ラリーに臨みました。父が運転、セムはサイドカーに乗ってナビゲーター」。自慢のオートバイに乗り得意満面な二人の写真が残っている。

ミエテック・ランペルト
ワルシャワ 1939年8月
（アイリーン・クラー 提供）

ミエテックは、アイリーンが若い頃、彼女によくこう言った。

「一生懸命やれば、だれだって喜んでくれる。最善を尽くすようにしなさい。そうすれば、他の人も同じように応えてくれるから」と。

アイリーンは、「父からの教えは、スギハラサンがよい例」と話す。

「限られた時間内に一人でも多くの避難民にと、一心不乱に日本通過ビザを発給したスギハラサン。そのビザのおかげで逃亡を果たした父の子孫が、スギハラサンからの善意を忘れずに、今カナダで元気に過ごしている」と言い、父ミエテックからの教えを杉原千畝のビザ発給に重ね合わせた。

一方、セムの長男でフランスのパリに住むミシェル・ロゼンブルムさんも、セムとミエテックをこうしのぶ。

「いとこ同士の絆は、ポーランドで始まり、

セム・ロゼンブルム
ポーランド 1938年
(ミシェル・ロゼンブルム、ピエール・エリオット・ロザン 提供)

リトアニアからソ連を通過し日本へ至るまで、数々の困難や恐怖を共にすることでさらに強まった。戦後は、カナダとフランスに離れて住んだけれど、二人の絆はずっとつながっていました」

アイリーンがミエテックとセムの共通点を話した一方、ミシェルは二人の違いを挙げる。

「ミエテックは、愛国心の強い戦士タイプ。戦争が勃発しポーランドがドイツから攻撃を受けると、さっそくポーランド軍の新部隊に加わろうとした。逃亡中の日本では、英国軍ポーランド人部隊に志願しカナダからヨーロッパの戦地へと向かった。軍隊の中にも、激しい反ユダヤ感情があったけれど、それもいとわなかったのでしょう。

一方、私の父セムは、軍隊に加わることに反対だった。ポーランドの一般社会のみならず、軍隊を含めた社会的権威の中にも反ユダヤ感情があって、うんざりしていたから。そういう組織にはいかなる協力もしませんでした」

ミシェルは次のようにも説明する。

「ドイツ軍による侵攻で戦争が勃発した時、ポーランド国民、とりわけユダヤ系の人々は、二つの選択肢から一つを選ばねばならなかった。一つは間近に迫った危機を予想しながらも、願わくは敵の目に触れないようにと祈りながら、住み慣れた場所にとどまっていること。もう一つは、潔《いさぎよ》くそこから移動し、危険と隣り合わせながらも、安全と思われる方向へ逃げること。逃げて生き延びることも敵への抵抗です」

セムとミエテックは、逃げることを選んだ。途中でドイツ兵に捕まったり、ソ連秘密警察と向かい合ったり、日本海を小さな船で渡ったり。心が休まる時間はなかった。しかし、ミシェルは父セムが早々にワルシャワを脱出したことは結局「賢明な判断だった」と言う。


神戸に滞在していたセムは、日本人からのさまざまな親切に驚く。後年、彼の子どもたちに何度も語った話がある。

「東京から神戸に戻る列車の中で、検札官が敬礼をしてくれた。ポーランドであろうとリトアニアであろうとソ連でも、こんな丁寧な対応をうけたことはなかった」

アイリーン・クラーさん
和服のコレクションの中から一枚を羽織って
エドモントン 2016年（筆者 撮影）

ミシェルは、「父は生涯にわたり、日本での温かい思い出を大切にしていた」と言う。そして、こう続ける。

「ミエテックとセムは、誇りをもって悪に立ち向かういわばユダヤ人の『サムライ』だった。ミエテックは、軍隊に身を投じたサムライ。セムは民間にとどまったサムライ。その親分と言えば、スギハラです。スギハラは、二人に日本通過ビザを発給し、生き延びるチャンスを与えてくれた。サムライ・スギハラの武器は刀ではなく、ビザのスタンプだった。スギハラは人を殺すようなことはしなかった。それどころか、数千の命を救った。スギハラは外交官として自らが信じる道を選んだ。この正義と勇気の遂行に、実際、高い代償を払うことになったけれど」

ミシェルはこう結んだ。

「スギハラからのビザで生き延びた受給者たちは、スギハラの息子たちと兄弟姉妹のようなもの。私たちはスギハラの孫とも言えます。スギハラと彼を支えたご家族と子孫の方々に、言い尽くせないほどのお礼と感謝を捧げます」

二〇一八年五月　カナダ、エドモントン

フランス、パリ

ミシェル・ロゼンブルムさん（手前）と家族
パリ 2017年（ミシェル・ロゼンブルム 提供）

親子にきた召集令状

父は日本からカナダへ、息子はヨーロッパの戦場

シオニストだった父

二〇一四年三月、ヨナス・ブロベルマンという名の「杉原ビザ」受給者が、かつてモントリオールに住んでいたという情報が入った。

同年六月、ヨナスの長男イマニュエル・ブロベルマンさんをモントリオールの自宅に訪ねた。

ドアを開けてくれたのはイマニュエル。見上げるばかりの長身。すらりとした九一歳を目の前に、なぜか言葉を失っていると、「どうぞ」とにこやかな表情で家の中に招き入れてくれた。

イマニュエルによると、父ヨナスは、戦前、ポーランドのウッチ市でヘブライ語の教師をするシオニスト*[5]だった。結婚後、二人の息子が誕生したが、次男は幼くして病死する。

一九三九年九月一日、ドイツのポーランド侵攻後、同月六日早朝、警官がブロベルマン家を二度訪れた。午前六時にヨナスへ、七時に当時一七歳のイマニュエルにポーランド軍からの召集令状が渡された。二人は令状を受け取ると直ちに出発。ヨナスは徒歩でワルシャワへ。一時間後、イマニュエルは自転車でワルシャワへ向かった。その後、互いの消息は分からなくなった。

記録が教える父の経過

「杉原リスト」一七二六番にヨナスの名前がある。さらに、神戸ユダヤ協会の記録によると、ヨナスは一九四一年一月三日、神戸到着。同年七月一七日、横浜出帆の平安丸に乗船。この船は、日米開戦前の時局柄、バンクーバーまで行かずシアトル止まりとなる。積荷も乗船客も全てここで降ろし、平安丸は横浜に引き返す。乗船客のうち一三人は米国入国。ヨナスを含む六九人*[6]はカナダ船に乗り換え、同年八月二日、バンクーバーに着いた。ヨナスはその後、モントリオールに移動する。

ソ連軍に従軍していた息子

一方、息子イマニュエルは戦中ずっとヨーロッパにいた。開戦後わずか四週間ほどの九月二七日、首都ワルシャワ陥落。ポーランド政府は国外へ移動。亡命政府となる。イマニュエルの部隊の上官は、兵士らにも逃亡するようにと告げる。そこで東に向かって逃げた。しかし、ポーランド東部に進駐していたソ連軍の捕虜となり矯正労働収容所*[7]に送られる。毎朝六時に門

---

*5 シオニストとは、ユダヤ人が故郷パレスチナ（現・イスラエル）に戻り、独自の国家を建設しようとする運動「シオニズム」に参加する人々。また、ユダヤ教・ユダヤ文化の復興を目指す人々にも使われる。パレスチナのエルサレム地方の古い呼び名が「シオン」であったことから由来する。

*6 "Heian Maru in Seattle Berth" Seattle Daily Times, July 31, 1941, p.30.

*7 矯正労働収容所は、思想を矯正する場所。旧ソ連では、収容者を過酷な環境・労働下に置くことで心身を萎えさせ、体制への恭順を導いた。

が開き、氷点下五〇度の中、鉄道敷設の労働に駆り出された。

ある日、材木を運んでいる際中、転んで大怪我をする。同じ捕虜の二人が囚人用病院に運んでくれた。その病院で働いているのも捕虜や囚人たちだった。

手術を受け入院中、医師がイマニュエルに看護の本を持ってきて、「勉強しろ」と言う。傷が治って収容所へ戻れば、過酷な労働が待っているばかり。それよりは看護師になって働けば、生き長らえるチャンスがあるかもしれないと勧めてくれた。

しかし、テストに合格しなければならない。診断や処方の医学用語にはラテン語もある。全く知らない。必死になって覚えた。実技は、骨折した骨の固定法を習得しテストに臨んだ。合格して、その病院で働く。

一九四一年七月、ポーランドとソ連両政府が対独共闘に関する協定を結ぶと解放された。そこで、ソ連軍のポーランド人部隊に志願し、ドイツ軍と戦った。戦場は悲惨だった。四五年一月、ようやくソ連軍除隊となる。

終戦後、不法入国したチェコスロバキアからフランス、ベルギーへ。

ベルギーの大学で工学を勉強している間、捜していた父ヨナスと連絡がついた。父は、カナダのモントリオールで暮らしていた。

四七年夏、モントリオールで親子再会。イ

イマニュエル・ブロベルマンの
第二次世界大戦中の写真や記章
（ネリ・ティシュラー 提供）

マニュエルはマギル大学で工学の勉強を続けるも、同年から四九年まで、イスラエルへ行き空軍に加わり同国独立のため戦った。

五〇年、カナダに戻ると、大学での勉強を再開し卒業。結婚して三人の子どもをもった。

一方、父ヨナスは、五〇年代、モントリオールから単身でイスラエルに移住。八九年、そこで亡くなった。

写真の父

戦中の体験談を聞かせてくれると、イマニュエルはコンピューターの前に座り、ドキュメンタリー・フィルム"SUGIHARA Conspiracy of Kindness"*8のDVDをスタートさせた。私も同じものをもっている。

イマニュエルが早送りで止めたのは、二〇

*8 WG39179. ©2005 Dentsu Inc. , David Rubinson & Friends , Inc., and Creative Production Group, LLC.

ヨナス・ブロベルマン（上から2列目 右から2人目）
ユダヤ系避難民らと 神戸 1941年
(The American Jewish Joint Distribution Committee)

人のユダヤ系避難民が神戸の日本家屋で写真に納まっている場面。その写真もそれまでに何度か見たことがあった。ヨナスが写っていたのか。

コンピューターの画面の上をイマニュエルが指さす方向へ、私の視線も動く。すると、一人の男性の上に指を置き、「これが父」と教えてくれた。イマニュエルと同じ優しい眼差しをしている。

画面を見ながらイマニュエルが再び語りだした。

夫と息子が出兵し、ウッチに一人残された母は、その後ワルシャワへ行った。しかし、ドイツ兵に捕まる。ゲットーに入れられると、秘密裏に運営されていた学校で子どもたちに教えた。ある日、汽車の駅へとドイツ兵から追い立てられている母を目撃した人がいる。その後の行方は分からない。こういった母の最期について知ったのは戦後のことだ。

イマニュエルは目をコンピューターの画面から窓の外、遠くへとやる。

「戦争とはひどいものだ」

背筋を真っすぐに、こう言うイマニュエルの頬に、涙がスーッと伝った。

イマニュエル・ブロベルマンさん
モントリオール 2014年6月（筆者 撮影）

memory
［思い出］

祖父とヘブライ語

ネリ・ティシュラー

私は一九七三年から八〇年まで、イスラエルに住んでいました。生活したのはエルサレムとその周辺の町。祖父ヨナス・ブロベルマンが既にイスラエルに移住していて、キリャット・ティボンという小さな町にいました。

月に一度、祖父を訪ねました。車はもっていなかったし、エルサレムからの直行バスもなかったので、片道八時間もかけて。現在、イスラエルの交通機関はずっと便利になっています。

祖父はイスラエルでヘブライ語を教え、農業学校の校長も務めました。私が行った時には既に引退していたけれど、ヘブライ語の高等教育機関にはまだ深く関わっていました。

祖父にとって、「教える」ということは喜びでした。中でも、ヘブライ語を教えるのが何よりも好き。気楽な口語表現が聞こえてこようものなら、形相《ぎょうそう》を変え、たちまちそれを訂正するという具合。私が祖父にヘブライ語で手紙を書いて出すと、返事と一緒に赤インクで見事に訂正した私の手紙を、ひどい文法だ

ネリ・ティシュラーさん
バンクーバー 2017年2月（筆者 撮影）

と言わんばかりに送り返してきたものです。

祖父と会って話している最中も、ひっきりなしに私のヘブライ語を直しました。私は、ヘブライ語会話がけっして下手ではなかった。祖父にとって問題は、私がくだけた話し方をするということ。でも、私のヘブライ語会話は、イスラエル人のと同じ。友人・クラスメート・先生や、いろいろな人から教わった話し方。それでも祖父は、「正しい」ヘブライ語を話すべきと言い、私が言葉を発するたび注釈をつけました。

祖父が私に教えるヘブライ語は、四〇〇年ぐらい前のシェークスピア時代の英語のようなもの。「そんなヘブライ語を周囲の人たちは話していない」と、祖父に言ったことがあります。

祖父が私にヘブライ語を教えることに喜々とする一方、私は気兼ねなくヘブライ語を話すことができず、心の中ではいらいら。でも、私は祖父が大好き。それに、祖父に会いに行くことを、嫌なことではなく、毎月心待ちにしておきたかった。

そこで、祖父と私は話し合い、こういうことにしました。祖父は私の訪問中、一回だけ私のヘブライ語を直すことができる。こうすれば、私に教えているという気分が味わえる。一方、私は祖父と過ごす時間をもっとリラックスして楽しめる。

今でも使うヘブライ語表現がいくつかあります。祖父がそう言うようにと教えてくれたから。その表現を使うたび、祖父のことを思い出す。そうやって祖父を思い出すことをうれしく思います。

祖父に日本通過ビザを与えてくれたミスター・スギハラに深く感謝します。そのビザがなければ、ブロベルマン家がカナダで生活を再建することはなかったでしょう。それに、私が祖父との大切な思い出をつくることもありませんでした。

二〇一八年九月　カナダ、バンクーバー

主義も逃走も共にした仲間

ビザ受給も連なって

ブンディスト

モントリオール・ホロコースト博物館に、「杉原ビザ」受給者シュラマ・ペルカルの証言ビデオが保存されている。収録は二〇〇〇年六月と一〇月の二回で、彼の前半生が「ブンド」の思想や仲間と強く結ばれていたこと、それが後半生の生き方にも影響していたことがよく分かる内容だ。[*9]

シュラマは一九一四年、ポーランド東部の町ジェレフでユダヤ系の家庭に生まれた。父モルトカは「ブンド」の信奉者だった。

*9 "Steve (Szlama) Perkal's Life," recorded at the Montreal Holocaust Memorial Centre in 2000, transcribed by Corinne Baumgarten (his great niece.)

シュラマ・ペルカル（中央）両親 妹たち 1924年（ペルカル家 提供）

一九二〇年、モルトカは妻と三人の子どもを連れウッチ市に移る。息子シュラマは、「ブンド」がユダヤ人の民族語とするイディッシュ語で教える学校に通い、イディッシュ文化に浸る。同三〇年代には「ブンド」の活動家ブンディストになっていた。

一九三九年九月、ドイツのポーランド侵攻を引き金に第二次世界大戦勃発。同月中旬には、ソ連もポーランドに侵攻。独ソからの脅威を背に、シュラマは、「ブンド」の立役者ビクトル・アルテルに付いて逃走。しかし途中、アルテルはNKVDに逮捕される。シュラマは、ブンディストが多数逃げ込んでいた隣国の中立国リトアニアのビリニュスに急いだ。

カウナス警察署での出来事

ビリニュスは、ポーランドからのユダヤ系避難民で溢れていた。

一九三九年一〇月、前月既にポーランドの半分を占領したソ連は、リトアニアに対して友好相互援助条約を結ばせ、リトアニア国内にソ連軍二万人を駐留させる。その代償として、戦前はポーランドにより占領されていたビリニュスをリトアニアに戻した。以来、ビリニュスではリトアニア人が幅を利かせているうえ、街はソ連の影に覆われている。そこでシュラマは、ビ

シュラマ・ペルカル
1940年（ペルカル家 提供）

リニュスから離れた小さな町に移って住むことにした。しかし、「ブンド」の仲間との連絡にカウナスまでの一五キロほどを毎回歩いて往復しなければならない。カウナスに住む方が便利だ。そこで、居住の申請にカウナスの警察署へ行った。

申請書類に署名を求められた。見ると、シュラマは「旧ポーランド国民」とある。独ソに分割占領されたポーランドはもはや存在しないということだ。彼は署名を断る。その理由を署員から問われた。

「ポーランドはまだ消滅していない」。シュラマは答える。

署員とシュラマとの間で険悪な会話が続く。ついに署員が言った。

「ここがどこだか分かっているのか。NKVDのオフィスだぞ」

「ソ連秘密警察だ」。息をのみ、シュラマは署名せざるを得なかった。

持っていた身分証明書は、「預かり書」と引き換えに取り上げられた。後日、その「預かり書」を持って居住申請の可否を聞きに来るようにと言い渡される。

カウナスから戻り、シュラマは一緒に住んでいた「ブンド」の仲間に、警察署での顛末《てんまつ》を話した。すると全員が口を揃えて言った。

「危険だ。二度とカウナスには行くな」

シュラマは、預けた身分証明書を取り戻すことができなくなった。そこで、新たな証明書を手に入れた。

連なって受給したビザ

一九四〇年八月、ソ連はリトアニアを併合。危機を察知し、ブンディストらは国外脱出を計画する。避難民の間で、最終目的国や通過する国々からのビザに関してうわさが流れていた。

「カウナスの日本領事館で通過ビザを発給している」

日本領事代理・杉原千畝からのビザ受給に、ブンディストらが連なって並んだことが、杉原が作成したビザ発給表、いわゆる「杉原リスト」からうかがえる。

例えば、八月一六日、発給番号一七九九から一八三二の三四人のうち一四人がブンディストとその家族であったことが、関係の子孫三人により確認されている(表1)。四人連番での受給もある。飛び番号で名前が確認された四カ所では、それぞれ二つの番号の間の名前もブンディストであった可能性がある。[*10]

また、シュラマは、警察署での一件以来、彼自身でカウナスには行けなくなったが、「ブンド」の指導部の一人が、シュラマを含めた仲間の身分証明書を持ってカウナスへ行き、日本通過ビザを受給してきてくれたと証言ビデオで語っている。

「杉原リスト」を見ると、シュラマへのビザ発給日である八月一九日の一九六五・六六・六七番の受給者はドイツ国籍。続く六八番からポーランド国籍に変わり、この日最後の発給一九八二番まで一五人全員がポーランド国籍。シュラマはこのグループの一九六九番。七三・七四番は前記子孫らによりブンディストの夫婦と確認されている。七〇・七一・七五番の三人は、関連文献[*11]や関係者によるとブンディストであった可能性が高い。以上の連番に含まれる七二番もブンディストと考えて無理はない。従って、少なくとも一九六九から七五番まで、ブンディストが七人連なっていたと考えられる(表2)。

共に移動し生活

日本通過ビザを受給後、シベリア横断鉄道の乗車も、日本滞在中も、日本政府により移動させられた上海でも、シュラマは「ブンド」の仲間と一緒だった。

発給番号	国　籍	名　前	ブンディストと家族
1799	ポーランド	Fajwysz Szlama Gilinsk	○
1800	〃	Waldberg Brandla	
1801	〃	Waldberg Maria Chaim	
1802	〃	Jozef Brumberg	○
1803	〃	Chaja Laja Brumberg	○
1804	〃	Jan Binkowski	
1805	〃	Odes Lejwik	
1806	〃	Zusman Epsztejn	
1807	〃	Szmul Kruk	○
1808	〃	Mery Szefner	
1809	〃	Regina Kruk	○
1810	リトアニア	Bialikiene Bialikas Freide	
1811	ポーランド	Stolar Lejzor	○
1812	〃	Froim Goldgiter	○
1813	〃	Roza Czerwonogora	
1814	〃	Izak Braude	
1815	〃	Moses Blas	
1816	〃	Jozef Trunk	○
1817	〃	Rubin Liwszy	
1818	〃	Maria Liwszyc	
1819	〃	Moszek Diner	
1820	〃	Sura Federman	○
1821	〃	Perec Guterman	
1822	〃	Mieczyslaw Lampert	
1823	〃	Izrael Rozenblum	
1824	〃	Szlama Uszer Schwarzman	
1825	〃	Rot Hirsz	
1826	〃	Josef Wajnberg	
1827	〃	Moszek Dawid Kligsberg	○
1828	〃	Dwojra Gutgold	○
1829	〃	Artur Lermer	○
1830	〃	Miriam Lermer	○
1831	〃	Ignacy Niezielinski	
1832	〃	Pat Noema Jakob	○
⋮	⋮	⋮	
1861	〃	Jakubowic Moszek	

表1:「杉原リスト」1799～1832番までに含まれるブンディストとその家族（筆者 作成）
杉原千畝作成のビザ発給表では1810番がリトアニア国籍で、1811番以下はこの頁最後の1861番まで同様を示す〃が打ってあり、1810番からは全てリトアニア国籍のように見える。しかし、1811番も、表中それ以降の番号のブンディストとその家族全て、また1822・1823・1826・1844・1855・1860番もポーランド国籍ということが分かっている。従って、リトアニア国籍は1810番だけで、他は全てポーランド国籍と判断した。

*10 1800・1801番のWaldbergは1組と考えた。

*11 *Flight and Rescue*, Washington, D.C., United States Holocaust Memorial Museum, 2001, p. 172.

発給番号	国　籍	名　前	ブンディストと家族
1965	ドイツ	Lindeman Paula	
1966	〃	Lindeman Mira	
1967	〃	Friedlander Alfred	
1968	ポーランド	Ginsburg Ilia	
1969	〃	Perkal Szlama	○
1970	〃	Fiszman Josef	○
1971	〃	Fiszman Jankiel	○
1972	〃	Lewin Samuel	
1973	〃	Oler Laja	○
1974	〃	Oler Leon	○
1975	〃	Pat Ryfka	○
1976	〃	Sztycer Nachman	
1977	〃	Kusznir Rubin	
1978	〃	Cukier Chana	
1979	〃	Cukier Abram	
1980	〃	Andrejewska Luba	
1981	〃	Pudlowski Zelman	
1982	〃	Czerwonogora Szloma	

表２：「杉原リスト」1965〜1982番までに含まれるブンディストとその家族（筆者 作成）

終戦後の一九四七年、やはり「杉原ビザ」受給者のブンディストの尽力でカナダに来ることができた。しかし、ポーランドに残っていた両親と、二人の妹のうち一人はホロコーストの犠牲になっていた。

大戦が始まる四カ月前、シュラマは仕事の合間にウッチに帰り、家族と休暇を過ごした。ワルシャワに戻る日、両親はバスの乗り場まで一緒に来て見送ってくれた。バスが発車するまでそこに立ち、車内のシュラマを目で追っていた両親の姿がまぶたに焼き付いている。

「それが最後になるとは思わなかった」

と語りビデオのシュラマは涙を流す。

モントリオールで三〇年以上もの間、服飾業界の組合で働き、労働協約の向上に雇用主や政府を相手に強力な交渉役として活躍したかつてのブンディスト。シュラマ・ペルカルは、二〇〇二年、生涯を閉じた。

record
［記録］

証言ビデオ書き起こしで分かった大伯父の生涯

モントリオール・ホロコースト博物館に保存されているシュラマ・ペルカルの証言ビデオを、彼の親戚の一人コリンヌ・ボームガーテンさんが書き起こした。そのおかげで、シュラマの「杉原ビザ」受給のいきさつが分かった。コリンヌさんを取材した。

――シュラマ（スティーブ）・ペルカルが、杉原千畝から日本通過ビザを受給したことを最初に知ったのはいつか。

コリンヌ　私が一〇代の初め頃、家族や親戚が集まった席で、大伯父のスティーブが、戦中、スギハラからビザを受給したことを皆に語ったことを覚えています。その話に私はとても興味をもちました。

――スティーブの証言ビデオを書き起こすことになったきっかけとは。

コリンヌ　大伯父は、二〇〇二年に亡くなりました。数年後、私の家族が、大伯父が亡くなる前にモントリオール・ホロコースト記念センター（現・モントリオール・ホロコースト博物館）で録画した証言ビデオを、書き起こせばどうだろうかと提案しました。そこで私は、二〇一一年、ビデオ（ＶＨＳ）をＤＶＤに変換し、作業を開始しました。終了したのは二〇一四年八月です。

——**ビデオを書き起こして分かったことは。**

コリンヌ　大伯父の人生についてはそれまで大ざっぱにしか知りませんでした。書き起こし作業を通して詳細を知ることができました。

戦前、ポーランドでのペルカル家の暮らし。十分に食べることもできないような貧困にあったこと。スティーブが「ブンド」の学校で教育を受け、それが彼の世界観形成に影響したこと。大人になると、「ブンド」のメンバーとしてポーランド国内を移動しながら働いた。「ブンド」のための仕事がポーランドでは政治的にどういう意味があったのか。また、当時のリトアニアの政治や社会が、ポーランドやソ連とどのような関係にあったのか。リトアニア人がもっていたユダヤ人への感情。それを背景に、大伯父は生き延びるためにどう行動しなければならなかったのか。

スティーブの日本での滞在や日本人との温かい交流。日本から渡った上海は、いくつかの外国人居留地に分かれていたこと。そこでの生活状況。彼自身が働いた衣料品製作所で、労働条件の向上に貢献したこと。

戦後、カナダに移民してきて、労働運動に関わりながら働き、結婚し家庭を築いたことなども知りました。

——**スティーブが「杉原ビザ」を得たことへの感慨は。**

コリンヌ　大伯父がナチスから逃れるためには、私の祖父母のようにソ連に逃げるという選択もできたはず。親戚の中には、戦中、シベリアの労働収容所に送られたけれど、そこで生き延びた人が他にもいます。とても厳しい状況だったけれど、ともかくも生き延びた。しかし、スティーブは、「ブンド」のメンバーと行動を共にすることを選んだ。多くのブンディストが逃げ込んでいたリトアニアに行き、そこでスギハラからビザを受給し、リトアニアを出ることができた。リトアニアにとどまっていたなら命はなかったでしょう。

――あなた自身、日本へ行き、働くことになった経緯とは。

コリンヌ 英語を母国語としない人々に英語を教えることに興味をもっていて、オタワで新移民に英語を教えるボランティア活動をしていました。私自身も海外で異なった言葉や文化に触れてみたい。こう考えていたところに、学生時代にルームメイトだった日本人の友人が日本に戻っていたことなどもあり、日本で英語を教えることにしました。二〇〇三年一月から二〇〇七年三月まで、宮崎県都城市に住み、幼稚園で子どもたちに英語を教えました。大伯父と日本との関わりも、私の気持ちを日本に導いてくれたのだと思います。

――「杉原ビザ」とスティーブに関係する日本での思い出は。

コリンヌ 二〇〇六年、岐阜県八百津町の杉原千畝記念館を訪れた際、スギハラの次男チアキ・スギハラさんを紹介していただき、お会いすることになりました。私は、八百津町からすぐに、神奈川県に住むチアキさんに会いに行きました。

チアキさんとは、父チウネさんのことや、いろいろな話をしました。チウネさんのお墓に案内していただき、その後、チアキさんの母ユキコさんともお会いすることができました。私にとってお二人との出会いは感動的で、その後、私が大伯父の七時間半にも及ぶ証言ビデオを書き起こそうという気持ちが高まる一因にもなりました。

――杉原千畝への思いとは。

コリンヌ　私の人生がスギハラの並外れた勇気や思いやりと接点があり、影響を受けていることに感銘を覚えます。終戦後も、私の祖父母と父はポーランドで難民として暮らしていました。三人がカナダに移住するため保証人になってくれたのは大伯父スティーブです。私がカナダで生まれて暮らしているのは、大伯父にビザを発給し命を救ってくれたスギハラのおかげです。

二〇一八年九月　カナダ、オタワ

コリンヌ・ボームガーテンさん
「杉原リスト」のコピーにあるシュラマ・ペルカルの番号を右手で指して
八百津町 杉原千畝記念館にて 2006年4月（コリンヌ・ボームガーテン提供）

二〇〇の命をもたらしたビザ

使命は社会貢献

神学校の仲間と逃亡

二〇一六年一一月、オタワとトロントで、日本の俳優・水《み》澤《さわ》心吾さんの一人芝居「決断・命のビザ〜SEMPO 杉原千畝物語〜」が上演された。二〇〇七年の初演以来、迫真の演技で日本国内のみならず海外でも公演を重ね、二〇一八年一月には三〇〇回を迎えた舞台だ。[*12] オタワでの会場となったカールトン大学では、水澤さんが演じた後、同市に住むベレル・ロダルさんが講演を行った。

ベレルの父ユゼフ・ロダルは、一九一四年、ポーランド南部の古い町シュドボーシュで、ユダヤ系の両親と九人の兄弟姉妹の家庭に生まれた。

*12 坂本直子「杉原千畝の生涯描いた一人芝居『決断 命のビザ』が上演300回」、クリスチャントゥデイ、2018年1月28日。https://www.christiantoday.co.jp/articles/25117/20180128/sugihara-chiune-misawa-shingo-300.htm

ユゼフ・ロダル
1940年（ベレル・ロダル 提供）

一九三九年九月、第二次世界大戦が勃発すると、ユダヤ教神学校で教えていたユゼフは、同じ神学校の教師や生徒らと九人で、リトアニアへ逃亡する。[*13]ナチス・ドイツはユダヤ教関係者を迫害の最初のターゲットとしていたからだ。

翌四〇年六月、ソ連軍がリトアニアに進駐。ユゼフら九人は、独ソによる占領が進むヨーロッパからも逃亡しようと、同年八月中旬、在カウナス日本領事代理・杉原千畝からそれぞれ日本通過ビザを受給した。

守った教義

逃亡中もユゼフらは日々の祈りを欠かさず、トーラーやタルムード[*14]の学びを続けた。祈りの際に必要なパンは、乾燥させたパンを袋に詰めて持ってき

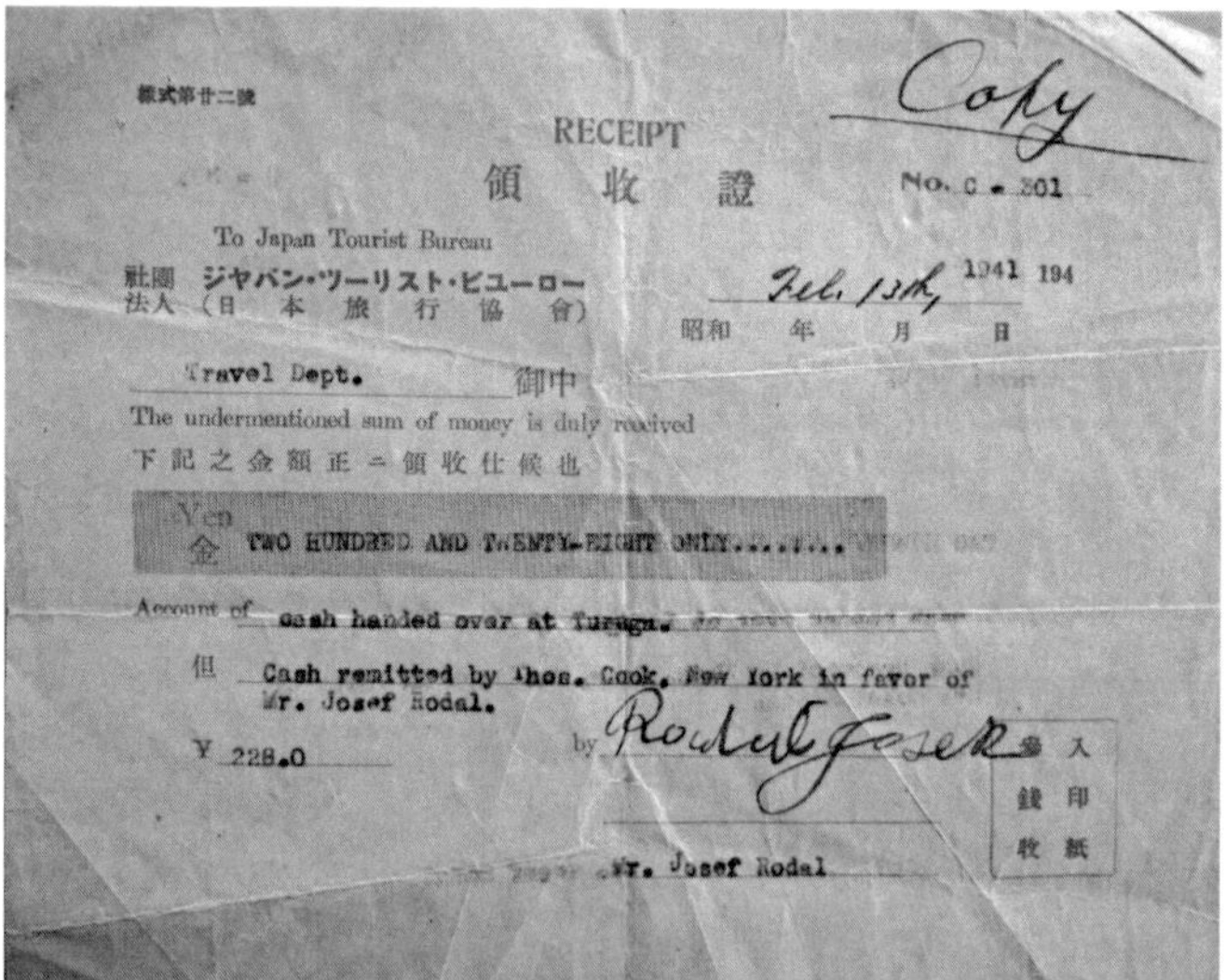
様式第廿二號

Copy

RECEIPT

領　收　證　　No. C - 301

To Japan Tourist Bureau

社團法人 ジヤパン・ツーリスト・ビユーロー（日本旅行協會）

Feb. 13th, 1941 194

昭和　年　月　日

Travel Dept.　御中

The undermentioned sum of money is duly received

下記之金額正ニ領收仕候也

Yen 金 TWO HUNDRED AND TWENTY-EIGHT ONLY......

Account of cash handed over at Tsuruga.

但 Cash remitted by Thos. Cook, New York in favor of Mr. Josef Rodal.

¥ 228.0

by Rodal Josek

收入印紙

Mr. Josef Rodal

ジャパン・ツーリスト・ビューローを通し受け取った
トーマス・クック社からの送金228円の領収書コピー（ベレル・ロダル 提供）

ていた。それを一つずつ湯にひたしやわらかくして口にする。

ユダヤ教の食事には、食べてもよいとされる食品や調理法が決められている。ユゼフらは主に調理されていない野菜や木の実を食べた。

一九四一年二月一三日、敦賀港に到着。上陸時、米国ニューヨークのトーマス・クック社からユゼフへの送金二二八円を、ウラジオストクと敦賀間で避難民輸送業務にあたっていたジャパン・ツーリスト・ビューローから受け取った。*15

神戸に着くと、神戸ユダヤ協会が宿舎を用意してくれていた。たとえ日本にいても、教義に沿った食事をとらねばならない。そこで、米や魚を自分たちで調理して食べた。

神戸には他のユダヤ教神学校の教師や生徒もいた。教派の違う神学校のグループもあったが、三〇人ほどが集まり、一緒に勉強し祈りの時をもった。

ある日、日本人から神戸ユダヤ協会に、神学校のグループが騒々しく口論していると通報された。しか

*13 9人の名前と「杉原リスト」での番号。レイブ・クラメル(1368)、イツォク・ヘンデル(1479)、サムエル・シュテイン(1721)、ユゼフ・テネバウム(1743)、ユゼフ・ロダル(1744)、モシェク・ゲルリツキ(1748)、メンデル・グリングラス(1780)、ユゼフ・バインベルグ(1826)、ユゼフ・コタルスキ(1836)。

*14 トーラーは、『旧約聖書』の冒頭五書「創世記」「出エジプト記」「レビ記」「民数記」「申命記」。タルムードはヘブライ語で、原意は「教訓」「学習」。

*15 北出明『命のビザ、遥かなる旅路—杉原千畝を陰で支えた日本人たち』交通新聞社、2012年、23、24頁。米国ユダヤ難民救済協会(Hebrew Immigrant Aid Society)が、難民の移動の世話をニューヨークのトーマス・クック社に委託していた。同社が預かった支援金は、ジャパン・ツーリスト・ビューローに送られ、敦賀で避難民に円貨で渡された。

しそれは、神学校の学生たちが声をあげ熱心に意見を交わしているのを日本人が見て、けんかをしていると勘違いしたためだった。そんなこともあったが、日本人はユゼフらによくしてくれた。[16]

ユダヤ教の拠点作り

九人はその後、上海に渡る。幸い全員、カナダ入国ビザを得た。米国サンフランシスコへ渡り、そこから封印列車[17]で一九四一年一一月、モントリオールに着いた。その後、同地でユダヤ教ハバド派の拠点づくりに力を注ぐ。

ラビ[18]として仰がれたユゼフは、モントリオール市内のユダヤ教神学校の校長を務めた。周囲には、関連の初等教育機関をはじめ、ユ

（最前列）ユゼフ・ロダルと共に逃亡した神学校の仲間　モントリオール 1940年代後半（ベレル・ロダル 提供）

（最前列左から）ユゼフ・コタルスキ、ユゼフ・ロダル、サムエル・シュテイン、ユゼフ・テネバウム、ユゼフ・バインベルグ、イツォク・ヘンデル、モシェク・ゲルリツキ、メンデル・グリングラス。レイブ・クラメルは写っていない。2・3・4列目は、以上9人の神学生たち。

ダヤ系食料品店やレストランがある。後年、ユゼフが妻フェイジと始めた書店にはユダヤ教やヘブライ語に関する書籍や祭礼用品が並び、モントリオールのユダヤ系コミュニティーにとって欠かせない店として現在もある。

一緒に逃げた仲間の八人も、カナダや米国でユダヤ系コミュニティーの基盤づくりに尽くす。ユダヤ教とユダヤ文化の精神・祭礼・学習・慣習をはじめ、さまざまな方面のリーダーとして活躍した。

子孫の繁栄と使命

ユゼフの父親は戦前に亡くなっていたが、シュドボーシュに残っていた家族のうち、ポーランド軍に従軍していた兄以外は、母親と七人の兄弟姉妹の全員が戦中にホロコーストの犠牲になった。兄の妻子も同様に亡くなっていたので、ユゼフがカナダでフェイジと結婚して二人の間にできた三男一女がロダル家の子孫となった。三人の息子のうち次男と三男はユゼフのようにラビになった。

ユゼフの四人の子どもたちはそれぞれ結婚。オタワに住む長男ベレルには子どもが六人いる。イタリアに住む次男には一七人、米国に住む三男と娘にはそれぞれ一一人の子どもができた。合計四五人から、さらに新しい命が誕生。ユゼフ自身は一九八九年に没したが、彼の孫・曾孫は現在二〇〇人以上になる。

ベレルは、「父は戦中のことは詳しく話さなかった。でも、日本で親切にしてもらったことや、日本人

*16 神戸でのエピソードは、ユゼフ・ロダルと一緒に逃亡したユゼフ・バインベルグの証言ビデオに基づく。
*17 途中で乗降できない旅客列車。
*18 ユダヤ教の律法学者・教師・師と仰がれる人々への敬称。

から受けた敬意については語っていた」と思い出す。横で、夫人のアルティも、「私たちは当初、ユゼフとスギハラの話を別々に追っていた。それぞれの話を知るうちに、パズルのピースがはまっていくように二つの話が一つになった」と言う。

父ユゼフの日本でのよい思い出が、ベレルの日本への興味をさらにかき立てる。手際よくたてた抹茶を勧めてくれながらこう続けた。

「父は私たちに、善い行いをするようにと教えた。ユダヤ人のみならず全世界の人々に貢献するようにと育ててくれた。それがスギハラからの一枚のビザがもたらした子孫二〇〇人以上の使命です」

ベレル・ロダルさん 夫人アルティさん
オタワ 2017年6月（筆者 撮影）

episode.4

ユダヤ系避難民に閉ざされたドア

冷たかったカナダ政府

避難民のための会議出席を渋ったカナダ

第二次世界大戦をはさむ一九三〇年代から四〇年代中頃までのカナダ政府のユダヤ系避難民への対応は、カナダ先住民への差別・虐待や、真珠湾攻撃直後から行使された日系カナダ人の財産没収と売却、強制移動・労働、内陸地での隔離収容など一連の日系人排斥などと並び、カナダの歴史上、暗い影の部分である。この期間の連邦政府の排他主義は、二つの国際的出来事を通して象徴される。一つは「エビアン会議」。

一九三〇年代、ナチス・ドイツの台頭に伴いユダヤ系避難民が増加。三八年三月、米国は避難民の受け入れに関する国際会議の開催を世界に呼びかけた。避難民受け入れに気が進まないカナダ政府は参加表明を引き延ばす。四月下旬、ようやく代表団派遣を決定。「発言は最小限に。いかなる約束も責任も引き受けないように」と申し合わされた。マッケンジー・キング首相も、「情報収集のための参加」にとどめるよう念を押した。[*19]

同年七月、フランスの避暑地エビアンで開催された会議では、カナダを含め参加した三二カ国の大半が、避難民の受け入れを促進しない言い訳に終始した。[*20]

上陸懇願を拒否

カナダがユダヤ系避難民の窮状に冷淡であったことは、「セントルイス号事件」での無干渉でも説明される。

一九三九年五月、九三七人を乗せたドイツ客船セントルイス号は、ハンブルクからキューバに向かった。乗船客の大半がナチス・ドイツの迫害から逃れようとするユダヤ人で、キューバ上陸許可証を持っていた。しかし、船がハバナ港に到着するまでに同国政府はその許可証を無効とし、入港を拒否。数日後、三〇人ほどは上陸できたが、残り九〇〇人以上は乗船したまま、やむなく米国へ向かった。だが米国も入港拒否。船に積み込まれていた食料も水も尽きてきて、同年六月六日、セントルイス号はヨーロッパに引き返す。途中、英国で受け入れられた乗船客はホロコーストを免れた。しかし、フランス・ベルギー・オランダで船を降りた人々のうち多くは、数カ月後、ナチス・ドイツにより捕らわれ、送られた先の強制収容所で露と消えた。

セントルイス号の船長は、キューバや米国に入港を拒否された時、南北アメリカの他の国々にもユダヤ人乗船客の受け入れを懇願した。しかし応じる国はなかった。カナダも然《しか》りだった。国内から救援の声も上がったが、キング首相は、断固として無視するようにという政府高官からの助言もあり、沈黙を保った。[*21]

カナダ移民法での避難民受け入れ

カナダにおける移民法の最初の制定は一八六九年。以来、人口や経済の動向を見ながら、修正と変更が繰り返された。*22 移民入国者数は、一九一三年の四〇万人がピークで、翌一四年からの第一次世界大戦、その後の世界恐慌の影響で低調が続く。*23

カナダ統計局によると一九三一年から三九年までの移民入国者数は約一四万七千。*24 そのうちユダヤ系は約五千と報告されている。全体の三%ほどでしかない。カナダ国内での反ユダヤ感情や、当時はまだ避難民受け入れ方針がカナダにはなく、財産を剥奪されたユダヤ系避難民が一般移民と同様の条件下で審査

---

*19 Irving Abella and Harold Troper, *None Is Too Many: Canada and the Jews of Europe 1933-1948*, University of Toronto Press, 2012, pp. 19-28.

*20 "The Evian Conference" The United States Holocaust Memorial Museum https://www.ushmm.org/outreach/en/article.php?ModuleId=10007698

*21 Edited by L. Ruth Klein, "Introduction" *Nazi Germany, Canadian Responses*, McGill-Queen's University Press, 2012, pp. xvii, xviii. 2018年11月7日、カナダのジャスティン・トルドー首相は、1939年、当時の政府がセントルイス号に乗船していたユダヤ人のカナダ上陸を拒否し追い返したことを公式に謝罪した。"Prime Minister delivers apology regarding the fate of the passengers of the MS St. Louis" https://pm.gc.ca/eng/news/2018/11/07/prime-minister-delivers-apology-regarding-fate-passengers-ms-st-louis

*22 財団法人自治体国際化協会「第2章 カナダの移民政策の歴史」、『カナダの移民政策及びその主要都市への影響』、2頁。www.clair.or.jp/j/forum/series/pdf/50.pdf

*23 カナダ統計局「カナダへの移民入国者数、一八五二年から一九七七年」https://www150.statcan.gc.ca/n1/pub/11-516-x/sectiona/A350-eng.csv

*24 同。

されたことなどが背景にある。[*25]

特に、第二次世界大戦中の一九四一・四二・四三年、カナダへの移民入国者数は毎年一万人にも満たず、[*26]ユダヤ系避難民の入国はさらに難しかった。この期間、ヨーロッパではホロコーストが進行。危急存亡の危機にあったユダヤ人にとっては、諸外国からの受け入れが何としても欲しい時期であった。

日本では一九四〇年秋から四一年春、ポーランド系ユダヤ人を主とする「杉原ビザ」受給者の多くが、最終目的国からのビザを得ようと東京・横浜・神戸の各国公館を訪ね回っていた。

一方、英国にあったポーランド亡命政府、日本とカナダにあったポーランド大使館は、カナダ政府にもポーランド系ユダヤ人の受け入れを切々と訴える。だがカナダ側では、ポルトガルに追い込まれたユダヤ系避難民の受け入れ案件も持ち上がり、数や対象者の選考を巡って状況は紆余曲折《うよきょくせつ》。キング内閣の対応は冷たかった。[*27]

一九四五年初頭、カナダ政府のある高官がジャーナリストたちとの非公式の談話中、戦後のユダヤ系避難民の受け入れ数を尋ねられた。すると、"None"(無し)と言い、一呼吸おいて"is too many"(多数は)と答えた。この即答には、当時の多くのカナダ国民の考え方が如実に反映されていた。[*28]

カナダ入国への道

日本を経てカナダに入国した「杉原ビザ」受給者は、カナダ永住ビザや「戦中のみ有効」というビザを次のような立場で取得した。

○農業従事者として。

○カナダに住む親戚や友人を保証人として。

○千人の避難民受け入れ枠で。
○専門家向けの特別枠で。
○英国軍ポーランド人部隊に志願し、カナダで軍事訓練を受けるため。

この中の一組、ナテック・ブルマンと妻ゾシアの長男ジョージ・ブルマンさんはこう語る。

「生物工学を勉強した父は、東京のカナダ公館で専門家二五人を対象とする入国ビザを得た」

当初、ビザはナテック一人分だけだった。そこでゾシアは自ら出向き館員を説得。夫婦でのカナダ渡航がかなった。

「両親は、あの時カナダが二人分の入国ビザを

*25 Claude Bélanger "Why did Canada Refuse to Admit Jewish Refugees in the 1930's?" Marianopolis College, 2006. http://faculty.marianopolis.edu/c.belanger/quebechistory/readings/CanadaandJewishRefugeesinthe1930s.html
*26 カナダ統計局、前掲統計。
*27 Irving Abella and Harold Troper, *ibid.*, pp.81-83.
*28 *Ibid.*, p.xix.

ナテック・ブルマン（後列右端）
ユダヤ系避難民に農業指導　リトアニア　1940年春（ブルマン家 提供）
ナテックはワルシャワで農業技師になるための勉強を終えていた。

発給してくれたことに感謝していた」とジョージ。
一九四五年に戦争が終了しても、カナダの排他的移民政策はしばらく続いた。人口増と労働力増強の必要を迫られ、キング首相が移民制限緩和の声明を読み上げたのは、一九四七年五月一日だった。*29 ヨーロッパから逃れてきた「杉原ビザ」受給者たちも、次々とカナダ国民になっていった。

*29 Irving Abella and Harold Troper, *ibid.*, p.241.

ミエテック・ランベルト
英国 ロンドン 1947年
(アイリーン・クラー 提供)
英国軍ポーランド人部隊に志願し
軍事訓練を受けるためカナダに入国。
その後、ヨーロッパで戦い、
ロンドンで終戦を迎えた。

ベルナルド・カプラン 妻ナディア
オンタリオ州ウィリアムズタウン 1941年
(ノーミ・カプラン 提供)
カナダでナディアの両親が
農場経営者として移住していたので、
ベルナルドとナディア一家4人が合流した。

V

太平洋は渡らなかったけれど

旅路の果てに着いたオーストラリア

阻まれたカナダ渡航

招待状にあったビザの写真

二〇一五年六月、ポーランドのワルシャワで、杉原千畝を主題とする二日間の学会が開催された。主催者は、ポーランド・オーストラリア・英国の研究者グループで、在ポーランド日本大使館・同イスラエル大使館などが後援していた。

第二次世界大戦中、杉原千畝が発給した日本通過ビザでヨーロッパを脱出し、ホロコーストを逃れたユダヤ系ポーランド人がいたことは、同国では一般的には知られていない。一九八五年、イスラエル政府が杉原に「ヤド・バシェム賞」（諸国民の中の正義の人賞）を授与した三〇周年に、ポーランドでも杉原の功績に焦点を当てようという学会だった。

送られてきた学会招待状に、杉原の手書きによる日本通過ビザの写真があった。この写真の提供者について主催者に問い合わせたところ、オーストラリア、シドニー工科大学のアンドルー・ヤクボビチ教授と分かった。

逃亡の話

アンドルーは小さい頃から、両親の戦中の逃亡談を聞いていた。

一九三九年九月、ドイツ軍のポーランド侵攻で大戦が勃発し、その直後、ウッチ市に住んでいたユダヤ系の父母ボレスワフとハリナ・ヤクボビチ、祖父母ミハウとエステラ・ベイランド、叔母マリアと叔父マルセル・ベイランドの六人が、リトアニアのビリニュスに逃げたこと。四〇年八月、父と祖父がカウナスへ行き、炎天下を日本領事館の外で不安げに並んでいるユダヤ系避難民たちの長い列に加わったこと。八月二日、二人が領事代理・杉原千畝から日本通過ビザを受給したこと。*1

迷った揚げ句の選択、とっさの判断、偶然が重なった結果の幸運、知らずに逃れた危険。アンドルーが両親から聞いた独ソ占領下ポーランドとリトアニアからの逃亡談には、子ども心にも忘れられないような光景があった。話はヨーロッパからアジアへと続く。

一九四一年三月一四日、ヤクボビチとベイランド家の六人は、二枚の日本通過ビザで敦賀港から日本上陸。神戸に到着した。

マリアにはカナダに身元保証人がいた。そこで、まず彼女がカナダへ行くことになった。その後、親族五人の同国入国書類を整えるという計画だ。だが、日米開戦前の時局が許さなかった。日本郵船の北米線

Poselstwo Rzeczypospolitej Polskiej w Kownie
Légation de Pologne à Kaunas
Zaświadczenie
Certificat
JAKUBOWICZ - JAKUBOWICZ
BOLESŁAW HALINA

ボレスワフとハリナ・ヤクボビチの国籍証明書
（アンドルー・ヤクボビチ 提供）

*1 「杉原リスト」で、ボレスワフ・ヤクボビチは850、ミハウ・ベイランドは861番。

は四一年八月中旬までに次々と運航休止。日本からカナダへの渡航は阻止された。マリアは家族と一緒に神戸にとどまる。

同年八月、日本政府は、国内に残っていた避難民のうち七八三人を占領下の上海に移動させる。*2

九月、ヤクボビチとベイランド家も、上海移送の船で神戸を後にした。

一一月、カナダを目指すマリアは、かろうじて切符が買えた船で、単身、上海からオーストラリアのシドニーに着く。そこから北米に渡るつもりだった。しかし、一二月八日、真珠湾攻撃が起こる。太平洋を挟む日米の開戦となる。横断に危険が伴う洋上航海の船の切符購入は、男性だけが可能だった。*3 マリアの渡航チャンスはまたしても泡のごとく大海に消える。今度はオーストラリアで足止めとなった。

一方、上海に残っていた五人のうち、祖父ミハウは四二年、病死。あとの四人は、四三年春、日本軍が指定したユダヤ系避難民の居住地区に移動。戦中をそこで暮らした。

終戦後、マリアが保証人となり、四人が上海から香港を経てオーストラリアに入国したのは四六年九月だった。*4

（左から）マルセル・ベイランド ハリナ ボレスワフ・ヤクボビチ
上海からシドニー到着時 1946年9月
（アンドルー・ヤクボビチ 提供）

書類の重み

マリアはその後、同じ「杉原ビザ」受給者で、一九四七年一月、やはり上海からオーストラリアに渡ってきたユゼフ・カミエニエッキ*5と結婚する。

ワルシャワでの学会の招待状にあった写真の「杉原ビザ」は、アンドルーの叔母であるマリアの夫、ユゼフが受給したものだった。同ビザが作成された書面全体を見ると、ユゼフの足取りが分かる。

一九四〇年七月三〇日付、カウナスのオランダ名誉領事ヤン・ズバルテンディク発給「キュラソー・ビザ」。杉原千畝の手書きによる八月一日付、日本通過ビザ。四一年二月二日付、敦賀での入国特許スタンプと官吏の手書きによる入国条件。満州国のハルビンへ行くため、五月一三日付、同国の駐日大使館で得た満州国入国ビザ。ハルビンへの途上、五月二九日付、日本の旧租借地・関東州の大連《だいれん》（現・中国遼寧省《りょうねいしょう》の大連市）と満州国の瓦房店《がぼうてん》（現・同省瓦房店市）で得た通過スタンプ。

---

*2　1941年8月30日付 兵庫県知事・坂千秋報告 外発秘第1750号「避難猶太人退邦ニ関スル件」、外交史料館所蔵。8月2日（147人）、20日（287人）、28日（349人）と、3回に分けて移送された。

*3　筆者の調査対象であるボルフ・ベイレスは、やはりカナダ入国のため、上海からマリアと同じ船でシドニーに着き、日米開戦後の1942年3月、米国へと航海している。（本書43頁）他にも、同様にシドニーから米国に渡った男性の「杉原ビザ」受給者がいる。

*4　ヤクボビチとベイランド家の逃亡談は、アンドルー・ヤクボビチ執筆、以下の講話・論文・筆者からの執筆依頼に基づく起稿を参照した。
・Persona Non Grata: Twelve minutes about Sugihara and me, 2016.
・Launch The Boy on the Tricycle by Marcel Weyland, 2016.
・The end of the war in Shanghai – moving on, 2017.
・Stopped in flight: Shanghai and the Polish Jewish refugees of 1941, Holocaust Studies, 2017.

*5　「杉原リスト」では7月31日発給の463番。しかし、ビザの日付は8月1日。

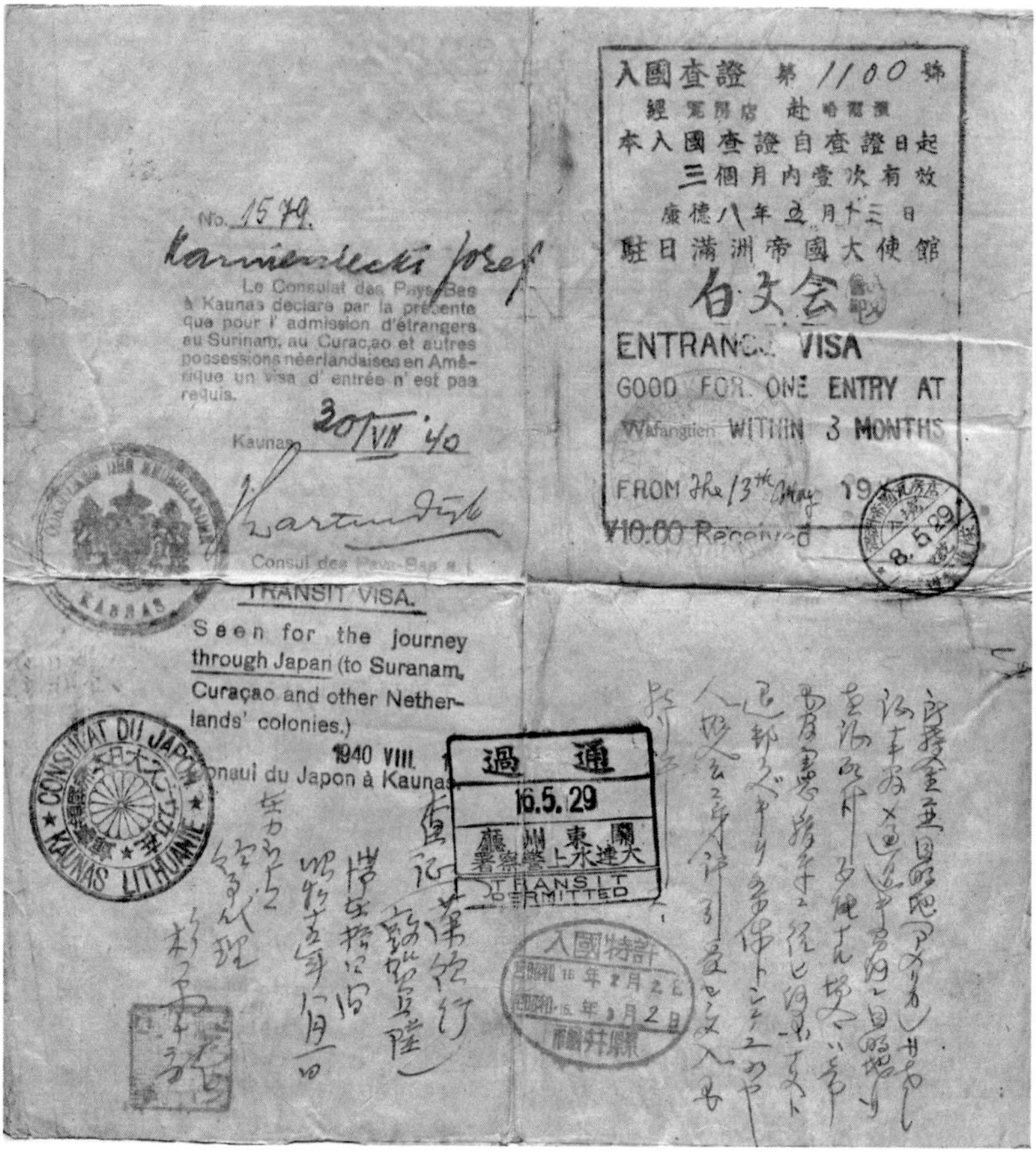

ユゼフ・カミエニエッキの国籍証明書の裏に発給されたビザや押されたスタンプ（マイケル・カム 提供）

左上：ヤン・ズバルテンディク発給の「キュラソー・ビザ」。

左下：杉原千畝の手書きによる日本通過ビザ。

右下：敦賀港での「入国特許」スタンプ（楕円）と、官吏が書いた入国条件。

右上：満州国入国ビザ。

「杉原ビザ」の右：関東州大連での通過スタンプ（四角）。

満州国ビザの右下：満州国瓦房店での通過スタンプ（円形）。

書類に作られたビザ、押されたスタンプ、日本語の手書き文。これらの背景にいる人々とユゼフの命、さらに彼から生を受け継いだ子孫らに思いを馳せると、一枚の書類がもつ意味は重い。

マリアの娘でオーストラリアのメルボルンに住むスーザン・ハーストさんは、二〇〇九年八月、カウナスの旧日本領事館を訪れた。同館は現在「スギハラ・ハウス」と呼ばれ、リトアニアの杉原記念館となっている。スーザンは、くしくも、親族が杉原から日本通過ビザを得た同じ月にその門の前に立った。

「七〇年ほど前、私の家族が何百人もの避難民に交じって列に並び、順番を待っている姿が目に浮かび、その光景を振り払おうとしてもなかなかできなかった」とその時の気持ちを思い出す。シモナス・ドビダビチュウス館長が、ビザ受給者の子孫が訪問してきたことを喜んでくれた。

スーザンは、杉原千畝が「諸国民の中の正義の人賞」を受賞したことに異議を唱える人がいると言う。「スギハラはユダヤ人を救うため自らの命の危険を冒したわけではないので、イスラエルが彼の行為に対して称号を与えるに及ばない」との異論だ。[*6]

しかし、「私の家族にとってスギハラは救いの手を差し伸べてくれた天使。彼からのビザがなければ、皆リトアニアで殺されていたに違いない。旧日本領事館訪問は、私にとって聖地を訪れるようでした」「スギハラは、人を助けることを正しいと信じ行動した真の諸国民の中の正義の人」。こうスーザンは信じている。

*6　杉原千畝が受賞したイスラエル政府からの「諸国民の中の正義の人賞」の授与条件の一つに、ユダヤ人を守った人自身の命・自由・立場の危険を冒したことが挙げられている。　https://www.yadvashem.org/righteous/faq.html

オーストラリアとユダヤ系避難民

アンドルーは、「上海からシドニーに着いた私の両親・祖母・叔父の四人は、特に父は、警官から尾行されることになった」と言う。

警察のレポートには、四人に対する猜疑《さいぎ》心《しん》と、人種差別や外国人に対する嫌悪が潜んでいた。

ボレスワフ・ヤクボビチと息子のアンドルー
オーストラリア シドニー 1952年
（アンドルー・ヤクボビチ 提供）

オーストラリアでのユダヤ系移民に対する差別・偏見についてアンドルーはこう説明する。

「オーストラリアで最初の『移民制限法』制定は一九〇一年。アジア系をはじめとする有色人種の永住ならびに市民権取得を制限するものだった。ユダヤ系も好まれず、受け入れ数に制限があり、第二次世界大戦開始の前年には五千ほどだったのが、戦中は三千ほどに減った。上海から渡ってくるユダヤ人は密輸業者や詐欺師などの嫌疑をかけられ、差別用語で呼ばれることもあった。移民申請にあたり、申請者がユダヤ系であるかどうかを引受人は明白にせねばならず、ユダヤ系の場合には受け入れ数の適用対象となった」

戦後の一九四七年末までに、オーストラリア政府は上海からのユダヤ系移民の受け入れをさらに引き締める。戦中に増加したアジア系避難民の数も抑える一方、「白豪主義」*7の再強化を前面に、ヨーロッパ系移民の偏重が続いた。*8

ポーランドで会計士だった父ボレスワフは、オーストラリアでは高級レストランの給仕になった。ウッチの新聞社に勤めていた母ハリナは、シドニーではユダヤ人経営の婦人服店で働いた。

「私の両親はもうずっと以前に亡くなりました。今は、戦中に一〇代だった叔父や、戦後、親族のオーストラリア入国の保証人としての役割を当時二五歳の双肩に担った叔母が、多くの子・孫・曾孫に囲まれ一族の長になっています。ホロコーストという最悪の事態の中でも懸命に生き延びた人々がいた。私たち子孫はその証しです」。こう語るアンドルーの言葉には、一族の不屈の精神への誇りが込められていた。

マリア・カムさん（マリア・ベイランド、左から2人目）
息子マイケル・カムさん（中央） 娘スーザン・ハーストさん（右から2人目）
両端はマリアの孫娘たち 英国 ロンドン 2000年（スーザン・ハースト 提供）

*7 白人優遇の人種主義的移民策。

*8 井出和貴子「移民レポート6、オーストラリア 多文化主義国家の移民政策―時代に応じた制度改正で移民受け入れ成功例に」大和総研、2014年、2頁。1973年、オーストラリアは「白豪主義」を放棄。以後「多文化主義」を採用する。
http://www.dir.co.jp/research/report/overseas/world/20141119_009153.pdf

memory
［思い出］

神戸・桜・すずらん通り

マルセル・ベイランド著『三輪車の少年』[*9]
六六〜六八頁の日本語訳

日本は我々の放浪の合間の穏やかな舞台となった。

日本の船は、何事もなく一晩ほどで、我々をウラジオストクから敦賀港まで運んでくれた。それは単に、ある国から隣の国へ移ったということではない。季節の変化、別の世界への移動のような。そう、全身凍《い》てつく寒さの冬から、身も心もとろけるような暖かな春になったような感じ。突然、我々の目の前に満開の桜や、花柄の着物を着たかわいい人形のような女の子たちが現れた。まさに、暗闇から陽の射す場所への脱出……。

汽車で神戸に着くと、慈善団体が世話をしてくれた。「ジョイント」と呼ばれる「ユダヤ人共同配給委員会」が避難民のために仮の住まいを用意していて、我々も他の数人と一緒に滞在場所を与えられた。[*10] 典型的な日本家屋が並ぶ地区で、長方形の二階建ての家に、やはり長方形の小さな庭があった。床は六フィート×三フィートのマット[*11]で覆われている。（部屋の大きさは、このマットが六枚など、枚数で表される。）

調理には、小さな練炭コンロを使った。この家の主人は別棟に住んでいて、顔を合わせることはめったになかった。彼の妻とお妾もそこで仲良く暮らしているようだった。

（右から）
マルセル・ベイランドさん
甥のアンドルー・ヤクボビチさん
シドニー　ポーランド総領事館にて　2016年5月
（アンドルー・ヤクボビチ 提供）
ヤクボビチさんが持っているのは、
ベイランドさんの自叙伝『The Boy on the Tricycle』

間もなくして私は、米国メソジスト派教会の使節が運営している小さな学校に通い始めた。歩いていける距離だ。英会話の上達が主な目的で、集中して勉強した。おかげで、神戸から上海に移るまでには、けっこう話せるようになっていた。この学校にいる以外は、元町界隈で過ごすことが多かった。

元町通りは、我々の間では「すずらん通り」と呼ばれていた。すずらんの花のような形をした街灯が道に沿って並んでいたからだ。辺

*9　Marcel Weyland, *The Boy on the Tricycle*, Australia, Brandl & Schlesinger, 2016, pp. 66-68.

*10　・1941年8月30日付 兵庫県知事・坂千秋報告 外発秘第1750号「避難猶太人退邦ニ関スル件」、外交史料館所蔵。ベイランド家とヤクボビチ夫妻の滞在先は「関西ホテル」とある。
・1941年4月18日付 兵庫県知事・坂千秋報告 外発秘第765号「避難猶太人一斉調査に関する件」、外交史料館所蔵。「ホテル関西ハウス」の当時の住所表示は、神戸市（灘区）青谷町1丁目。

*11　畳のこと。1フィートは、0.3048メートル

りにはダイマル・ショッピングセンター[*12]もある。ダイマルには軽食堂があって、私はたいがい「ヤキソバ」を注文した。どうしようもなく好きだった。正直言うと、これ以外は食べたいとも思わなかった。

姉のマリアは、ほとんどの時間を婚約者ステファンと過ごしていた。彼は飛行機の製造に関わる技師だった。戦時ということで、カナダの航空機産業から引き抜かれ、ほどなくして同国行きの船に乗った。カナダに着けば、マリアの渡航書類を整える。こういう筋書きだった。しかしマリアは、カナダではなくオーストラリアに着くわけだ。あの頃は運命がどうなるかなど分かりもしなかった。戦時下という状況が、我々を次にどこへ向かわせるかなど予想もつかない。計画など立てたところで無駄のように思えた。言えることは、神戸で過ごした時間は休暇のようだったということ。

毎日が楽しかった。電車に乗って宝塚へ行った。大阪の西隣で、山に挟まれた盆地にある。大きくも小さくもなくて、感じのいい街だ。そこで見た人形芝居には引き込まれた。

近くの市場にも行った。我々は貧乏ながらも、きれいな絹の帯を三本買う余裕がまだあった。「帯」とは、布で作られたベルトだ。着物の上から腰の周りに巻く。巻き方や、結び方は、性別・身分・機会などよって違い、いろいろ複雑な決まりがある。そんなことは知らなかったけれど、柄や織り方には大いに感心したものだ。(神戸で買った帯はまだもっている。引き出しにしまってある。あまりにきれいなので、裁断したり他のことに使うなど、とてもできない。)

ボレク[*13]は、彼自身と私のためにヘンミの計算尺[*14]を買った。コンピューター到来前は、人気の計算機だった。

それにしても、大人たちは、ポーランドに残った家族・親戚のことが気掛かりだったに違いない。しかし、そんな心配の声は聞かなかった。それに、祖国で起こっている惨劇の響きなど、まだ外の世界には届いてこなかった。少なくとも日本にいる我々の所には。

---

*12 大丸百貨店。

*13 マルセルの姉ハリナの夫でボレスワフ・ヤクボビチのこと。

*14 富永大介「計算尺の怒涛の歴史」、2010年7月16日。https://staff.aist.go.jp/tominaga-daisuke/sliderule/history.html
1928年、逸見治郎（へんみ・じろう）が創立した逸見製作所の製品。「世界的にも精度のよさと狂いの少なさはトップレベル」「一時は年間100万本の生産量を誇り、世界シェアの80%を占めていた」

日本を通過しなかったビザ受給者

トルコ経由で逃亡

ユダヤ系とは知らなかった戦前

エドワルドとバンダは、ナチス・ドイツがポーランド侵攻を開始した翌日の一九三九年九月二日、ワルシャワの防空壕の中で結婚式をあげた。エドワルドは三二歳、バンダは一九歳だった。

エドワルド・ヘヒトコプフはポーランドのウッチ市でユダヤ系の中産階級の家に生まれた。フランスのリヨン大学で工業化学を勉強した後、ポーランドに戻り、ワルシャワで家族が経営するれんが工場の共同経営者になった。ダンスが好きで、人生を大いに楽しんでいた。

バンダ・ビルンバウムもユダヤ人家庭に生まれた。父親はワルシャワで果物の輸入を手広く扱う実業家。冷蔵技術の発達で、事業は大成功を収めていた。美しいワジェンキ公園に近い立派な建物の中に一家の住まいがあった。ユダヤ人家庭ではイディッシュ語が話されることもあったが、ビルンバウム家ではポーランド語だけを話し、ポーランド人社会にすっかり溶け込んでいた。バンダは彼女の家族がユダヤ系とは知らずに育ったぐらいだ。

家業をおいて逃亡

ナチス・ドイツのポーランド侵攻直後、バンダの父は友人から、ナチスがユダヤ人の有力者たちを逮捕していると聞く。父と母は急ぎ荷物をまとめ、バンダの弟と親戚二人を連れ、車でワルシャワから逃亡した。目指すは、リトアニアのビリニュスだった。

バンダとエドワルドはワルシャワに残った。家族とれんが工場を経営するエドワルドは、戦争が終われば、建物の再建に多くのれんがが必要となり、家業にとってチャンスが到来すると思ったからだ。しかし、ドイツ軍からの猛爆撃には耐えきれなかった。数日後、二人は残っていた親戚と共にワルシャワから脱出。何千人もの人々に押されるように東へと歩いた。解隊したポーランド軍兵士も混じっている。

バンダらは、ポーランド軍を運ぶ汽車に乗ることができた。リトアニア国境近くまで来ると汽車を降り、国境は徒歩で越えた。リトアニアに入るとビリニュスへ行き、先に着いていた家族と再会した。

パレスチナに買った土地

翌年、バンダの両親と弟は、ビリニュスから中立国スウェーデンへと飛ぶ。パレスチナへ行くためだった。戦前の一九二五年、バンダの祖父がパレスチナに土地を買った。既に成人していた七人の子どもたちはポーランドに残し、夫婦だけでパレスチナに移民した。そこへバンダの両親と弟が向かったわけだ。

パレスチナへの逃亡を果たした両親は、次は娘夫婦をリトアニアから脱出させ自分たちのもとへと呼ぶ計画に取り掛かった。父はまず、ビリニュスに残っている二人に十分な旅費を送った。

ソ連領通過を可能にしたビザ

一方、バンダとエドワルドも、リトアニアから脱出する準備を進めていた。四〇年七月三〇日、カウナスのオランダ領事館で「キュラソー・ビザ」を得る。翌三一日、日本領事館で日本通過ビザを受給。[*15] そのビザをソ連当局で見せると、同国通過ビザを取得することができた。

バンダの父からの送金も受け取り、モスクワへと発つ。しかし二人は、他の「杉原ビザ」受給者のように、モスクワからウラジオストクへ向かうシベリア横断鉄道には乗車しなかった。四一年一月二二日、モスクワのトルコ大使館で

サイモン・ブロッド
(United States Holocaust Memorial Museum, courtesy of Marta Blod)

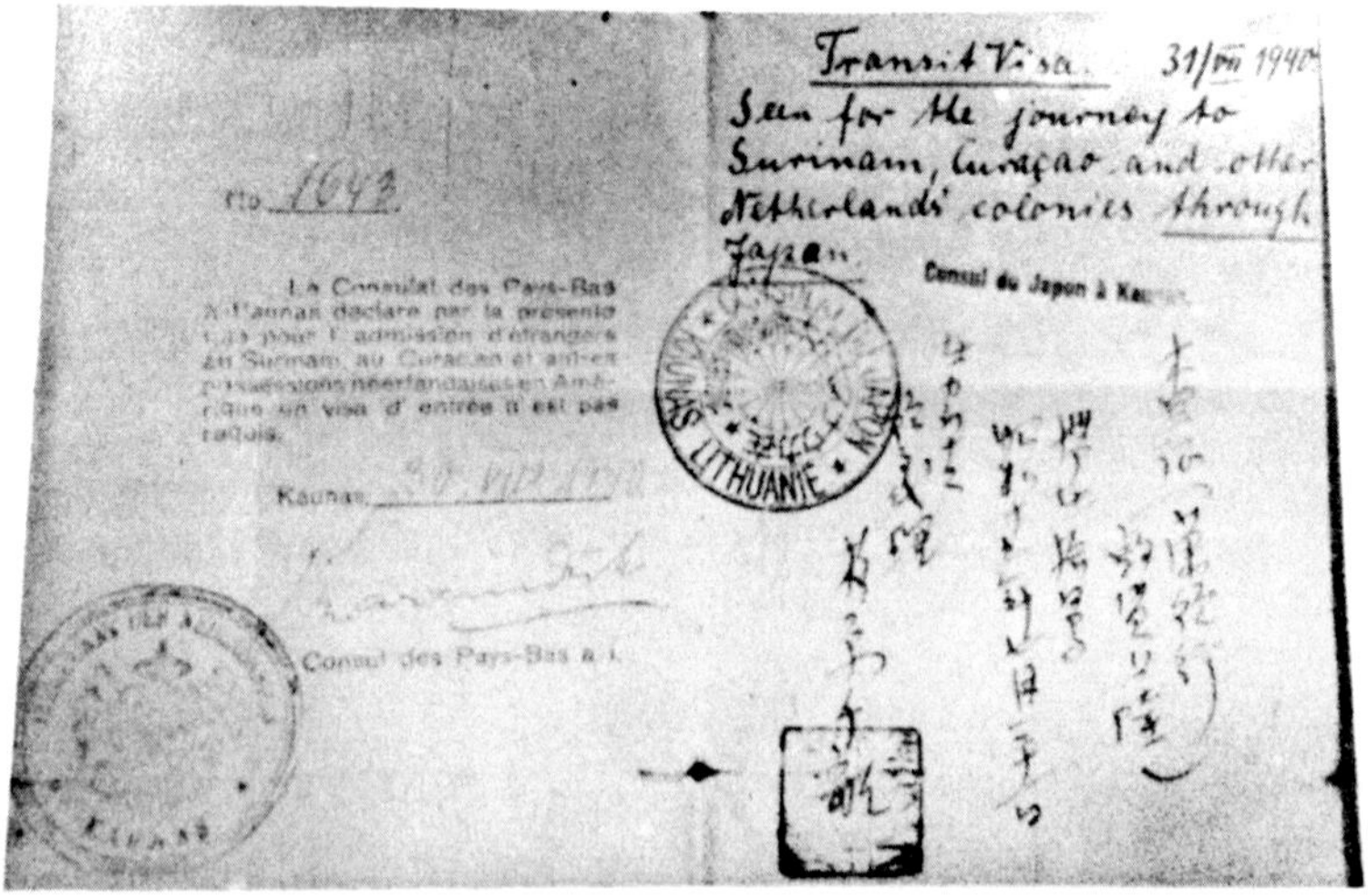

エドワルド・ヘヒトコプフのパスポートにある2種のビザ（ヘヒトコプフ家 提供）
（左頁）ヤン・ズバルテンディク発給の「キュラソー・ビザ」。（右頁）杉原千畝発給の日本通過ビザ。

同国通過ビザを得たからだ。

トルコ通過ビザを手に、二人はモスクワから列車でソ連領内を南下。オデッサから船に乗り黒海を渡り、四一年二月、トルコのイスタンブールに着いた。

二人が他の乗客に混じり船を降りると、拡声器からバンダの婚前の姓ビルンバウムが繰り返し流れてくる。バンダを呼んでいたのはサイモン・ブロッドだった。

ブロッドはユダヤ人で、イスタンブールで繊維関係の輸入業を手掛けていた。戦中、米国ユダヤ人共同配給委員会や、ユダヤ人の逃亡を助ける諸機関から雇われ、ヨーロッパから逃げてくる同胞を船着き場や汽車の駅で待ち受けては、彼らが先に進むために必要な書類や手はずを整え、次の目的地へと送り出していた。*16 バンダの父が、仕事の国際的ネットワークを通してブロッドに娘夫婦の世話を頼んでいたのだ。

（左から）エドワルド・ヘヒトコプフ アラム・ルクセンベルグ（「杉原リスト」865番）
南アフリカ ケープタウンのビーチにて 1950年代中頃（ヘヒトコプフ家 提供）

*15 「杉原リスト」で、バンダは498、エドワルドは499番。
*16 Portrait of Jewish rescuer Simon Brod, United States Holocaust Memorial Museum. https://collections.ushmm.org/search/catalog/pa1149457

ブロッドの助けでバンダとエドワルドはビザを揃え、イスタンブールからさらにシリアとレバノンを通過。四一年三月、両親が待つパレスチナに到着した。

その後、二人は南アフリカのケープタウンに移り、娘が二人誕生。一九六一年、一家は英国に移住した。娘の一人はこう語る。

「両親は日本領事からビザを得たと話していた。日本通過ビザがなければソ連通過ビザを得ることができず、リトアニアに残っていたユダヤ人らと同じ運命をたどっていたことでしょう。スギハラは私の両親の命の恩人。彼が発給したビザは家族の宝です」

バンダ・ヘヒトコプフ
南アフリカ ケープタウン 1952年
（ヘヒトコプフ家 提供）

一九四一年六月二二日、ナチス・ドイツはソ連との不可侵条約を破棄。ソ連に開戦した。わずか二日後、ドイツ軍はソ連領リトアニアに進駐。あまりの速さにリトアニアにいたユダヤ人たちは逃げる時間もなかった。大戦中、ドイツ占領下リトアニアで、約一八万五千人のユダヤ人（戦前リトアニアのユダヤ系人口の九〇％以上）が殺戮《さつりく》された。逃げ遅れた中には、他国からのユダヤ系避難民もいた。[*17]

バンダとエドワルドにとって、ナチス・ドイツが侵攻してくる前にソ連併合下リトアニアを脱出したことは、逃亡成功の鍵となった。それを可能にしたのは「杉原ビザ」だった。

*17 Sara Ginaite-Rubinson, *Resistance and Survival: The Jewish Community in Kaunas 1941-1944*, Mosaic Press, 2015, p.220.

episode.5

ホロコーストの記憶を残す、救命の勇気を讃える

杉原千畝について語るカナダの施設

使命を掲げて活動

「ホロコースト」とは、一九三三年から四五年までのナチス政権とその協力者による約六〇〇万のユダヤ人への迫害および殺戮のこと。

モントリオール・ホロコースト博物館（Montreal Holocaust Museum：MHM）と、バンクーバー・ホロコースト教育センター（Vancouver Holocaust Education Centre：VHEC）は、カナダの東西主要都市にあって、ホロコーストを主題として扱う博物館ならびに教育施設として活発な活動を続けている。

使命は、ホロコーストについて広く人々に伝えること。同時に、反ユダヤ主義・人種差別・偏見や不正への無関心・集団殺戮などに対し注意を喚起し反対すること。そして、人権擁護・社会正義・多様性尊重の促進に向けての考えや行動を啓発すること。

両施設では、それぞれ工夫を凝らした常設展示を通しホロコーストを語っている。企画展をはじめ、ユダヤ系記念日・講演会・映画上映・出版記念会など、各種催しを通年開催。多くの人々が集っている。

記憶の保存

ホロコーストの記憶を残すため、両施設ではホロコースト生存者による証言の保存が続けられている。MHMエグゼクティブ・ディレクターのアリス・ヘルシュコビチさんは、「当館には八〇〇〇以上の証言が保存されている。そのうち六五〇以上は当館が収録したもの」と説明する。その中には二人の「杉原ビザ」受給者の証言ビデオが含まれている。

一方、ホロコーストを伝える強力な方法は、その体験を多くの人々に語ること。MHMでもVHECでも、生存者による講演会を開催したり、生存者がコミュニティーや学校へ出向いて話す機会を設けている。VHECエグゼクティブ・ディレクターのニナ・クリーガーさんは、「二〇一六年度は、バンクーバーと近郊都市を中心にブリティッシュ・コロンビア州で一万六千人以上の学生たちへの出張講演があった」と言い、講演後に寄せられた感想を紹介してくれた。

「生徒も先生もホロコーストの痛ましい写真を見て、また、愛する人々と再会できなかったことを知って愕然《がくぜん》とした。この講演を聞けば考え方や人生が変わる」

モントリオール・ホロコースト博物館内
ヤン・ズバルテンディクと杉原千畝に関するパネル
2017年6月（筆者 撮影）
杉原の写真の下には、「杉原ビザ」を受給した
レルメル家（本書45頁）の安導券と家族の写真も展示してある。

「ホロコーストが二度と起きないようにしなければならない。私たちは、生存者の証言を聞いた証言者だ」

あらゆる来館者を歓迎

MHMのヘルシュコビチさんは、「カナダの日系コミュニティーからの来館者はもちろん、日本からの旅行者も歓迎します。当館への個人での来館の半数以上は旅行者」と言う。カナダ国内のみならず、海外からの来館者も珍しくない。

同館の常設展示では、ホロコースト生存者による証言や当時の生活用品、写真や歴史説明を通し、ユダヤ系の人々の生活をホロコースト以前から追うことができる。また、ホロコースト期間中、カナダ政府がユダヤ系避難民の救援にどのように関わったのか、あるいは関わらなかったのかや、生存者らがカナダで生活を再建していく過程の紹介は、カナダのホロコースト博物館ならではのもの。

ヘルシュコビチさんは、MHMの役割をこう考える。

「偏見・反ユダヤ主義・憎しみが何をもたらしたか。

（左から）アリス・ヘルシュコビチさん　コーディネーターのマリー・ブロンシュ・フールカドさん
同コルネリア・ストリックラーさん
モントリオール・ホロコースト博物館にて 2017年6月（筆者 撮影）

同時に、たとえ失望や破壊の中にあっても、希望・心身の強さ・団結が生きることを可能にする。このようなことを理解してもらう一助になればと思います」

これからのホロコースト教育

ＶＨＥＣのクリーガーさんは、「多様な文化や異なるコミュニティーの人々と共に歩んできたことは当センターの自慢。日系コミュニティーの方々の来館も歓迎します」と話す。「バンクーバー・ホロコースト教育センター」という名称にもあるように、「教育」を通しての活動を中心に据えている。年齢や知識の深さに応じ、学生向け、教師向けと、どのレベルからでもホロコーストを知り関心をもってもらえるプログラムを構築してきた。また、ホロコーストの事実を現在世界で起こっている出来事にも投影できるよう、展示を工夫してきた。クリーガーさんは今後の

ニナ・クリーガーさん
バンクーバー・ホロコースト教育センターにて 2017年9月（筆者 撮影）
抱えているのは同センターの季刊誌 ZACHOR。一番手前は、日本からカナダに向かう船上のユダヤ系避難民の写真を表紙に使い杉原千畝に関する記事を掲載した2015年秋号。

活動への抱負を次のように語る。

「最強の先生であるホロコースト生存者が、時間の経過とともに減ってきているのが現状。当センターでは、これからのホロコースト教育への画期的な方法を模索していきます。ウェブサイトを通し、ブリティッシュ・コロンビア州ゆかりの生存者による証言を聞いたり、当時の生活用品・書類・写真などを見たりできるよう、さらに充実させていきます」

杉原千畝を語る意義

MHMではこれまで、杉原千畝に関する展示会や映画上映会を開催してきた。また、杉原の写真と説明が常設展示の中に含まれている。ヘルシュコビチさんはこう言う。

「チウネ・スギハラをはじめとし、ユダヤ人を助けるため自らの命の危険をかえりみず抵抗と勇気を発揮した人々の行為を伝えるこ

ホロコースト生存者ロビー・ウェイズマンさん
小学校でレクチャー（バンクーバー・ホロコースト教育センター 提供）

とは当館の重要な使命の一つ。彼らの偉業は、偏見・弱者への迫害・人権侵害・集団殺戮に対して立ち向かうようにと私たちを鼓舞してくれる。モントリオールをはじめカナダを新しい生活の場とした『杉原ビザ』受給者と彼らの子孫らは、さまざまな領域で多大な貢献を行ってきた。これは、一つの勇気ある行為がもたらした数多くの実りです」

VHECのクリーガーさんは、バンクーバーと「杉原ビザ」をこう関係付ける。

「多くの『杉原ビザ』受給者がバンクーバーからカナダに入国した。ここに住み人生を再スタートさせた人々もいる。彼らは、子孫も含め、当地のユダヤ系コミュニティーで活躍し、当センターでの活動にも深く関わってきました」

VHECでは、一九九六年、「命のビザ―チウネ・スギハラ」と題した展示会を開催。二〇〇九年には、バンクーバーに住んだ「杉原ビザ」受給者の娘バーバラ・ブルマン著『I Have My Mother's Eyes』を出版した。

クリーガーさんは、「難しい状況下でのスギハラの決断は、ホロコースト教育にとって基本的な学び。同時に、スギハラの遺産とも言えるビザ受給者と子孫らの存在は、ホロコーストの記憶を現在の私たちに伝える懸け橋」と話す。

ホロコーストは終わった。しかし、ホロコーストの記憶は残る。

一方、世界では新たな危機が引き続き起こっている。複雑な事情が絡《から》まる中、判断や選択を迫られる時、歴史を振り返ることが指針になるかもしれない。

ホロコーストを語ることに終わりはない。

VI

逃亡談

「逃亡」ミハウ・ネイベルト

＊この逃亡談は、ミハウ・ネイベルトが一九九〇年代初頭に記した“The Escape”の日本語訳である。

逃亡の始まり

一九三九年夏、私は母・姉・妹と、毎年恒例、ポーランド南部に広がるタトラ山脈にある避暑地ザコパネで過ごしていた。ナチス・ドイツとの戦争が今にも起こりそうな八月後半のある日、父がザコパネにやってきたかと思うと、私たちをウッチ市の自宅に連れ戻した。そして、八月三〇日、父を除く家族全員が、ポーランド東部の小さな町ボロディミール・ボリンスキに向かうため、民間人用の最後の汽車に乗った。その町で数人の知り合いと一緒に暮らすことになっている。ドイツ国境からできるだけ離れていようということだ。

九月一日、ヒトラーのドイツ軍がポーランドに侵攻してきた。国内はパニックとなった。戦車と機関銃を備える精錬されたドイツ軍に比べ、ポーランド歩兵隊と騎兵隊のもろいこと。

私たちがボロディミール・ボリンスキに着くと、「ネイベルト」という苗字がドイツ系だったため、町の警察に拘束され、近くの農場へ送られた。この時、父はまだウッチにいた。母の兄と共同でポーランド軍の軍服用フェルト工場を経営していて、これは重要産業とみなされていたからだ。しかし、ドイツ軍がポーランド中央部まで進んでくると、父は母の兄たちと車に乗りウッチから脱出した。家財など一切合切、自宅に置いたままだ。銀行では現金の引き出しが不可能になっていた。

途中、父たちが乗っていた車は、ポーランド軍から徴用された。そもそもガソリンの入手も困難で、コップで量り売りされている始末だった。

車での移動が不可能になった父たちは、他の避難民に混じって徒歩で逃亡を続けた。ポーランドを横断し、私たちがいる農場へたどり着いたのは九月中旬だった。

父は、ヒトラーが政界進出に動き始めた一九二〇年代、ドイツのミュンヘンにあるポーランド公館で領事として勤めていた。公職に就いていた経歴もあり、父が農場へやってくると、私たちの拘留はすぐに解かれた。

九月一七日、ソ連軍がポーランド東部から侵攻してくる。ポーランド人の多くは、ソ連はドイツと戦っている我々を助けにきてくれたという甘い考えに陥った。ところが実際には、ソ連はドイツと組んで、ポーランドを分割する協定を結んでいた。首都ワルシャワを流れるビスワ川が、両国による占領の境界線だ。私の家族のいる場所は、ソ連占領下ということになる。そこで私たちは、父の生まれ故郷でポーランド南部の町リビウを目指すことになった。

大混雑する列車に乗り込み、かろうじて確保した座席に身を沈めた。リビウに住む父の姉一家の所にひとまず身を寄せ、次なる行き先を考えようということだ。しかし、リビウに着いてみると、伯母一家が住む一帯はロシア軍から爆撃されていて、皆、既に避難した後だった。避

（左から）ネイベルト家の長女エバ
次女アン 長男ミハウ
ウッチ 1933年（アン・ネイベルト 提供）

り込んだ。
難場所を捜しあてはしたが、私の家族が入り込む余地などない。そこで私たちは、父のいとこの家に転

私の家族はリビウからユーゴスラビアに逃げようとしていた。そこにいくらか資産をもっていたことと、ザグレブに父の親友が住んでいたからだ。しかしながら、母の兄で、父と一緒にウッチから逃げた伯父が、ポーランドからハンガリーに入ろうとしてロシア兵に捕まり、シベリア送りになった。同じようなことになってはいけない。

リビウでも、ソ連兵が地元の裁判官や政府関係者らを逮捕してはシベリアに送っている。ポーランド国民の間には、自分たちも同じようになるのではないかという恐怖が広がっていた。実際、ソ連兵は見境なくポーランド人を逮捕しては恐怖心を浸透させていた。朝、近くで訓練中のソ連兵の歌で目覚めては、はっとしたものだ。ソ連兵の歌好きには、身の危険を感じるばかりだった。

生活にも不便がでてきた。例えば食料不足だ。姉は、パンを買うため長い列に並んだ。また、ある日、ソ連兵が、ポーランド貨幣はもはや価値がないとふれ回ったので、両親は慌てて所持金をロシア貨幣と交換した。一方、やみ市は繁盛していた。町と外部との通信は途絶え、郵便は受け取ることも、送ることもできなくなっていた。

つらかった国境越え

私の家族は、北上してビリニュスに向かうことになった。ここは戦前、ポーランド領だったが、当時はリトアニア領になっていた。リトアニアは後にソ連に併合されるが、この頃はまだ独立国で、他の国と行き来ができた。

一九三九年一二月下旬、私の家族は北に向かう途に就いた。ことのほか寒さの厳しい冬だった。何と言っても危険なのは、ソ連占領下ポーランドとリトアニアの間の国境を越える時だ。それぞれの側の、森と森の間一キロ半ほどには、何もない平坦な土地が広がっている。私は当時一〇歳だったが、この国境越えはとてもつらい思い出として残っている。

私の家族と、母の双子の妹の家族を含めた数家族が、馬橇《そり》で国境を通り抜けようとしていた時だ。馬のいななきにソ連兵が気付いた。周囲の森から数人の兵が姿を現すや、空砲が打たれる。その合図で、辺りに潜んでいた他の兵士たちもやって来た。私たちを取り囲み逮捕すると、近くの小屋に連行した。気温は氷点下一五度ほどだった。

ところが奇跡が起こった。捕まった全員がそこからシベリア送りになったのだが、私の家族と親戚は免れた。母の妹の家族に一つになるかならないかの女の子がいて、病気だった。ソ連兵の隊長がそれを見て哀れに思った。そして、その子の母親と私の母が双子の姉妹だったので、両家族とも釈放してくれた。しかし、再び捕まれば、必ずシベリア送りになると警告された。

私たちはどうにかリビウに戻った。一九四〇年一月のことだ。家族全員、疲れ切っていた。抵抗力もなく、私は腸チフスになった。深刻な病状がしばらく続いたため、逃亡計画は延期を強いられた。

一九四〇年三月初旬、家族は再びビリニュスへの逃亡を決意する。例の危険な国境は、今度は徒歩で行くことになった。この計画のため道案内が雇われ、残り少ない所持金から多額が支払われた。雪がかなり積もっていて、当時六歳の妹は道案内の一人の肩に担がれて進んだ。

ソ連兵やリトアニア兵が、雪に刻まれた私たちの足跡をつけてこないようにと、見晴らしのきく場所であろうと森の中であろうと、東西にジグザグ、南北に行きつ戻りつして進んだ。そのため、直進していくよりはるかに長い距離を歩かねばならない。だが、幸い、この国境越えは成功。リトアニア側の協力者と思われていた女性の家に着いた。ところが、彼女は、もし私たちが所持金の全てを彼女に渡さなければ、リトアニア警察に私たちのことを通報すると言う。そうなればロシア側に引き渡される。そこで、私たちは持っていたほとんどの衣類を彼女に与えた。そこまでしたのに、彼女はさらに、父のパジャマの上衣と、私のパジャマのズボンをそれぞれ取り上げた。忘れられない出来事だった。

ビリニュス・モスクワ・ウラジオストク

翌日、道案内は私たちをビリニュスの安全な場所に連れていってくれた。先に来ていた知り合いが、私たち家族の偽造身分証明書を用意してくれていた。戦前からの住人ということになっている。その頃までには、かなりの数の避難民がビリニュスに入ってきていた。リトアニア人は、急速に膨らんだ人口について何とも思っていなかったのだろうか。

ビリニュスでは比較的自由に行動ができ、暮らしもかなりよい状態だった。ソ連が一九四〇年夏にリトアニアを占領するまでは、リビウにいた時よりずっと生活しやすかった。

姉と妹と私は学校に通った。ポーランド語に加え、リトアニア語とロシア語を学んだ。ずんぐりとした年配のロシア語の先生がいたが、彼女には難儀した。

ある日のこと、私はロシア語の「書き取り」テストで、机の下に隠していた本から正解を写して満点をとった。この先生は大喜びで、クラス全員の前で私のことを褒めちぎった。もちろん皆、なぜ私が満点をとれたかを知っていたのだが。

両親はビリニュスでは仕事がなかった。父の知り合いの若いポーランド人が、私たち家族の逃亡を助けようとしていた。彼は私の父から助けられたことがあり、それを恩に思っていたからだ。

私たちは、バルト海を渡ってスウェーデンに行き、そこから空路でユーゴスラビアに行くことを思いついた。しかし、これは不可能となった。ヒトラーが、北のデンマークとノルウェーのみならず、南のギリシャとユーゴスラビアを含むバルカン半島にも侵攻していたからだ。

父にはカナダのモントリオールに友人がいた。ポーランド公館の領事で、一九三七年、家族を連れて着任していた。私たちは、この領事に連絡をとり、ソ連を横断し日本経由でカナダに向かう段取りに取り掛かった。

まず、リトアニアのオランダ領事から「キュラソー・ビザ」をもらい、日本通過ビザとソ連出国ビザを得た。我々の最終目的地はカナダで、キュラソー島に行こうなど思ってもいなかったが。

ビリニュスにいる間、私の家族はスイスにもっていた家を売って、かなりの額の米国ドルを手に入れた。あの時、タイミングよく家が売れたのも奇跡のようだ。おかげで、米国ドルを欲しくて仕方がないソ連から、出国ビザを得ることができた。

こうして一九四一年三月、私たちはポーランドやチェコスロバキアからの避難民に混じって、ビリニュスからモスクワへ向かう列車に乗り込んだ。ソ連占領下ポーランドから命からがら逃げてきた揚げ句、ソ連の列車で移動が許されるとは全く奇妙なものだ。

二日ほどで私たちはモスクワに着いた。一日半、監視下ではあったが、クレムリン宮殿の外観、大理石を使った立派な地下鉄の駅、オペラ劇場など、モスクワの名所を見て回った。

次は、モスクワからシベリアを横断し、ウラジオストクまで一四日間の汽車の旅。真冬のことで、二センチほどの氷で覆われた汽車の窓からは、外が全く見えない。ヨーロッパの旧式列車で、客車の片側は通路。それに沿って客室があった。私たちの客室は、私の家族の他に避難民がもう一人加わり、六人だった。汽車は、時速五〇キロほどで走る。ウラル山脈ではヨーロッパからアジアへのトンネルを抜けるのに一晩かかった。

一度だけ、シベリアのノボシビルスク駅で下車が許された。建物の片側が総ガラスの素晴らしい駅だ。しかし、そこに立っているのは、ぼろ服の農夫たち。それもほとんどがまともな靴を履いていない。甚《はなは》だしい差だ。ソ連政府が、国家の威信を示すようなものには巨額を投じるが、国民をおざなりにしていることを如実に語っていた。

子どもにとっては、うんざりするほど長い汽車旅だったが、待遇は悪くなく、食事はむしろとてもよかった。二週間後、私たちは港町ウラジオストクに着いた。

日本

汽車を降りて乗り込んだトラックは、私たちを日本に向かう船まで運んだ。そこからが大変だった。何とも危険な航海が待ち構えていた。

ウラジオストクと日本の間に横たわる日本海は、春しばしば猛烈な嵐に見舞われる。乗船した家畜運搬船の積載は最大でも一〇〇頭まで。その船に四〇〇人もが詰め込まれた。嵐が吹きすさぶ中、下層階の船室は避難民たちで混み合い、くっつき合うようにして横たわっている。ご飯とみかんが配られた。

船は、四五度に傾きながら大揺れした。船員二人と、乗り合わせていた航空兵一人以外は、だれもが船酔いに苦しんだ。男女一つずつの手洗い所のひどい状況は容易に想像がつくだろう。

普通であれば敦賀港まで一二時間の航海*1が、四八時間ほどかかった。それでも無事に日本に到着できたのは、またもや奇跡が起こったとしか言いようがない。実際、この船は次の航海で、乗船していた避難民もろとも海に沈んだ。*2

日本に着くと、私たちは神戸に向かい南へと移動した。神戸は約九〇万人の街だ。*3「オリエンタル・ホテル」というこぢんまりとしたホテルに二日間滞在した後、小さな家を借りた。日本では何かとよくしてもらったが、食べ物が口に合わなかった。私たちが普段食べるようなものがほとんど手に入らず、主にマカロニで凌《しの》いだ。日中戦争の影響で米が不足しているということだった。

日本に滞在する間、妹と私は「はしか」に罹《かか》った。

どこに行っても人が多く、慣れるのに時間がかかったが、日本の女性はとてもすてきだった。

父は東京に行って、カナダ渡航のための準備をした。二カ月の神戸滞在後、一九四一年五月四日、私たちは神戸から東京へ向かう汽車に乗った。横浜からカナダへ渡る船に乗るためだ。汽車の窓から、田んぼで隔てられた村が次から次へと目に飛び込み、ソ連のシベリアを行く時の景色とは随分と違った。

*1 敦賀・ウラジオストク間で就航していた日本海汽船の「はるびん丸」の１９４０年7月の運航予定表によると、同船は、現・朝鮮民主主義人民共和国（北朝鮮）北東部の羅津と清津に寄港していた。ネイベルト一家が乗船したのは、定期客船ではなく家畜運搬船とあり、ウラジオストクで乗船を待つ避難民の数が多かったため、臨時船がでていたと考えられる。この場合、定期客船と同様に寄港があったのか、あるいは敦賀まで直行したのかは、当逃亡談を翻訳する時点では不明。従って、所要時間は確認できなかった。

*2 英語原文の日本語訳ママ。本書筆者（当逃亡談の翻訳者）は、ここで記述がある船の沈没についての事実確認は行っていない。

*3 神戸市文書館「歴史年表」によると、同市の人口は１９３９年（昭和14年）、１００万人を突破している。http://www.city.kobe.lg.jp/information/institution/document/year/syouwa.html

カナダ到着

私たちは「ヒエマル」[*4]という船に乗って日本を後にした。北米線の船の一つで、横浜・シアトル・バンクーバー間の定期客船だ。面白いことに、乗船客の半分は、日本を訪問して米国に戻る日系アメリカ人たちだった。七カ月後の一二月、日本が真珠湾を攻撃するとは誰が思っただろうか。

横浜からの船旅はおおむね平穏で、天候に恵まれ、食事もよかった。毎回、日系アメリカ人向けと、それ以外の乗船客向けの食事が用意された。

船は太平洋上で日付変更線を通過する。日本から北米へ向かう場合、同じ日付を繰り返すので、土曜日が二度あることになる。船にはかなりの数のユダヤ人が乗っていたが、彼らは同船しているユダヤ教のラビたちに、どちらの土曜日を安息日にすべきかと尋ねた。結局、両方の土曜日となった。

船がシアトルに着くと、米国に入る乗船客が降りた。その後、五月二〇日、私たち家族はバンクーバーに到着した。素晴らしい春の日だ。ようやく自由の国カナダに着いた。どんなにうれしかったことか。私たちはモントリオールに向かうまでの数日間、バンクーバーで過ごした。

美しいスタンレー公園での散歩。コーンに盛ったダブルのアイスクリーム。戦争が始まって以来、初めて食べたアイスクリームだ。

姉と妹と私は、少し英語を知っていた。第一次世界大戦中、英国で過ごした母から教わっていたからだ。私の国籍は英語で「ポーリシュ」。バンクーバーの街を歩いている時、「シュー・ポーリシュ」という看板を見て感動した。

「カナダはなんとよい国なんだろう。ポーランド製の靴を売っている」[*5]

私たち家族の旅の最終章は、カナダ国有鉄道で、ロッキー山脈を越え、エドモントン、ウィニペグ、トロントを通過し、モントリオールへ至る旅だ。

車窓から見る平原には人っ子一人おらず、日本で見た混雑状況とは大違い。雄大なロッキー山脈にはすっかり魅了された。森林火災が起こっていたので父が心配すると、横に座っていた男性が、カナダにはたくさん材木があるから大丈夫だと言う。

モントリオールに着くと、ポーランド領事のブレジンスキさんと彼の家族が私たちを待っていた。見知らぬ土地で迎えてくれる古くからの友人の姿にほっとした。

私たち家族は、父が仕事を探す二カ月の間、モントリオールのマギル大学から延びるユニバーシティ通りのアパートで暮らした。学年末が近かったが、私は数週間、学校に通った。休み時間になると、男の子たちが奇妙な木の棒で、小さなボールを打つのを見て驚いた。初めて見たソフトボールだった。

一九四一年七月までに、父はオンタリオ州のオタワから南西へ八〇キロほどの町パースにある小さなフェルト・メリヤス工場で職を得た。私たち一家は七月末、パースに移動した。周囲の人たちはとても親切で、私たち家族は一年間、この小さな町で楽しく過ごした。

ヨーロッパからの移動中、学校には通っていなかったが、私はこの町の学校で七年生になった。校長の家族と私たちは親しくなって、いまだに交流が続いている。その家族の長男アレックスは私より一つ年上で、私の面倒をよく見てくれた。七年生と八年生は合同で勉強したので、アレックスと私は同じ教室だった。私の英語力は限られていたが、一年間で七・八年生を終えることができた。

---

*4 日枝丸。

*5 Polishには、「ポーランドの」(ポーリッシュ)と「磨く」(ポリッシュ)の意味がある。「シュー・ポリッシュ」(shoe polish)とは「靴墨・靴磨き」のこと。

一九四二年春までには、父はキッチナーにあった「ドミニオン・ラバー」という会社の織物部門に良い条件の職を得ることができた。そして、この年の学年末の六月、私たちはキッチナーに引っ越した。

カナダに来た頃、私たちは戦中だけカナダにとどまっている避難民にすぎず、いつかポーランドに戻ることを家族全員が考えていた。しかし、一九四五年、カナダ永住権を得た。その後、カナダ市民権を取得し、この国で永住することにした。今日まで、この決意に後悔はない。

アルフレッド・ネイベルトと妻マリア
オンタリオ州キッチナー（アン・ネイベルト 提供）

「思い出」より　ハリナ・カントー

＊この逃亡談は、ハリナ・カントー（ヨエルソン）が、一九九六年一月から書き始め、二〇一七年一一月まで書き足していった回想録“My Recollections”からの抜粋を日本語訳したものである。

ミエジェシン

私の家族が住んでいた家は、ワルシャワから一六キロほど離れたミエジェシンと呼ばれる開けた土地にあった。現在、そこはワルシャワ市に合併されている。家の後ろには、ワルシャワからオトフォックへの鉄道が走り、私たちの家と同じ側には家が五軒、それぞれ広い土地に囲まれて建っていた。線路の向こう側には農場があり、麦畑や松林が延びていた。

私たちの家は、私の母と、母の弟が、共に描いた夢の実現だった。それは、二家族が一つ屋根の下に住み、一緒に生活するということ。一つの家に、私の父ヨナ・母リイザ・私、叔父ミハウ・妻ルトカ・娘イロンカが住んでいた。どの部屋も広々としている。それぞれの夫婦が寝室を一部屋ずつもち、そこが家族の部屋としても使われた。

ハリナと父ヨナ
1932年12月（ハリナ・カントー 提供）

いとこのイロンカと私のベッドは別の部屋にあり、そこは二人が遊ぶ場所でもあった。大きな窓は、夜になると木のよろい戸で覆われた。

　私は一九三〇年六月生まれ。イロンカは同じ年の九月。三カ月違いで生まれた私たちは双子のようなもの。最高の友だちで、いつも一緒だった。

　私の母は「潰瘍性大腸炎」という病気をもっていた。いつも家にいて、雇っている料理人や家政婦の監督をしながら、子どもの世話をした。父・叔父・叔母の三人は会計士で、週六日、ワルシャワに通って働いた。

戦争勃発

　一九三九年九月一日早朝、隣家のエステラが慌てふためいた様子で私たちの家に駆け込んできた。ドイツ軍がポーランドに侵攻を開始したと言う。戦争の始まりだ。彼女は私たちに、窓のよろい戸を閉め、ドアに鍵をかけ、ベッドの下に隠れるようにと忠告するや、たちまち自分の家に駆け戻っていった。

　ドイツ軍からの攻撃は予想しないことではなかった。既に全ての窓に、ガラスが砕け散らないよう細く切った紙を貼って用心していた。

（左から）イロンカ　ハリナ　1936年（ハリナ・カントー 提供）

翌日には、大砲の音を聞いた。頭上には編隊を組んで飛んでいく戦闘機を見た。ワルシャワに向かっていくのもあれば、使命を終え戻っていくのもある。親戚のサビナが、辺りの子どもたちを集めて、道の向こう側の小さな丘に連れていった。スキーをする丘だ。

サビナは子どもたちに、戦闘機が打ち落とされた場合には、その戦闘機が向かっていた方向とは反対の方向に走って逃げるようにと教えた。飛行機は垂直には落ちず、軌道に乗ったまま、斜めに落ちていくという説明だ。つまり、尾翼と反対の方向に走らねばならない。子どもたちは、空をいく戦闘機を見上げながら、あっちへこっちへと走り回った。そうこうしていると、母が現れ、私たちを家に連れ戻した。そして、レモネードを作ってくれた。その日遅く、西の水平線は真っ赤に染まっていた。爆撃を受けたワルシャワ上空に舞う火の粉だった。

母リイザ
1941年3月（ハリナ・カントー 提供）

ドイツ軍の戦車が地響きをたてながら、隣の町ファレニカに向かって進んでいく。その音を聞きながら、二家族全員、家の中央部の細長い廊下に集まり、ブーツやスケート靴が入った収納箱の上にじっと座っていた。

銃声がした。飼っているドーベルマンの「プク」が、身を寄せ合っている私たちの間に割り込み、体を震わせ、クンクンと鳴く。

イロンカはあまりの恐怖に黙っておられず、

「ドイツ軍が家を爆破したらどうなるの」「ドイツ軍が家のドアまできたらどうなるの」「食料がなくなったらどうなるの」など、「どうなるの」という質問を連発する。私は平静だった。しかし、ドイツ軍が通り過ぎ状況が落ち着くや浴室に駆け込み、吐いた。翌日、大人たちは、家の外壁に食い込んでいる銃弾五つを発見した。

ラジオから、英国とフランスがポーランドとの相互援助条約に基づきドイツに宣戦布告したというニュースが流れてくる。世界大戦への発展に、大人たちの表情は憂鬱《ゆううつ》だ。反対にイロンカと私は、ポーランドの同盟国が力を合わせドイツをたちまち負かしてくれると思うとうれしくて、ベッドの上で飛んだり跳ねたり。

九月六日、ポーランド政府は、兵役年齢の男性は国の東部地方へ行き、新しく作られる防衛軍に加わるようにという命令を出した。(実際には、このような部隊が作られることはなかった。)

私たちはミエジェシン駅近くの丘の斜面に座り、父と叔父が乗る汽車が来るのを待った。別れはつらい。再び会えるかどうか分からないから。

汽車が着くと、二人は他の男性たちと一緒に乗り込み、東に向かって発っていった。

ポーランドは、三週間ほどで独ソにより分割占領された。

父と叔父がいなくなった私たちの家では、雇っていた料理人と家政婦も家族のもとへ帰ってしまい、叔母が家事を取り仕切るようになった。彼女は、線路の向こう側の農家を訪ね歩き、ジャガイモなどの食料を手に入れてくる。パンは、黒く重いライ麦パンしかない。当時、ライ麦パンは、白い小麦粉のパンより劣っていると見られていた。母は私たちに白いパンを焼いてくれた。

ドイツ軍からの命令で、ラジオは所定の場所まで持っていき没収された。ドイツ兵は「パトロール隊」を編成し、私たちが武器を隠していないかと家捜しをして回った。食器棚や収納庫など、ありとあらゆる場所を探る。たいがいは礼儀正しく行われた。しかし、男性用の衣類を発見すると、彼らはどこにいるのかとしつこく問いただす。

大戦勃発当初、私たちの家には叔母の妹がしばらく滞在していた。彼女は若くて、容貌はユダヤ系に見えず、そのうえドイツ語を流ちょうに話したので、「パトロール隊」からの追及をはぐらかすのに大いに役立った。

ある日、一六歳ぐらいの若い兵隊が数人混じった「パトロール隊」がやってきた。彼らは、イロンカと私の寝室で人形やクマの縫いぐるみを見つけると、投げ合ってゲームを始めた。人形の顔は陶器でできていて、目を開けたり閉じたりする。イロンカと私は、兵隊たちが人形を落として壊しでもしないかと、はらはらしながら見ていた。私たちの大切な「子どもたち」への無礼と屈辱に言葉がなかった。幸い、彼らの隊長が部屋に入ってきて、この騒ぎを止めさせた。

ドイツ兵は野営の準備に、辺りの家に協力を求めてきた。シーツ・調理器具・テーブルクロス・洗濯板など、各家庭は提供物を割り当てられた。もちろん、どの家も断ることなどしない。後日、隣近所が何を提供させられたかを知ったが、ドイツ兵の方針たるやよく系統立てられていた。

私の家からは、パンや肉を切る大きめの包丁をいくつか提供させられた。渡すときには、包丁が私たちに向けられるのではないかと緊張した。しかし、ドイツ兵は、軍からあてがわれたより少しましな生活スタイルを打ち立てようとしているだけと分かった。結局、ドイツ人とは「文化的で教養高い人々」というわけだ。こう大人たちが話すのを、私はなるほどと思いながら聞いていた。

戦争勃発後、数週間というもの、避難民が線路に沿って東に向かっていくのを見た。昼夜を分かたず通り過ぎていく人の群れ。男性もいれば女性もいる。子どももいる。衣服はすっかり汚れ、リュックサックを背に、手には袋やトランクを持っている。手押し車を押している人もいれば、荷馬車もあった。

一方、父と叔父も、疲労困憊《こんぱい》しながら、東に向かっていた。寝る場所や食料は、道すがらの農家で得ていた。出会う人とは警告を発し合い、進むべき方向や目的地について情報を交換し合う。戦前からの知り合いに偶然会うこともあった。

最終的に二人はリトアニアのビリニュスに着いた。当時、リトアニアは中立国だったので当分は安全に暮らせるように思えた。それに、英国やフランスなど同盟国がドイツを負かせば、ポーランドへ戻ることもできる。二人はこう考えていた。

父の姉妹の一人がビリニュスに住んでいて、父と叔父はそこに滞在していた。幸い二人は仕事も得た。次なる課題は、ポーランドに残っている彼らの家族の四人の女性たちを、どうやってビリニュスまで連れてくるかだった。

命がけの逃亡

父と叔父は、ミエジェシンにいる四人の家族の道案内として、鉄道関連の仕事の経験があり沿線の事情に詳しい二人の男性を雇った。彼らは、ポーランドのドイツ占領下からソ連占領下への越境と、ソ連占領下ポーランドからリトアニアへの越境という、二つの国境越えのルートを探った。実際その道筋をたどり、途中の農家と交渉し、後で私たちが世話になれるよう準備をする。その際、農家には世話料の一部が前払いされた。農夫たちが褒美金《ほうび》でも得ようと、ドイツ軍に私たちのことを密告しないようにするためだ。

ガイドの二人は、一九三九年一二月二〇日、ワルシャワに着いた。母・叔母・イロンカと私の四人は、汽車でワルシャワへ向かった。他にもう一人、親しい女性が私たちと一緒にビリニュスに行くはずだった。彼女は裁縫師で、ワルシャワに店をもっていた。彼女の夫と一〇代の息子も、私の父や叔父のように、九月初旬、ポーランド軍に加わるため家を出ていた。

驚いたことに、彼女は出発間際になって、私たちと一緒に行くのを拒んだ。あまりにも危険に思えるし、苦労してもった店・家・家具などを置いていくことなど考えられないと言う。当時、同じような致命的な選択をした人々が他にもたくさんいた。

私たち四人はガイド二人と、ワルシャワから汽車で出発した。まず、ポーランドのドイツ占領側とソ連占領側の境にある小さな町マルキニアを目指した。他にも多くの避難民が同じルートで行ったが、私たちと同様のジレンマに陥ったことを後で知った。

問題は、汽車がマルキニアの駅に到着するまでずっと乗っているか、それとも駅に到着する前に、動いている列車から飛び降りるかの選択だった。駅ではドイツ軍の歩哨《ほしょう》がたくさん待ち構えていて、着いた乗客の中からユダヤ人を引っ張り出し、殴打した揚げ句投獄するということだ。その話に疑いの余地はない。しかし、私たちのグループのうち二人は子どもで、私の母は病気だ。動いている列車から飛び降りることなど、考えられない。

ところが、駅の手前で、突然汽車が止まった。なぜ止まったのかは分からない。戦中に起こった「奇跡」についてはいろいろ聞くが、まさにその一つだった。信号待ちか、車掌の善意か、それとも他のグループの誰かが車掌に賄賂《わいろ》でもやったのか。とにかく、汽車が止まるや、私たちのガイドは素早く荷物を集め、私たちを大急ぎで汽車から降ろした。

そこは森のようだった。私たちより人数の多いグループも汽車から降りた。彼らは右へ行く。ところが私たちのガイドは左へ行く。不安だ。大きいグループの方が事情に明るいように思える。私たちは、間違った方向へ行っているのではないだろうか。

しかし後で知ったが、右に進んだ大きいグループは、その先にある村へ真っすぐに入っていき、待ち構えていたドイツ兵に捕まり監禁されたということだ。

一方、私たちは森の奥深くへと入っていった。金網のフェンスが張り巡らされた場所まで来ると、ガイドたちは私たちをそこに座らせ、彼らは村に偵察に行ってくると言い去っていった。

そのフェンスはどうやらドイツ軍の基地の一部のようだった。内側では、大きなサーチライトが夜空を照らしている。敵機を捕らえ

叔父ミハウ 叔母ルトカ いとこイロンカ
ビリニュス 1941年3月（ハリナ・カントー 提供）

るためだろう。辺りは真っ暗なうえ、一二月下旬のことで、とても寒かった。

母と叔母が小声で話している。ガイドの二人はすでにガイド料を手にしたことだし、私たちを裏切ってドイツ軍に密告し褒美金を手に入れようとしているのかもしれないと。

かなりの時間が経った。幸いガイドたちは、ドイツ軍が去って村が安全になったことを確認すると戻ってきた。そして私たちをある農家へと連れて行った。

それは典型的な藁《わら》ぶき屋根の家だった。農夫一家は、私たちによくしてくれた。夫婦が使っていると思われる大きなベッドを私の母に提供してくれた。叔母とイロンカと私は、床に藁を敷いて寝た。農夫が飼っている動物を見たかったけれど、私たちの姿が目撃され、見知らぬ者がいるとドイツ軍に通報されてはいけないからと、外へは出してもらえなかった。

夜、再び森の中を歩いた。突き刺すような寒さだ。ドイツ占領側からソ連占領側への密入国は、歩哨の交替時間と重なるよう計画されていた。幸い、無事、ソ連側に入った。そこへ叔父が姿を現した。ビリニュスまでの残りの道を私たちに同行するため迎えに来ていたのだ。

そこからは、叔母の親戚が住むビアリストクに向かった。一晩過ごしたその家には、大きな振り子時計が壁を背に置いてあった。振り子の動きは面白い。毎朝、誰かが大きな鍵でねじを巻くのだ。

翌朝、私たちは次なる中継地を目指して荷馬車で出発した。今回は、なかなか上等な旅だ。母は農婦の服に身を包み、ネッカチーフをかぶって顎で結び、御者台の農夫と夫婦のように並んで座った。こうして、途中で止められることもなく、ソ連占領下ポーランドとリトアニアの国境近くの農家に着いた。

夜になってから、広く長く延びた畑を横切る。秋に鍬《くわ》ですかれ、わだちや土の塊《かたまり》ができた土地を雪が覆っている。そこを走っていくしかない。母は、少しの距離でさえ歩くのがやっとだ。走ることなど、とてもできない。そこでガイドの二人は、母の両脇を支えて持ち上げ、母を地面から浮かしたまま走った。曇りのない満月の夜で、白い雪の上には私たちの影がくっきりと写っていた。

一方、畑の向こう側では、リトアニア国境警備兵が、懸命に畑を横切ってくる私たちをひそかに見ていた。そして私たちが彼らの前に飛び込んでくるや捕まえ、紙幣・時計・宝石などを持っていないかと探し始めた。

警備兵が私たちに、「手をあげろ」と命令する。イロンカと私は無邪気に手をあげたが、実は手袋の中で腕時計を握っていた。時計は発見されなかった。これは両親たちが、その後、何度となく語る自慢話となった。

リトアニア警備兵らは、私たちを歩いて戻らせ、ソ連側に引き渡すと言う。しかし、私たちがぐずぐずしているので警備兵の一人がいら立ってきて、持っている銃の台尻で叔母を脅した。すると彼女は、警備兵の隊長とおぼしき人物にそっと近づき、こうささやいた。

「子ども二人と、病気の女性がいる私たちをソ連側に連れ戻すなんてやっかいなことよ。あなたがたの貴重な時間の浪費。それに、金目のものを持って密入国しようとしている他の人たちを取り逃がすことになるわ。私たちを見逃して、本来の業務に集中するほうが得策よ」と、いかにも理にかなったことを説く。

ルトカは、リトアニア警備兵らの魂胆を見抜いていたのだ。それに、私たちをソ連兵に渡したところで、彼らがソ連兵から何を得るというのだ。それを理解してか、リトアニア兵らは私たちを解放した。

リトアニア側の村までは遠くはなかった。途中に小屋があった。ガイドと叔父が、事前に交渉してあった家に確認に行く間、私たちは雪の上に座り、その小屋の壁にもたれて待った。イロンカと私は、眠くてうとうとする。それを見て母と叔母は、寒い中で眠り込んでしまってはそのまま二度と目を覚まさないかもしれないと、私たちの体を揺らして起こす。

着いたのは中産階級の家だった。私たちが到着すると、にぎやかに迎えてくれた。食卓には白いテーブルクロスが掛かり、銀のナイフやフォークとスプーンが置かれ、ご馳走《ちそう》がふるまわれた。カイザーロールのおいしかったこと。

翌日、私たちはビリニュスまでバスに乗った。他の乗客に混じっての「正規」の乗車だ。しかし、それまでの恐怖がよみがえってくる。注意が肝心だ。ところが私は、父と再会できると思うとうれしくてたまらない。「もうすぐお父さんに会える」と声に出し、座席の上で立ったり座ったり。すると母から、「静かにしなさい。おかしなことが起こっていると通報されたらどうするの。尋問され逮捕されるかもしれないでしょ」と小声だが、厳しく叱られた。

結局、ワルシャワからビリニュスに着くまで八日かかった。もっと長くかかった人もいる。ソ連兵に捕まり投獄された人もいる。ドイツ兵に捕まり強制収容所に送られた人の数などとても知れない。私たちの逃亡の成功は、注意深い事前準備、叔母の機転、全員の忍耐にもあったが、単に運がよかっただけかもしれない。

ビリニュス

ビリニュスに着いた日は太陽が照っていた。道路の雪が反射して輝き、おとぎの国のようだった。馬車があちらこちらへとひっきりなしに走っている。通りの店は開いていて人が行きかい、街は活気にあふれていた。

ビリニュスは古い街だ。ポーランドでいえばワルシャワやウッチのように、ユダヤ文化と学びの一大拠点だ。中核となる文化機関が盛んに活動していて、ユダヤ教の施設もある。街は、石畳の狭い道路がある古い地区と、住居や事務所が入った建物が並ぶ新しい地区から成っていた。

私たちは、「タクシー」ならぬ馬車を止めた。座席には毛皮のひざ掛けが用意されていた。目指す親戚の家に着くと、父が待っていた。みんな大喜びだ。数日その家で世話になった後、私たちはバルコニーが付いた貸アパートに移った。私の家族と叔父一家との同居が再び始まり、戦前に近い生活に戻った。

一九四〇年、新年が明けると、大人たちの間でイロンカと私の学校のことが話し合われた。その結果、ビリニュスでは一番と評判のユダヤ系の普通学校に通うことになった。普通学校なので、ユダヤ教の教義にとらわれない教育方針だろうというのが両親らの考えだ。

その学校では、授業は主にイディッシュ語で行われていた。イロンカと私は四年生のクラスに入ったが、イディッシュ語は全く知らない。授業中、私たちのうちの一人が当てられると、二人で一緒に立ち、ポーランド語で「イディッシュ語は分かりません」と声をそろえて言った。(これも私たちの両親の語り草になった。)

ほとんどの生徒が、イディッシュ語の他にポーランド語も話したので、一緒に遊ぶのにさほど困ることはなかった。私たちそれぞれに勉強を助けてくれる女子生徒が一人ずつ任命された。時には、その生徒の家で宿題をすることもあった。短期間だったが、家庭教師も雇われた。

イロンカと私に、同年輩のヘニエック・クルク（後年、姓を「シュワルツ」に変更）という友人ができた。三人で、厚紙を人型に切り抜き、それを白い壁に映して「映画」を作った。

ヘニエックと彼のお母さんも、数人でワルシャワからビリニュスまで逃亡してきた。途中、ソ連兵に捕まり、一緒にいたほとんどの人が拘束された。しかし、ヘニエックのお母さんは、私の叔母がリトアニア国境警備兵を説得したように、ヘニエックと彼女を見逃すよう掛け合って成功した。ソ連兵は子どもにはやさしいということだったのでそれにつけこんだのだ。しかし、ワルシャワからビリニュスまで来るのになんと四カ月かかった。

後にヘニエックと私は米国のニューヨークで再会し、さらに友情を深めた。それぞれ結婚して家庭をもったが、いまだに連絡をとり合っている。

一九四〇年六月、ソ連はラトビア・エストニア・リトアニアに侵攻した。

ある日、イロンカと私が数人の友だちと「三つの十字架の丘」で遊んだ帰り道のこと、ソ連兵がぎっしりと乗ったトラックが、ビリニュスの通りを何台も連なって走るのを見た。兵隊たちはソ連の民謡を歌いながら私たちに手を振る。

家に戻るや、ソ連兵を目撃したことを両親たちに話した。しかし、もう皆知っていた。大人たちは憂鬱そうだった。

人々の間では、食料や生活用品などの確保が始まった。物品の欠乏は被占領地ではよく起こることだ。すでに多くの店で在庫がなくなっていた。

学校でも変化が起きた。ソ連による侵攻後、ロシア語も学ばねばならなくなった。ロシア語とポーランド語では似たような音もあるが、ほとんどの語彙《ごい》は違う。それにロシア語のつづり方を、イロンカも私も全く知らない。イディッシュ語の次はロシア語。一難去ってまた一難。しかし、私たちはロシア語を思いのほかすんなりと学んでいった。

私の両親は政治動向に敏感だ。二人は社会主義者だったので、*6ソ連の共産主義に反対していた。一方、共産主義者は、社会主義者を敵対視している。ソ連やソ連占領下ポーランドでは、社会主義者や「ブンド」のメンバーたちが投獄されていた。

両親はリトアニアに来てからも、いつかポーランドに戻ることを考えていた。しかしソ連によるリトアニア併合で、その計画を見直し始めた。再び「逃亡」が議題にあがる。今度は合法的な移動だ。そのための準備に取り掛かった。だが叔母はリトアニアを去ることに断固反対している。ソ連による占領で、彼女は人生で初めて「平等かつ公正なる社会」で生きる機会を得ようとしていると言う。叔母は共産党員ではなかったが、ソ連体制下では理想の社会が実現されると信じていた。数年後、その理想は苦い幻滅へと変わるのだが。

父はリトアニアの首都カウナスへ何度か行った。米国ビザと他の必要書類を得るためだ。私の両親を含め一〇〇人が米国ビザを得たと聞いた。

大西洋にはドイツ軍の潜水艦が潜んでいるので、私の家族は、日本を経由して太平洋を渡り、米国の西海岸に到達することを計画した。

日本政府は、通過ビザを発給するのに最終目的国からのビザ提示を条件とした。日本通過ビザ受給後は、シベリア横断鉄道に乗車しウラジオストクへ向かう。私の両親の知り合いの中には日本へ行ったが、最終目的国からのビザがなかったため、上海で戦中を過ごした人々がいた。私の両親は、モスクワの日本大使館で日本通過ビザを得た。*7

私は最近、カウナスにいた日本人領事チウネ・スギハラについての話を読んだ。*8 彼は、日本政府の訓令に反し、ビザ発給条件を満たさない多くの人々に日本通過ビザを発給した。ヨーロッパのユダヤ人が置かれている窮地をよく知っていて、人道的な見地に基づき、日本政府の方針に背いたのだ。

スギハラが発給したビザで二千から四千の命が救われたと言われる。これが理由で、戦後、彼は懲戒されたが、彼の博愛精神あふれる行為は一九八〇年以降、日本でも敬意をもって語られているということだ。

救済団体「ユダヤ人共同配給委員会」が、避難民らの米国ビザ取得の後押しや、シベリア横断鉄道の乗車賃などを援助していた。また、「ワークメンズ・サークル」*9 など米国のさまざまなユダヤ系組織や、既

---

*6　ユダヤ人による社会民主主義団体「ブンド」のメンバーだった。
*7　ヨエルソン家が取得したのは「渡航証明書」。
*8　ハリナが杉原千畝について知ったのは2014年春。
*9　イディッシュ語を含むユダヤ文化やユダヤ・コミュニティの発展を旨とする米国のユダヤ系非営利団体。

に米国に移民していた「ブンド」の人々が資金援助をしていた。

大人たちが直面している問題を、当時の私は何も理解していなかった。命に関わる状況であったことを知ったのは後年のことだ。

ビリニュスの友だちとの別れが近づいていた。学校では生徒が餞別《せんべつ》にアルバムを贈ってくれた。何人かの写真が貼ってある。全ての生徒の名前が記され、こう書かれてあった。

「学びましょう。くじけないようにしましょう。いつも善い行いをしましょう」

一九四一年、三月一七日の日付だった。

ソ連横断

数日後、両親と私は汽車でビリニュスからモスクワへと発った。モスクワに三日間滞在し、その後、シベリア横断鉄道に乗車した。

汽車は、殺風景な冬のシベリアを東に向かって揺れ進んだ。退屈でしょうがない。九日間というもの、雪に覆われた平原と森、果てしない空が続く。時折、小さな村が見えた。停車駅が近くなると、汽車は蒸気をあげ徐行を始める。駅に止まると、周辺に住む人々が、食べ物やたばこ、その他ちょっとしたものが入った籠を持って売りにくる。乗客は汽車から降り、その日の食料などを買う。父が汽車から降りるたび、出発の時間に間に合わず駅に取り残されるのではないかと心配だった。

当時、シベリア横断鉄道は単線だった。反対方向から汽車がやって来ると、私たちの乗った汽車は停留場に入り、そこで対向列車が通り過ぎるのを待つ。これ以外でも、汽車は時々停車した。なにか修理でもしていたのだろうか。燃料の問題だろうか。理由は分からなかった。

私たち三人は、寝台が四つある客室にいた。最終車両だったので、まるで「むち」の先のように左右に揺れる。客室の片側は窓だ。両壁に二段ベッドが備わっている。私は上段で寝た。両親もそれぞれ一つずつ寝台を使った。残りの寝台は、食事の時のテーブル代わりや、三人で何かを見たり読んだりする時や、近くの客室からの訪問客用の座席として使われた。各車両の後部に給湯室があったので、お茶などを作る湯が自由に使えた。

私は退屈なうえ、列車の揺れに酔っていた。それに、ビリニュスの駅のホームでの親戚との別れが忘れられない。いとこのイロンカは泣いていた。叔父と叔母は硬い表情で立っていた。そんな彼らの姿が思い返され、私はイロンカが別れ際にプレゼントしてくれた「猿の縫いぐるみ」をもてあそびながら寝台に横になっていた。

乗車から三日目、父は私に他の車両の通路を歩きにいこうと提案した。すると、驚き、驚き。四つ目の車両に、私の両親の知人夫婦と二人の息子がいた。その男の子たちは私と同年配だ。それからというもの、彼らとトランプをして一緒に過ごすようになった。私の列車酔いは、いつの間にか消えていた。

ある日、窓からの眺めが次第に変わっていった。なだらかな丘が山脈になってくるとバイカル湖が近づいてきた。湖は長い脚のような形で、南北に横たわっている。西側から来た汽車は南に折れ、つま先のような部分を回るとしばらく水平に進み、東側のかかとのような部分で今度は北に向かっていく。私たち子ども三人は窓に張り付いて外を見ていた。

四七ものトンネルを通った。もちろん、数えていた。トンネルはたいがい短くて、最後の車両がトンネルに入る頃には、先頭の車両はトンネルを出ているのが見えた。

こうして私たちは、ソ連の東の端ウラジオストクに着いた。翌朝、日本へ渡る船に乗り、日本上陸後、神戸に着いた。私は一〇歳だった。

日本から米国到着

一九四一年四月上旬、神戸の街には太陽の光が降り注いでいた。桜が満開。女性たちは色鮮やかな着物を着ている。下駄《げた》を履いている人。洋服の人もいた。

私たち一家は神戸に三週間滞在した。部屋は下宿屋の中にあり、窓から学校の校庭が見渡せた。それはドイツ系の学校だと分かった。私は窓際に座り、校庭で子どもたちが行進や軍事訓練のようなことをするのを見ていた。

私の家族にはもう経済的な余裕がなく、日本滞在中、観光に出かけたり、観光客向けの見世物を鑑賞したりはできなかった。それでも、神戸はすてきな街だった。通りには小さな店が並んでいる。数階建ての近代的な百貨店もあり、屋上にはレストランがあった。

四月下旬、米国に渡るため「アサママル」*10に乗った。一〇日間の船旅だ。同じ避難民の子どもたちはすぐに仲良くなり、日光浴やトランプをして遊んだ。

船はハワイで一日停泊した。ヤシの木や花々があちこちに見えて美しかった。しかし、ここでも私の家族は観光などはできなかった。

ハワイを発ち、サンフランシスコに着いた。ゴールデン・ゲート・ブリッジには目を見張った。

サンフランシスコからは、ニューヨークに向かう汽車に乗った。チェコ語を話す客車係の女性が、私とおしゃべりをしてくれた。私はポーランド語で話したが、互いにけっこう理解し合えた。おかげで三日間の汽車旅はさほど苦にならなかった。


米国で移民として生活を始めた頃の出来事で、忘れられないことが二つある。

一つは、寄付された男の子用サドルシューズを履かねばならなかったこと。

もう一つは、学校の校長先生との会話だ。私は一一歳だったが、なんと、一年生のクラスに入れられた。あまりにも見下されている。私は校長先生のところに行って、五年生のクラスに入れてもらえないかと頼んだ。五年生では「分数」を勉強している。私はヨーロッパを出る前、既に「分数」を勉強していたと説明した。すると校長先生は、「あなた、ポーランドで学校に行っていたの」と驚きの声をあげた。


夏の間、私たち家族は、米国入国の保証人になってくれた親戚の家に滞在し、その後、ニューヨーク市の北部地域ウェスト・ブロンクスに落ち着いた。私は学校に通い、普通の生活に戻った。

思春期、私は社会や政治について考えるようになった。

一九四五年八月六日、米国は広島に原子爆弾を落とした。その惨状を聞いて愕然《がくぜん》とし、私はお祭り騒ぎ

*10 浅間丸。

に参加することを拒んだ。私のこの態度に、私たち家族が米国に到着した当初世話になった伯母は驚き、彼女への侮辱と裏切りだと私を責めた。太平洋のどこかで米軍兵士として戦っている彼女の息子のことを私が思いやっていないと言う。伯母は、原爆投下で戦争が終われば、息子が家に戻ってくると信じていた。三日後、さらにもう一つ、長崎に原爆が落とされ日本は降伏した。

一九四九年、私は結婚して子どもを二人もった。一九六九年、私たち一家は、米国のベトナム戦争への軍事介入に反対しカナダのトロントに移住した。一九五五年から今日に至るまで、私は「イースタン・コーオペラティブ・レクリエーション・スクール」[*11]のメンバーで、各種芸術・手工芸・演劇・ゲーム・グループ教育・リーダーシップなどを成人に教えている。

ハリナ・カントーさん
1941年3月、カウナスの学校で生徒たちから贈ってもらったアルバムを見ながら
トロント　2018年5月（筆者 撮影）

*11　The Eastern Cooperative Recreation School. 1940年、米国東部地方で創設された非営利団体。

「ナチスが来る前に」ある家族の一風変わった放浪談　アルトウル・レルメル

*アルトウル・レルメルは、一九三九年九月五日にリトアニアで得た安導券を、一九九〇年代、モントリオール・ホロコースト博物館へ寄贈した。その際、レルメル家が第二次世界大戦中に経験した逃亡談を添えた。それは、同九〇年代にアルトウルが手書きしたものを、孫娘コリーナ・ハナー・クラウレイが文法など最小限の編集を施しながらタイプ打ちしたものだった。

本書で紹介するのは、タイプ打ちされた逃亡談を、アルトウルの娘ジュディス・レルメル・クラウレイと本書筆者が、当時の世界情勢と地図を参照しながら再編集し、日本語訳したものである。

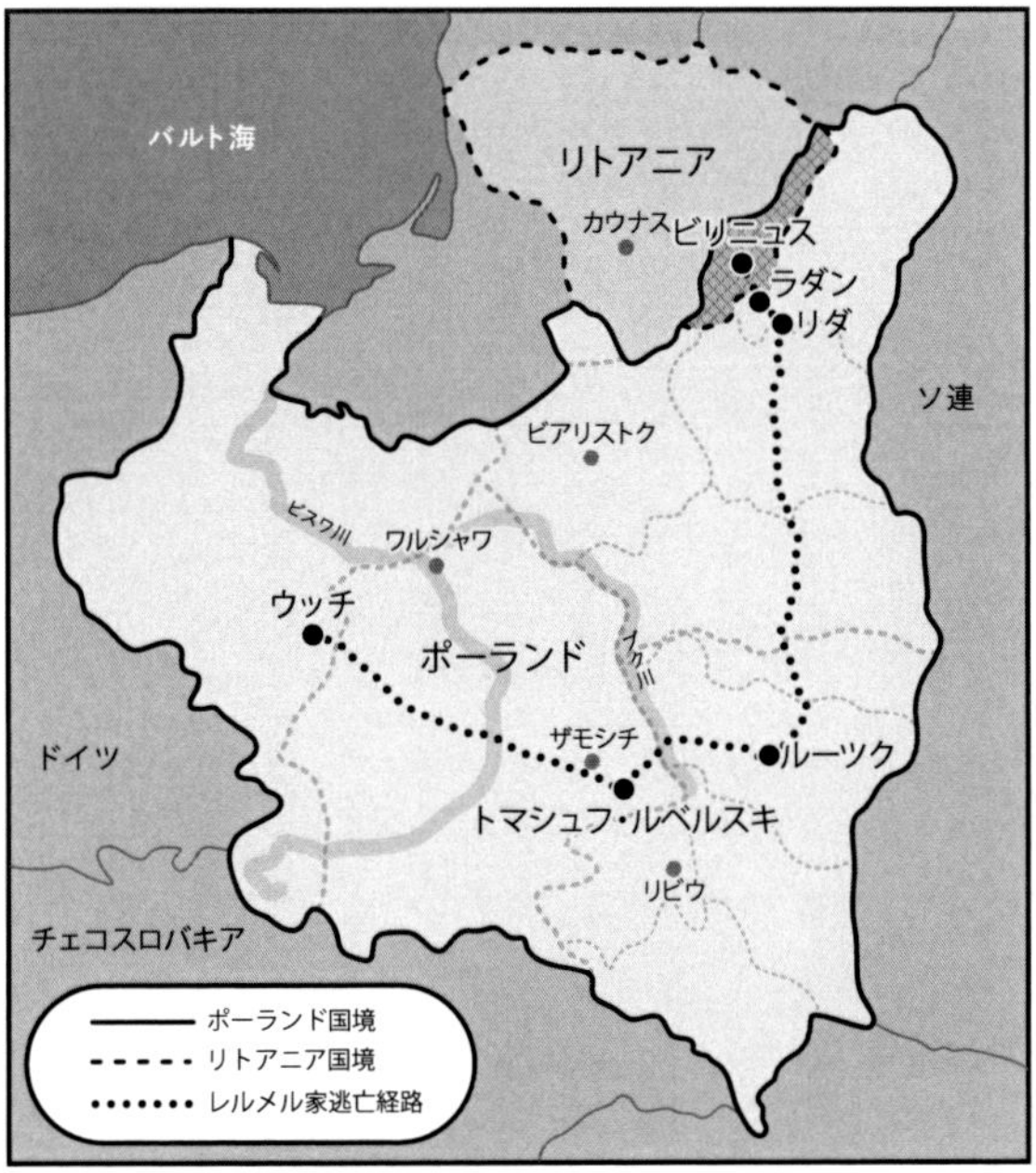

レルメル家のウッチからビリニュスまでの逃亡経路

ウッチから逃亡

この逃亡談は、第二次世界大戦勃発前夜の一九三九年八月三一日から、四一年五月中旬までのことである。この間、私と私の家族はポーランドのウッチから脱出し、カナダのバンクーバーに到着した。「一風変わった放浪談」としたのは、この家族の初めての子どもが逃亡途中の三九年一〇月一八日、ルーックで誕生したからだ。そこはすでにソ連占領下だった。

私は戦争が始まるかなり以前から、西からのナチスによる攻撃を予想して、妻マニャにポーランド東部へ移動することを説得しようとしていた。マニャは妊娠中だった。私は市会議員だったので町に残らねばならない。そこで、まずはマニャと一緒に町を出て、後で戻ってこようと考えた。マニャと彼女に付き添う妹ゾシアは、事態が落ち着くまで東部地方にとどまっていればよいわけだ。

一九一四年、第一次世界大戦開始から数カ月後に生まれたマニャは、戦中でも自宅にいて難を逃れることは可能という幻想を抱いていた。しかし、私や他の人々は今回は不可能と予想した。マニャは彼女の両親を味方につけ、私の東部移動案を拒んでいた。それが一転したのは、ドイツ軍によるポーランド侵攻開始前日のことだ。

この日、彼女が働いていた事務所では、隣のポーランド軍地方司令部の不穏な雰囲気に、上を下への大騒ぎとなった。ついにマニャは、夜の最終列車でただちに町を出ることを決心した。

この出発からさかのぼる数週間前、私はポーランド中央部にある一六世紀の貴族ザマイスキ卿の美しい町ザモシチで講演を行った。戦争の間、マニャの滞在にうってつけの場所のように思えた。

我々三人がウッチから列車に乗り込み、ザモシチに向かう列車に乗り換えるデンブリンの駅に着いた時のことだ。ドイツ軍からの大爆撃に見舞われた。第二次世界大戦の始まりだった。私はウッチには戻らず、そのままマニャとゾシアと一緒にいることにして、三人で最初の目的地ザモシチへと旅を続けた。ほどなくして、ザモシチが集中砲撃の最前線にあることが分かった。この町で講演した時に知り合った友人たちは、ドイツが反ユダヤ感情をあおる宣伝をしているので危険だと警告してくれた。ドイツ軍がまき散らしているちらしによれば、ポーランド政府が同国銀行保有のゴールドを、古い劇場の地下に隠したので、その報復に町が攻撃されるということだ。

ザモシチの友人たちは町を出ようとしなかった。家があるし、何か起こっても何とかなるだろうと言う。私の家族に関しては失うものなどないので、すぐにでもこの町を離れようということになった。急ぎ、近くの町トマシュフ・ルベルスキへ向かう最終バスに乗った。電話で、その町にある薬局の上の貸家を押さえていたからだ。その時点では、のんきなことに、特定の場所だけが攻撃されるものと考えていた。しかし、安全だと思われたトマシュフ・ルベルスキさえも、ナチスから逃れることはできないと分かってきた。

この町はワルシャワとリビウを結ぶ幹線上にある。かなりの爆撃を受けそうだ。そこで、我々の乗ったバスが町の市場に着くと、予定していた貸家には向かわず、もっと安全と思える場所へ行こうと、目の前にやって来たバスにとりあえず乗った。すると、近くのティシェビッツという名のシュテットル*[12]のことがひらめいた。そこには、私の学生時代の友人イエヘル・ステンの家族が住んでいた。ヤクブ・ジッパー、ショレム・ステルヌなど他にもいた。しかし彼らはもうそこには住んでおらず、カナダに移住していた。だが、これら

*12 黒川知文「東欧ユダヤ社会の研究—シュテットルの形成と構造」、一橋論叢、89(6)、875-893、1983-06-01、875頁。http://doi.org/10.15057/12935
シュテットル(shtetl)とは、イディッシュ語で「小さな町」のこと。東欧ユダヤ人が形成した独自の共同体。

一目置かれていた家族らを知っていたことで、ティシェビッツの人々は我々を歓迎してくれ家に入れてくれた。

それからほんの数日後、一時は落ち着く予定にしていたトマシュフ・ルベルスキの上空に猛烈な火の粉があがっているのを見た。薬局の上の貸家は焼け落ちたに違いない。ティシェビッツに来たことは正しかった。ところが仰天したことに、ある日、家の女将《おかみ》が教会から帰ってくるや、ユダヤ人に部屋を貸せば命に関わると司祭が警告したと言う。*13 マニャの出産を控え、すっかり準備してここに落ち着くことにしていたのだが、再び移動しなければならない。

今度は、安心して長期に滞在できる場所を焦らずに見極めようということになった。ブク川がドイツとソ連の侵攻の境目になるように思われた。つまり、この川を渡れば、いずれ西からやって来るナチスから逃れるチャンスが大きくなるわけだ。だが問題は、妊娠八カ月のマニャがどうやって川を渡るかだ。交通手段がない。

馬車を雇おうと、あちこちあたってみたが無駄だった。集中砲撃がますます激しくなる中で、誰も引き受けようとしない。しかし、「意志あるところに道あり」。必死になって探せば、危険をものともせず引き受けてくれる御者が現れるに違いない。

それは実現した。ある御者のおかげで、死に物狂いの一晩の果て、我々はブク川の反対側にたどり着いた。その日、一九三九年九月一七日、ソ連軍はブグ川に向かって侵攻開始。数日後、川の東岸に到達した。

さて、我々は早急に解決せねばならない問題に直面した。どこに落ち着くかだ。すると突然、オズデュティチャという名の小さなシュテットルに思い当たった。あまりに小さな村なので地図にも載っていない。しかし、この村は、ビリニュス、すなわち「リトアニアのエルサレム」では知られていた。村の若者の多くが、ビリニュスにある高校かイディッシュ語教師養成学校で勉強していたからだ。その中でもとりわけ勉強熱心な学生が私の友人だった。

それは一九二四年から二九年までの五年間、私がビリニュスのイディッシュ語教師養成学校で勉強していた時のことだ。彼はレイブル・テンツァーという名前だった。イディッシュ語使用の格式高い高等教育学校で抜群に優秀な学生で、外国の大学を目指す最有力候補とうわさされていた。

当時、ポーランドの大学ではイディッシュ語使用の高校の卒業資格を認めていなかった。これらの高校の教育レベルが非常に高かったにもかかわらずだ。

皆が驚いたことに、レイブルは故郷に戻ってしまった。彼の両親が、一人息子を待っていたからだ。高齢の両親はそこそこ裕福で、余生を静かに暮らすことにしていた。親孝行なレイブルは、前途有望な学問追求の道をなげうって、病弱な父親のそばにいることにしたのだ。

レイブルのいるシュテットルに向かおうという我々の考えは、彼が学校を卒業し故郷に戻ってから一〇年ほど経った頃のことになる。一九三九年九月、ヨム・キプル[*14]の厳粛な日にテンツァー家に着いたことは幸いだった。我々は温かく迎えてもらえた。医学的にも厳しい状況に置かれていた妊娠九カ月のマニャだったが、テンツァー家で活力と快活さを取り戻した。その一方、不安といえば、この小さな村には病院などなく、医者も助産婦もいない。そこで我々は再び旅立つことになり、最寄りの郡の中心地ルーックに

*13　黒川、前掲論文、883頁。ティシェビィツのシュテットルのまわりには、「ウクライナ人とポーランド人の家屋が囲んでいた。彼らは彼らの教会―ウクライナ正教会、ポーランドカトリック教会―を中心にして集落を形成していた。異なる人種、宗教、言葉、文化の三つの共同体が、複雑に接触していた」

*14　ユダヤ教の祭日。贖罪の日。1939年は9月23日だった。

向かうことになった。

ルーックもかなりの爆撃を受けていたが、ある私立病院がなんとかまだ機能していた。産科病棟も無事だ。問題は、石畳の道を妊娠九カ月のマニャがどうやって行くかだ。結局、マニャはある程度の道のりを徒歩で行った。幸いその間、空襲はなかった。

ここでも、ビリニュスのイディッシュ語教師養成学校時代の友人が救いの手を差し伸べてくれた。シャドニック・フォルドマンだ。彼はルーック出身で、ビリニュスではしばらくの間、私のルームメイトだった。我々がオズデュティチャのテンツァー家に世話になっていることを知った彼は、私にルーックに来るようにと連絡してきた。彼はルーックでイディッシュ語使用の学校の視学官になっていた。ポーランド語から一時的にイディッシュ語使用にしている学校があったので、私をそこの教師に就《つ》けてくれた。

こうして私はルーックに居住する許可を得て、家を借りることができた。壁が湿気で剥げ落ちるような家だが、無宿の避難民であふれる町で、雨露をしのげる場所を得ることができるのなら贅沢《ぜいたく》は言えない。

しかし、夜間外出禁止令が悩みの種だった。マニャは出産のため、いつ何時でも病院に向かわねばならない。そこで、毎日午後六時前に夜間外出届を出しておかねばならなかった。こうして待っている日数は予想していたよりずっと長くなり、数週間というもの毎日、届けを出した。

乳児連れて逃亡

「マゼルトフ」。*15 一九三九年一〇月一八日、マニャは三四〇〇グラムの男の子を出産した。大喜びの真っただ中にあるはずだった。しかし私が社会民主主義運動「ブンド」のメンバー、つまりブンディストなので、逮捕の危機にあると分かり震え上がった。近くの町では、後にスターリンによって殺されたコフル・アルテル*16が逮捕されていた。

「ブンド」の仲間うちに恐怖が広がっていた。そのこともあり、「ゾリア」と名付けた息子の誕生以来、私の家族はビリニュスへ移動したいと考えていた。ビリニュスの方がいろいろと便利だとも聞いた。行くチャンスがあるにはあった。ソ連が、リトアニアに親族がいる者に汽車で行くことを許した時だ。だが、息子が生まれた直後で無理だった。そこで、二・三週間後、まず私が一人でビリニュスに向かうことになった。

それに先立つ一〇月、ソ連はビリニュスをリトアニアに戻した。もともとリトアニアは一九一八年以来、ビリニュスを首都にしていた。しかし、ポーランドがビリニュスを占領し、ポーランド人とユダヤ人が大多数を占めるようになっていた。それが一九三九年まで続いた。

ソ連はリトアニアの独立を認めていたとはいうものの、ソ連軍がリトアニア国内にとどまっていた。結局、ソ連がリトアニアの独立を認めていたのは四〇年夏までの一時期だ。その短い期間、ビリニュスは自由の国への「希望の窓」となった。米国のユダヤ人共同配給委員会（ジョイント）が、青年グループの活動と提携して「インターナッツ」と呼ばれる共同宿泊所を設け、一万人以上もの避難民の援助を行っていた。

私は頻繁に閉鎖されるソ連占領下ポーランドの国境をくぐり抜けリトアニアに密入国しなければならな

*15　イディッシュ語で「おめでとう」の意味。
*16　ビクトル・アルテルのこと。「ブンド」のリーダーの一人。 http://www.yivoencyclopedia.org/article.aspx/Alter_Wiktor

かった。国境に近接する町リダに数日いる間、そこに住むイディッシュ語教師養成学校時代の同級生ヤンクル・カプランと連絡がとれ、彼のおかげで辺りの状況が分かってきた。私がそれまで頼った友人たちは、ブンディストあるいはシオニストだった。しかし、リダのヤンクル・カプランは学生時代からコミュニスト・グループのリーダーで、ブンディストとは対立していた。そのためカプランの家へ行くことには危険が伴った。彼のところには革命に身を投じようという若いコミュニストがたくさんいて、私のような社会主義思想をもつ者など批判するに違いない。彼らの中には高邁《こうまい》な理想に惑わされた無垢《むく》なコミュニストがたくさんいるが、スターリンが彼らの理想をどれほど裏切っているかに気付いていない。

ヤンクル・カプランとは思想的には対立していたが、私は彼が正直で誠実な人間だということをよく知っていた。カプランは、後日、マニャと赤ん坊とゾシアの三人がリダに入れるよう案内を用意し、彼の家に泊まれるよう約束してくれた。

私は一人でビリニュスに向かう間、簡単にこう考えていた。

ルーツクにとどまっている家族にはリトアニアのビザを得て、合法的にビリニュスに呼び寄せよう。

しかし数週間後、その考えは消えた。家族をビリニュスに連れてくる唯一の方法は、私が、来た時とは反対に、今度はリトアニア側からソ連占領下ポーランドとの国境を越えてルーツクに戻ることだと悟った。だが、この計画の実現には厳しいものがある。なぜなら、ルーツクに戻りたくとも、ビリニュスにいる間に私の所持金が底をついたからだ。食事と宿泊は「ジョイント」の共同宿泊所で世話になっていた。

ルーツクへ戻るには、密入国の手引きをする者たちに支払いが必要だ。そこで私は、ある女性が荷物を持って国境越えするのを手伝うことにした。重いかばんを二つ持ち、森の中を行くだけのこと。その女性の夫はコミュニストで、ドレガーという名のジャーナリストということだった。

彼女は自分の家族三人と私の料金を手引きに支払った。図らずも、国境でソ連兵に捕まったが、どうにかソ連占領下ポーランドに入り込めた。多分、我々が害もなさそうに見え、それにソ連礼賛《らいさん》のふりをしたからだろう。

こうして家族が待つルーツクに戻ったが、またもや窮地に立たされることになった。ここをどう出るかで運命が決まる。それは、私が三週間以上もルーツクを留守にしたことが原因だった。話はこうだ。

私はビリニュスへ出発する際、勤めていたイディッシュ語学校のソ連人民委員から、数日間その学校を離れる許可を得ていた。私の母がドイツ占領下のウッチから避難民となりソ連占領下との国境までたどり着き、そこで私を待っているとの連絡があったと作り話をした。すると、この人民委員は理解してくれた。

しかし、数週間にわたり私が学校を不在にしていたので、ある日、「ポリトラック」と呼ばれるソ連政治人民委員がマニャを訪ねてきて、私が逃亡を図り、ソ連の学校運営を妨害したと彼女に告げた。私にすれば、こんなことも起こるかとは予想していたが、リダからルーツクに戻る汽車の中では、一晩中、この事態をどうするかで頭がいっぱいだった。ひたすら考えた末、二つの選択肢が浮かんだ。

一つは、汽車を降り、最寄りの町で開いている郵便局を探し、そこからマニャに電話を入れ、今後の対策を話し合う。しかし、これは危険すぎる。見かけない者が長距離電話などかけていれば間違いなく疑われる。もう一つは、とにかくルーツクに戻り、学校へ行く。そして、私が逃亡したとのうわさを打ち消す。

結局、二番目の案でいくことにした。はるかに安全で、何とかなりそうに思えたからだ。この選択は今回も正しかった。翌日、私が学校に姿を現すと、心配しきっていた校長や教師たちが両手を広げて私を迎えてくれた。だが安堵《あんど》もつかの間、次なる重大決心を即刻下さねばならなかった。

要は、私と家族は何がなんでも、その日の夜にルーツクを出なければならない。そこで、校長が年配でコミュニストでもないので、こう偽った。

私はビアリストクの小学校から教師として働くことを打診され、それを引き受けるためすぐに発たねばならないと。すると校長は、私の経歴を知っているので気の毒がった。了解はしてくれたが、私の新しい職について他の教師には話さないようにと念を押された。私と同じように去っていっては困ると言う。ソ連による占領以来、多くの公立学校でポーランド語からイディッシュ語使用に変わったが、この変化に見合う教師の数が限られていたからだ。私は、決して口外しないと固く約束した。

占領されたとはいえ、社会はまだソ連体制には十分整っていなかったので、思いのほか簡単に列車に乗り込み、我々一行は再び旅の途に就いた。しかし、疑いの目を向けられぬよう、そっと立ち去ったことに変わりはなかった。

ビリニュス

マニャは出産時の慌ただしい状況が影響してか、ゾリアに母乳を与えることができないでいた。そのため、旅の途中でミルクを手に入れることが深刻な問題だった。援助を約束してくれていたリダのヤンクル・カプランの家にたどり着くと、彼は我々の到着を待ちわびていた。

カプランの家では歓待と思いやりを示され、いささか疑いの気持ちが起こったぐらいだ。ヤンクルは、我々が挑もうとしている密入国作戦がうまく運ぶようにといろいろと助けてくれた。我々四人が一緒に行動すべきではないとも忠告してくれた。この警告はもっともだ。

一九三九年も最後の月になっていた。私は数人の友人と一緒に深い森の中を歩いて国境を越えることにした。町を通過しながら移動すれば、宿の主人らから、見知らぬ者がうろついていると、民兵にたちまち通報されるからだ。一方、生後六週間のゾリアを抱いたマニャとゾシアの三人は、リトアニア国境が目の前の町ラダンまでバスで行くことになった。

先に私が一人でルーツクからビリニュスへ向かった時、途中のラダンで、後から来る家族のために宿の予約をしておいた。しかし、マニャら三人がその宿に到着するのはそう簡単ではなかった。私がビリニュスに向かった時から状況がいろいろ変わったからだ。ラダンの住人ではない者がいれば、民兵がソ連当局に通報する。そう情報を得ていたので対策を練っておいた。

三人が乗ったバスがラダンの町の市場に着くと、予想通り民兵がバスにやって来た。そして、ラダンの住人以外はソ連当局に向かうことを命じた。三人はバスの後部座席で小さくなっていたのだが、近くに座っていた良識ありそうな若い男性が、泣きぐずる赤ん坊を抱えたマニャを見て哀れにでも思ったのだろう。そのまま座っているようにと彼女にささやいた。マニャは賢明にもこの助言に従い、三人は事なきを得た。そして、私が予約しておいた宿に到着した。

ところが困ったことに、宿の女将は、民兵がラダンの全住民に対し、よそ者を見れば直ちに通報するよう命令していると言う。マニャの気持ちは押しつぶされんばかりだった。だが、ありがたいことに、私との約束を守ろうとする女将はひるんではいなかった。外に止めてある車を指差して、ソ連当局者がその宿に数日間滞在していることを教えると、すぐさまマニャら三人を近くの老夫婦の家に連れていった。なんとその夫婦は、泣く子を抱え途方に暮れている放浪者にドアを開けてくれた。外は既に暗く、赤ん坊はすぐにでもおむつを替え、ミルクが必要だった。老人は数本のろうそくに火をともしながらこう言った。

「ハヌカ*17のために用意したろうそくだが、弱っている者を助けるためなら、もっと良いことのためだ。見知らぬ人のせいで危険を背負い込むことになるかもしれないが、私たちはもう老いている。どうにでもなるがままよ」

翌日、宿の女将は、森に潜んでいた私に使者を送ってきた。意外なことにソ連当局が、ソ連占領下ポーランドとリトアニアの国境の両側で家族や親戚と離ればなれになった人々のため、一日だけ国境の自由通行を許すと言う。ソ連は占領開始の初期に、親切なところを見せようとでもしているのだろう。だがソ連からの好意など信じられものか。その証拠にとんでもないことが起こった。

私の家族と放浪を共にしているマニャの末の妹ゾシアが、局面を打開しようと、かくまってくれている老夫婦の家から外に出て行った。罠にはめられるかもしれない危険も顧みずソ連当局へ向かった勇気は尋常ではない。

この大胆な一六歳は、国境の自由通行が間違いないことを確認した。しかし、決められた時間内にマニャとゾリアを連れて国境までたどり着けそうにない。あせったゾシアは当局員に、国境警備兵に電話を入れ、三人が遅れて国境に到着しても通行を許してもらえるよう話しておいてほしいと頼んだ。そして、老夫婦の家に駆け戻ってきた。

マニャは急いで馬車を雇い、なけなしの荷物を積むと国境に向かって突っ走らせた。しかし、三人が国境に着いてみると、ソ連の言うことなどやはり当てにならないと分かっただけだった。それにソ連当局員は国境警備兵に電話など入れていない。この非常事態をどうしたものかとマニャが思い巡らしていると、突然ゾリアが泣き出した。すると、頑固だったソ連警備兵の態度が明らかに緩《ゆる》んだ。彼は国境の柵を開けるよう合図した。

ところがだ。国境の向こう側では、無慈悲で知られるリトアニア国境警備兵にたちまち馬車を止められた。そこでマニャは、緊急事態用にと私が渡しておいた数枚のリトアニア銀行券を警備兵にちらつかせた。この「袖の下」に手を付けるかどうか思案する間、警備兵はマニャらに銃を向けたままだった。結局、受理することにし銀行券の控えに名前を記入すると、彼は三人をビリニュスに向かう途中の最初のユダヤ人の家まで連れていった。

幸い馬車は何事もなくその家に着き、警備兵は銀行券と共に去っていった。そのユダヤ人一家は、不法入国者をかくまうことがいかに危険かを知りながらも、私の家族を受け入れてくれた。マニャは彼らに、野蛮なことでは有名なリトアニア警備兵が辺りにいると警告した。ともかく今回も私の予想は当たり、危機対応策は有効だった。


先にビリニュスに滞在している間、私はアロン・カツマンという人物を知った。彼は、ビリニュスのシオニスト・グループの議長でとてもよい人だった。そこで私は、ビリニュスから家族を迎えにルーツクへ戻る途中、カツマンの住むシュテットルを通ったので、彼を訪ね私の家族がリトアニアに入れば面倒を見てもらえるよう頼んでおいた。たとえ親戚でもあれほど温かく迎えてはもらえないだろう。別行動をしていた私は、ソ連占領下ポーランドからリトアニアに入るやカツマンの家を目指し三人と再会した。

次なる課題は、我々四人がカツマンの家からビリニュスまで、目立たぬようどうやって行くかだ。情け

*17　ユダヤ教の行事。ユダヤ暦9月（グレゴリオ暦12月）に行う8日間の祝い。八枝の燭台のろうそくを毎晩一つずつともしていく。

容赦ないリトアニア警官の目から逃れて行動しなければならない。そこで、夜明けとともにやってきたバスに乗り込んだ。ビリニュスに着くと、例のごとくイディッシュ語教師養成学校時代の友人の家に飛び込んだ。貸家が見つかるまでその家にとどまることになった。

赤ん坊のゾリアが命も危ぶまれるぐらい衰弱してきていたので、マニャはコバルスキという有名な小児科医を訪ねた。この医師を知ったのは、私が一九二四年から二九年までビリニュスのイディッシュ語教師養成学校で勉強していた時のことだ。彼の家に着くと、親切な家政婦が、ゾリアを抱いたマニャを家に入れてくれ、コバルスキ先生が夕方戻ってくるまでそこで待たせてくれた。

その間、ゾシアと私は貸家を探し回っていた。ビリニュスでは避難民の急増で、空いている部屋を見つける難しさは一通りではない。状況の厳しさが分かり、私はイディッシュ語教師養成学校時代の別の友人が申し出てくれた一部屋のアパートを心ならずも借りることにした。ここに住んでいた彼と夫人は、数日の間、彼らの両親の家を泊まり歩くことになった。

コバルスキ先生は人格者のうえ優秀な医師だった。死に瀕《ひん》していた息子の命を文字通り救ってくれた。先生はユダヤ系病院の院長で、避難民の母親と小児の治療のための特別病棟を院内に作っていた。マニャとゾリアは、すぐさま先生の自宅から病院へ行くことになった。この迅速な対応はまさに天からの助け。数日後、ゾリアは回復し、我々に安堵と希望が戻った。

私といえば、病院への訪問は短時間で切り上げ、作家・教師・社会活動家らが集まる居心地のよい場所にいた。米国のユダヤ人共同配給委員会（ジョイント）は、この場所に出入りする人に仕事を与え、収入を得る手立てを講じてくれている。

「リトアニアのエルサレム」と称されていたビリニュスには、先進的で優れた教育機関のみならず、充実した社会的援助機関があった。その一つは、TOZ（ポーランド語、Towarzystwo Ochrony Zdrowia の略）と呼ばれるポーランドの有名な健康支援団体で、当時の目標は、ビリニュスのおよそ一万人の避難民の感染症予防だった。

TOZは、無料の「手洗い洗濯施設」の開設を決めた。しかし、運営を引き受ける者がいない。避難民とはいえ、皆けっこう気の利いた生活支援を得ていたので、やっかいそうな計画を引き受ける気持ちにならないからだ。私も、大規模な洗濯施設を設置し運営する事業には多くの面倒を伴うことは分かっていた。しかし、あえて取り組むことにした。動機は、避難民である私の家族が最大限好ましい暮らしができるよう諸条件を確保しておきたかったからだ。

前途は多難だった。元は缶詰工場だった施設を借り、巨大なボイラーと辺りに付着している

避難民のための洗濯施設にて アルトウル・レルメル（右端）と従業員
ビリニュス 1940年（Montreal Holocaust Museum, Courtesy of Judith Lermer Crawley）

洗濯ものを手洗いする従業員
(Montreal Holocaust Museum, Courtesy of Judith Lermer Crawley)

洗濯施設で働く従業員
(Montreal Holocaust Museum, Courtesy of Judith Lermer Crawley)

アイロンかけをする従業員
(Montreal Holocaust Museum, Courtesy of Judith Lermer Crawley)

油を掃除。一〇〇人の洗濯婦を雇わねばならない。一九四〇年一月は、とりわけ寒さの厳しかった冬で、毎朝、準備のため夜明けとともに起きて出かけた私は、霜焼けで鼻をほとんど失いかけたほどだ。

洗濯施設はどうにか開業にこぎつけた。事務や作業の煩雑さ、避難民らの貴重な衣類をなくさないようにとの心配もあったが、そのうちに、我々の仕事が伝染病の予防に大いに役立っているという喜びを味わうようになった。数カ月後、「ジョイント」のメンバーが視察にやってきた。彼らは我々の事業を讃《たた》え、カウナスから新しい洗濯機を購入するための資金援助を約束してくれた。

ところが、この栄光はソ連によるリトアニア全土掌握《しょうあく》であっけなく消えた。全ての社会事業施設がただちに閉鎖させられたからだ。米国からの助成金も泡沫《ほうまつ》となった。我々の施設では、わずかながらでも避難民への援助を続けるため、ソ連赤軍の軍服や汚れた下着の洗濯に働かされることになった。しかし、赤軍からの上がりがあまりに少ないので、我々は施設の閉鎖を考えるようになった。

ビザ受給

ソ連の影響から逃れることが危急の課題となった。しかし、避難民の多くが、南北アメリカの国々など最終目的地へのビザも、ソ連出国許可も手にすることができないでいた。気掛かりでしょうがない避難民たちの目は極東へ向く。しかし、逃げ出そうという意気は消沈していくばかりだった。

ある時から、コミュニストの傀儡《かいらい》となったリトアニア政府が、ある程度の数の避難民を去りたいがままにさせる合意をソ連から取り付けたとのうわさが流れ始めた。避難民の大多数がポーランド語を話し、そのようなポーランド化を除去するためということ。しかし、ソ連併合下リトアニアを出るには、最終目的国からのビザか、そこへ到達するため通過する国々のビザをGPU[*18]に見せねばならない。それが可能な者はほとんどいなかった。そこへ奇跡のようなことが起こった。

オランダ名誉領事が、カリブ海に浮かぶ蘭領キュラソー島へは入国ビザが必要ない旨のスタンプをパスポートに押してくれる。つまり、我々は島に上陸できる。実は、戦前は確かにそうだった。しかし第二次世界大戦勃発後はそうではなくなっていた。名誉領事は以前の法規を基に、我々に逃亡のチャンスを作ってくれたのだ。

一方、リトアニアに避難しているブンディストの仲間うちでは米国の「ユダヤ人労働委員会」(JLCA)[*19]から情報を得ていた。

JLCAは、一九三〇年代、ナチズムと闘うため設立され、「ワークメンズ・サークル」[*20]とユダヤ系の各種労働組合のメンバーで構成されていた。彼らは、国務長官コーデル・ハルに働き掛け、米国政府から戦中のみ有効な入国ビザを発給してもらえるよう交渉した。「アメリカ労働総同盟」会長ウィリアム・グリーンが交渉のための代表団を率いていた。結果、ブンディストのみならず、シオニスト・作家・ユダヤ教司祭・ジャーナリストなど他の活動家も含め米国ビザを受給できることになった。

その受給候補者リストが数回に分けて送られてきた。私の家族は三回目のリストに載っていた。しかし、その頃にはリトアニアの米国領事館はソ連からの命令で既に閉館。一方、米国に向かうには、モスクワを経由するしか選択肢がなくなっていた。だが、モスクワに向かおうにも米国入国ビザがなければソ連領リトアニアからの出国ビザは申請できない。そこで、キュラソー島上陸が一縷《る》の望みとなった。ところが、オランダ領事館もソ連からの命令で既に閉館していた。なんとかならないものかと、日本領事のスギハラのところに駆け込んだ。すると彼は、オランダ領事の「キュラソー・ビザ」発給と同じ方法で、日本通過ビザを発給してくれた。

スギハラは、約三〇〇〇のビザを発給した。危険と知りながらも、人間味あふれる判断をしてくれたスギハラに、深い感謝でいっぱいである。スギハラはこのビザ発給が原因で日本政府と難しい関係になったことを後で知った。

我々が去って間もなく、ナチス・ドイツがリトアニアに侵攻してきた。

さて次は、GPU*21に出向きソ連出国許可書を得なければならない。なんとも不快で、やっかいな体験だった。まず、ビリニュスからカウナスまで行き、何時間も並ばねばならない。そこへ情報が入ってきた。GPUが、米国のスパイと疑わしき人物を逮捕しているということだ。実際、スパイが捕まったこともあった。ブンディストだったワルシャワ出身のピルジッツ博士は、疑いをかけられ動転した揚げ句逃亡したが、間もなく自ら命を絶った。

ソ連当局を相手にするということは、熟慮と注意、そして機転を要する試練だ。考えただけでも、不安と緊張で胸苦しくなる。しかし、ここをどう切り抜けるか。運命の分かれ道。

*18 ソ連国家政治保安部。https://www.weblio.jp/content/ 国家政治保安部。1940年当時はNKVD（ソ連内務人民委員部）。https://www.weblio.jp/content/ 内務人民委員部
*19 The Jewish Labour Committee in America.
*20 The Workmen's Circle.
*21 NKVD。

そこで私は一芝居打つことにした。ぼろを着て、ソ連にとって必要のない愚か者のふりを最大限に演じた。その結果、ソ連出国ビザのスタンプが押された安導券を手に、じめじめと陰鬱《いんうつ》なソ連当局から出た時の晴れやかな気分とは。抑えきれない気分の高揚に、すぐさまビリニュスにいる妻にこのニュースを知らせた。しかし興奮もつかの間、マニャはGPUが私を捜して洗濯施設に現れたと言う。

私がしばらく不在だったので、洗濯施設の運営はうまくいってなかった。その上、「隠れコミュニスト」の従業員が、私は既にビリニュスから逃亡したとのうわさを流していた。疲労困憊《こんぱい》の頭で、またもや重大決心を下さねばならない。ビリニュスに戻るべきか。それとも家族をカウナスに呼んで、一緒にモスクワへ向かうか。じっと考える。そして、いつものようにあえて危険を顧みず、ビリニュスに戻ることにした。その間、マニャらは、私の到着と同時にモスクワ行きの汽車に乗車できるよう準備をしていた。

敦賀到着

モスクワからシベリア鉄道に乗りウラジオストクに着いたのはよいが、日本の敦賀へ渡る船に乗るため二週間も足止めされていた。そこへ、友人のゼルマン・ベイランド*[22]も、めでたくウラジオストクに到着してきた。彼は着くなり私を捜しあて、貨物船でも何でもよいから、すぐにでも敦賀行きの船に乗るようにとまくし立てた。ソ連当局がブンディストを手配していると言う。幸い、翌朝出港する便があった。ようやく我々は、スターリンの野蛮極まりないソ連領を後にすることになった。

孤立感はなかった。避難民は一様に、信じがたいほど意地の悪いソ連国境警備員と対峙《たいじ》する間、団結心と同志愛を育んでいた。それでも、船がウラジオストク港を離れてしばらくの間は、船中に沈黙が広がっていた。ソ連のスパイが潜んでいるかもしれないからだ。

沈黙が破られたのはソ連領海を越えてからだ。[*23]ソ連領の波が視界から消え去ると、大きな安堵のため息がデッキにこだました。あの興奮と開放感。一生忘れない。

ウラジオストクから敦賀港までの短い船旅が終わると、次なる目的地は神戸だった。

振り返ってみると、日本語を全く知らない我々には、ビザにある小さな文字など読めもしない。ウラジオストクからの船上では、これから必要となる英語の勉強に懸命に取り組んでいた。ところが日本の港では、青天のへきれきが待っていた。

入国審査官が、日本通過ビザは最終目的地である米国ビザの提示があって初めて有効だと言う。もちろん誰も持っていない。モスクワで、すったもんだしたが米国ビザは結局得られなかった。[*24]こうなると、キュラソー島上陸伝説が頼みの綱だ。しかしながら、第二次世界大戦の開戦以来、同島上陸に関する方針が変わったことを日本も知っていた。そこで、有効なビザを見せろというわけだ。

「キュラソー・ビザ」が無効となり、即刻シベリア送還となるはずだった。だが、敦賀で船荷を降ろすため出港が三日延びた。皆、おびえ希望を失っていた。

---

*22 「杉原リスト」1763番。

*23 *Flight and Rescue*, United States Holocaust Memorial Museum, 2001, p.97. ウラジオストクから避難民を乗せた日本船は、ソ連領海を航行中は、船上で赤い旗を掲げていた。その間、NKVDを乗せた船がついてきていた。ソ連領海を越えると、赤い旗は下げられ、一方、NKVDの船はウラジオストクへ引き返した。

*24 レルメル家は、米国からのビザ受給許可をカウナスで知った。しかし同地の米国公館は既に閉館していたため、ビザは入手できなかった。そこで、モスクワの米国公館で取得することを期待していたが、やはり受給できなかった。理由は不明。

船長が警察署長に相談したので、船がソ連に引き返す準備ができるまで我々は体育館に収容されることになった。半ば拘置《こうち》のような状態だが、同時にほのかな希望の炎が脳裏に揺れた。いったん上陸すれば、何とかなるかもしれない。

幸い、署長は我々の上陸をにこやかに迎えてくれた。神戸近くにある「ユダヤ避難民救済委員会」が、我々の敦賀到着と、助けを求めていることを知ったと伝えてくれる。救援はすぐさまマットレス*25と食料の形でやってきた。

翌日、委員会からの人が敦賀に現れ、我々の立場が好転したと告げる。ポーランド大使館からの口添えに加え、委員会が保証人になること、パレスチナ入国許可書の取得もあり得ることに日本側は好感をもったと言う。

一人当たり六〇ドルが支払われ、最長二週間の滞在を条件に、我々は委員らの手に委ねられた。

日本滞在

支払いに関する心配はなかった。JLCAからの援助があったからだ。しかし二週間が過ぎた時点で、米国が我々のビザ発給を拒否していることを知った。目の前が真っ暗になる。ところが意外なことに、日本の入国管理局はこの苦境を理解してくれ、滞在をさらに二週間延長してくれた。一人当たり六〇ドルの支払いも免除してくれた。

神戸では「ユダヤ避難民救済委員会」が救援物資や宿泊場所を提供していて、多くの避難民が滞在していた。しかし私と家族は、東京に行って米国ビザを得ようと気持ちがせいた。

驚いたことに、東京の有数のホテルが、日中戦争の間でも政府からの料金基準に従っていた。宿泊料は

*25 敷布団。

アルトウルとゾリア 東京 1941 年
(ジュディス・レルメル・クラウレイ 提供)

マニャとゾリア 東京 1940 年
(ジュディス・レルメル・クラウレイ 提供)

ゾリアと日本人 東京 1941年
(ジュディス・レルメル・クラウレイ 提供)

さほど高くなく、我々は数カ月間ホテル暮らしをした。丘の坂道の途中にあり、神社に隣接する「サンノ・ホテル」[*26]という由緒ある美しいホテルだった。ここへもJLCAのメンバーがやってきて、部屋の支払いをしてくれ、生活費を置いていってくれた。

さっそく米国大使館を訪れた。しかし、国務長官コーデル・ハルからの推薦にもかかわらず、領事はビザを発給しようとしない。ワシントンからの特別な指示がなければ出せないと言う。そこで、その指示が出たかどうかの確認に連日のように大使館詣でをした。

日本の入国管理局の寛大さは見上げたものだった。しかし、さすがに滞在六カ月目も後半に向かう頃になると、延長はもうできないと告げられた。

この侘《わび》しい通告から数日後、警察からという人がホテルにやってきた。我々の書類をつぶさに調べた後、彼にドイツ語を教えることができるかと聞く。我々のうち何人かはけっこうドイツ語ができた。ここはチャンスとばかりに、追い込まれている我々の状況を説明した。すると彼はためらいもなく、翌日彼をオフィスに訪ねればビザを延長してくれると言う。だが、半信半疑だった。しかしながら全くありがたいことに、彼は本当にビザを延長してくれた。おかげで、もうしばらくいることができた。結局、私と家族の日本滞在は七カ月近くに及んだ。[*27]

スギハラ・コツジ・日本人

日本人からは、いろいろとよくしてもらった。パンはほとんど出回っていないにもかかわらず、避難民に十分な量を焼くためにとパン工場には特別な配給が出ていた。卵も、他の食品と同様、配給制だったが、食料品店の女性店主は赤ん坊のためにとマニャに毎日一個与えてくれた。冷酷な軍隊に比べ、一般の日本人からは多大な親切を受けた。
少なからぬ人々が、戦争が始まる前に日本を出た方がよいと忠告してくれた。日本人の多くが我々に心から同情してくれた。とりわけ、カウナスでビザを発給してくれたスギハラのことは、ヒーローとして我々の記憶にとどまるだろう。

日本での長期滞在中、ドイツによるユダヤ系避難民排斥のプロパガンダは激しくなっていった。そこへ東京の大学のユダヤ文化の教授*28が、我々に救いの手を差し伸べてくれた。彼は、調査委員会が神戸の「ユダヤ避難民救済委員会」を調べた際に大貢献してくれた。*29

避難民救済委員会は、ナチからのありとあらゆるほのめかしを頑《がん》として聞き入れていなかったので、我々は調査の結果がどうなることかと不安だった。ところが救済委員会の活動が引き続き可能になったと聞き、一同大いに安堵した。この結果に至るには、コッジ教授がいろいろと手を尽くしてくれたことを後で知った。彼は、危険と知りながらも公然と、ユダヤ人と「失われた十支族」についての彼の考えを説いていた。

*26 山王ホテル。
*27 レルメル家の敦賀到着は1940年10月17日。日本出国は41年5月6日。日本滞在は202日。
*28 小辻節三のこと。
*29 山田純大『命のビザを繋いだ男―小辻節三とユダヤ難民』NHK出版、2013年、109~113頁。1941年5月、海軍省の将校がユダヤ系避難民代表を尋問した出来事。小辻は、両者の間で通訳を務めた。

後年彼はユダヤ教に改宗し、アメリカの大学の教授になった。*30

一九六〇年代初頭、彼はモントリオールを訪れ、ビーユ・サンローラン市にあるベス・オラ・シナゴーグに招かれた。私は、彼をサー・ジョージ・ウイリアムズ大学（現・コンコルディア大学）に案内した。聖人のような人と言っても過言ではない。彼との千載一遇《せんざいいちぐう》の出会いを私は決して忘れない。彼はスギハラと共に崇敬されるべきだ。残念ながらコツジはモントリオール訪問後まもなく、イスラエルで亡くなったというニュースが伝わってきた。*31

カナダ入国ビザ受給

ある日、米国大使館の領事が、コーデル・ハルからビザ受給の承認を得た者たちに対し、略歴の提出を求めてきた。何かよい事の前触れかと思ったが、ワシントンからは相変わらず音沙汰がない。そのまま数カ月が過ぎた。そうこうしているうちに、日本政府がポーランド系避難民全員を上海に送り、そこにゲットーを作るといううわさが広がった。この差し迫った上海行き回避のため、目の色変えて他の渡航先を探し回っていると、突然、暗闇に一条の光が差した。

東京のポーランド大使館が、一千のカナダ入国ビザを確保した。*32 ポーランド亡命政府のシコルスキ首相がカナダのマッケンジー・キング首相から確約を得たというものだ。もちろん多くの受給候補者がいた。その中で私の家族は優遇されたようだ。多分、小さな子どもがいたことと、東京に長い間滞在していたからであろう。

このビザを使うにあたってはいくつか厄介なことがあった。最も悩ましかったのは、船会社からの想定外の条件だった。船会社は、我々のカナダ到着時、何らかの理由でビザが受け入れられない場合、日本へ引き返すための船賃を我々が持っていることをカナダに約さねばならない。従って我々はその船賃があることを船会社に見せねばならない。

船の出帆を翌日に控え呆然《ぼうぜん》とした。ニューヨークの支援者らと相談する時間もない。ついに日本から出るチャンス。逃せない。この時、デイビッド・ゴルドバルグという名の避難民が、ロンドンにもっている彼の資産を私の家族の保証金にと申し出てくれた。おかげで、我々の出発が可能となった。

---

*30 山田、前掲書、163~166頁、173~176頁。小辻は1927年~31年、米国に留学。この間、博士号の取得に向け勉強。31年、卒業論文を完成した。小辻がユダヤ教に改宗したのは1959年9月。ゾラフ・バルハフティク 著／滝川義人 訳『日本に来たユダヤ難民―ヒトラーの魔手を逃れて／約束の地への長い旅』原書房、2014年、158頁。小辻はイスラエルで改宗後「日本へもどり、しばらくしてアメリカ系の大学の聖書講師となった」

*31 山田、同、171頁、193~195頁。小辻が没したのは1973年10月、神奈川県鎌倉市。イスラエルで埋葬された。

*32 Irving Abella and Harold Troper, *None Is Too Many: Canada and the Jews of Europe 1933-1948*, University of Toronto Press, 2012, pp. 80-95.

1000のカナダ入国ビザを確保したのはポーランド亡命政府。しかし、それら全てが日本にいたポーランド系避難民のために使われたのではなかった。カナダ政府は、1000内で、日本やポルトガルで立ち往生していたポーランド系避難民へビザを割り当てるとした。

1942年、神戸ユダヤ協会がまとめた同40年7月から41年11月までに日本からカナダへ渡ってきたポーランド系避難民の数は186人となっている。カナダ政府がこの割り当てビザに関する方針決定と施行時期が41年4月以降であったこと、また、日本郵船の北米線が同年8月中旬以降（往航は7月中旬以降）は運休したことを考えると、1000とは言え、この割り当てビザで日本からカナダへ渡ったポーランド系避難民の数は多くはなかったと考えられる。この割り当てビザ受給者の中には、本書で紹介したユゼフ・ロダルと仲間9人のように、日本を経て、日米開戦前の41年11月、上海からカナダへ入国した神学校関係者がいる。（本書198頁）

ゾシア

マニャの勇敢な妹ゾシアはどうなったかだが、実は彼女は我々の友人*[33]の娘として米国ビザを得て、ビリニュスからは別行動となった。

我々家族三人が乗った汽車がモスクワからウラジオストクに向け動き始めた時、ゾシアと再び会えるかどうかと思うと胸が詰まった。

数カ月後、ゾシアも日本に到着し、数週間、私たちと一緒だった。しかし再び別れがやってきた。私の家族が米国ビザをなかなか得られないでいる一方、同ビザを持つゾシアは日本を発った。

ついにカナダ到着

かくして、快適な「ヒエイ・マル」*[34]の船客となった。JLCAは、財源上極めて厳しい状況にありながらも、我々の乗船料を支払ってくれた。九日間の船旅で、英語の勉強にはたっぷり時間があった。おかげで、カナダに

日枝丸船上のレルメル一家　1941年5月（ジュディス・レルメル・クラウレイ 提供）

着く頃には簡単な会話はできるようになっていた。

一九四一年五月中旬、ついにバンクーバーに着いた。疲れた我々の顔が安堵でほころぶ。地球一周にも近い放浪の旅が終わろうとしていた。バンクーバーの港は、カナダの西の入り口。夢にまで見た「シャングリラ」。

ところが、またもや仰天させられた。カナダ入国管理局が、我々のビザが合法にもかかわらず認めようとしないのだ。この事態に大いに落胆し途方に暮れた。幸い、バンクーバーのユダヤ人コミュニティーの保護下ということで、ひとまず下船が許された。

打ちひしがれた我々の気持ちを慰めたのは、美しい街・見晴らす山並み・目の前に広がる海。二週間ほどのホテル滞在中に、我々のビザ問題はオタワのカナダ政府との間で解決された。

後年、アービング・アベラとハロルド・トローパーの共著『None Is Too Many』が出版され、マッケンジー・キング首相の在任中、カナダで反ユダヤ主義が深く根付いていたこと、そしてユダヤ人である私と家族が

バンクーバーの街中を散歩するレルメル一家 1941年
（ジュディス・レルメル・クラウレイ 提供）

*33 ラファル・フェデルマンと妻ハナ。「杉原リスト」2000・1999番。（本書50頁）

*34 日枝丸。

再会した3姉妹
(左から) ゾシア マニャ アニャ
ケベックシティ 1948年
(ジュディス・レルメル・クラウレイ 提供)

アニャは、マニャ(長女) とゾシア(5女) を含めた5人姉妹の4女。アウシュビッツ強制収容所で生き延びた。

カナダに入国できたのはいかに運がよかったかを知った。

我々がカナダに到着した一九四一年五月の後、日本は同盟国ドイツによる反ユダヤ喧伝《けんでん》の言いなりとなり、残っていたユダヤ系避難民を上海に送り、ゲットーを作って収容した。

私の一家のカナダ入国には、それまで何度か同じようなことがあったが、現地のユダヤ人コミュニティーからの助けがあった。バンクーバーのユダヤ人コミュニティーはまだ小さかったが、我々を温かく迎えてくれた。おかげで我々は人生の次なる章をスタートする希望を取り戻した。

ニューヨークに落ち着いた親愛なるゾシアとも連絡をとり始めた。少しでもゾシアの近くにいようと、トロントに落ち着くことにした。ちょうどJLCAの指導者が、私をトロントでイディッシュ語教師に推薦してくれたこともある。

一九四一年五月中旬のことで、世界大恐慌の影響がまだ尾を引いていたにもかかわらず、す

アルトウルとマニャ
モントリオール 1985年（© ジュディス・レルメル・クラウレイ）

ぐに職に就けることはありがたかった。カナダ入国に関しての問題が解決されると、我々は広大な国土を汽車で横切りトロントに向かった。カナダに来た新移民にとって、まずはこの国の壮大な空間にじっくり浸るのは何とよいことだろう。

私の家族は、逃亡の間、数々の僥倖《ぎょうこう》に恵まれた。一方、何百万もの同胞がゲットーや強制収容所で苦しめられ殺害されたことを決して忘れてはならない。これからもユダヤ人にとって、またどのような自由な社会でも、同じようなことが繰り返される可能性があることを十分に認識しておかねばならない。

カナダは我々に多くの機会を与えてくれた。それに応えるべく我々も一生懸命に励んだ。これからもそうだ。多くの出来事があったが、カナダでの極めて建設的な五〇年に及ぶ歳月は、心からの感謝で満ちている。

エピローグ

取材を振り返って
時空を超え一緒に目指した東の方角

二〇一二年、バンクーバーに住む「杉原ビザ」受給者家族とのビデオ制作の後、思ったことがある。「次はこれを書くこと」。私にとって本来の仕事だ。

ビデオ制作をきっかけに、「杉原ビザ」受給者の情報が寄せられるようになった。その後、バンクーバーを越えての取材が始まった。

取材中、ビザ受給者と直接つながりのある家族ならではの思い出話を聞くことができた。また、英語文献でしか知り得ない情報も数多く与えられた。それらがカナダでの「杉原ビザ」受給者に関する私の調査・取材を大きく後押ししてくれた。

五年がたった二〇一七年、一月一日付「バンクーバー新報」新春特別号に、「カナダから見た杉原ビザ― バンクーバーに着いたユダヤ系避難民、あの時の状況」と題し、同月から始まる連載「太平洋を渡った杉原ビザ―カウナスからバンクーバーまで」の予告記事を書いた。連載は一月一九日号から始まり、同年一二月二一日号まで、隔週で二五回の記事となった。

本書はこれら二五本の記事を骨組みとしている。連載時には盛り込めなかった内容を追加。必要な訂正を施した。関連する情報や思い出話を紹介した。記事によっては、連載時のかなりの部分を、新たな取材内容に替えた。写真も増やした。実際に逃亡を経験した三人による未発表の手記を日本語に訳し本書に含めた。

もともと読み切りの連載記事であったため、第二次世界大戦勃発の経緯や経過、「杉原ビザ」受給者らがたどった旅程の説明が、繰り返しにならざるを得ない。しかし、その結果、「杉原ビザ」にまつわる場所や時間の流れが集約できたのではないかと考える。

内容の大部分は、第二次世界大戦中の一九四〇年、ナチス・ドイツとソ連の脅威から逃れようとする主にユダヤ系の避難民が、リトアニアのカウナスで杉原千畝領事代理から日本通過ビザを受給。それを手に、ソ連横断。日本を経由し、カナダ・米国・オーストラリアなどの国々へ至るまでの逃亡談。その後の生活再建の過程や子孫に関しても話は及ぶ。

日本を通過せず逃亡を果たした「杉原ビザ」受給者、在モスクワ日本大使館で渡航証明書の交付を受け、「杉原ビザ」受給者と同じルートで米国にたどり着いた家族、在京ポーランド大使館による同国避難民への救援、当時のカナダやオーストラリアでのユダヤ系避難民受け入れ方針、そしてカナダの東西ホロコースト関連施設の紹介は、連載時にも、また本書でも欠くことのできない記事である。

本書に収めたそれぞれの逃亡談に関しては、出発国と経由国は同じ。到着国もほぼ同じ。こう説明すると、みな同じ筋書きのようだが、実際にはそれぞれ異なる事情と背景がある。いずれにせよ、生死の岐路にあった人々の運命が、ビザや渡航証明書の受給でどのように変わったのか、現在の社会とどうつながっているのかを報告し記録に残すことが、本書の目的であり私の使命でもある。

時の流れは止めようもない。二〇一二年、取材を始めた頃、世界中を見渡しても、生存する「杉原ビザ」受給者の数は既に非常に限られていた。しかし幸いなことに、「杉原ビザ」や渡航証明書を受給した親に連れられ逃亡を経験した人々がカナダや米国に住んでいて、取材に応じてくれた。(本書登場順に)ノーミ・カプランさん、ナタン・ザルコウさん、テッド・カリスキさんと弟ステファンさん、アン・ネイベルトさん、ハリナ・カントーさん、ヘンリー・シュワルツさんの七人だ。また、オーストラリアに住むマリア・カムさんと弟マルセル・ベイランドさんの二人については主に親族や著作物から情報を得た。

これら九人の方々は、戦前、ポーランドかリトアニアで生まれた。うち八人は、逃亡当時、一〇歳未満から一〇代。マリア・カムさんは逃亡中に二〇歳になった。全員、私の取材時には七〇代後半から九〇代になっていた。

中には、家族や親戚と逃亡した道のりや途中の体験を、かなりの部分にわたり思い出す人がいた。一貫した話としては語れないが、子ども心にも記憶に残っている出来事・場所・大人たちの言葉や表情を思い出す人がいた。

共通する思い出を聞くこともあった。例えば、当時は家族で旅している理由を知らなかった。ソ連占領下ポーランドからリトアニアへの密入国は夜になるのを待って雪原を横断した。父親が何度かビリニュスからカウナスへ行った。シベリア鉄道に乗車中はどうしようもなく退屈だった。家族の荷物が没収されたり盗まれたりしたなど。

共通する喜び・驚き・興奮に関する話題もあった。例えば、離ればなれになっていた家族との再会。美術館のようだったモスクワ地下鉄駅の見学。シベリア鉄道の窓から見たバイカル湖の美しさ。久しぶりにテーブルについて味わった食事のおいしさ。このような感動も逃亡中の思い出として記憶にとどまっていることを知るにつけ、反対に両親をはじめ周囲の大人たちは、胸の内の不安や恐怖を子どもたちに悟られないよう努めていたのであろうと、苦労がしのばれた。

さらに、ウラジオストクから敦賀港に着いた時のほっとした気持ち、神戸で見た着物姿の女性、満開の桜など、断片的ながらも日本での思い出話を聞くと、中には年端もいかぬ子どもたちが、遠いヨーロッパから危険と隣り合わせながら、よくぞ日本まで渡ってきたものだと感じ入った。

取材した中には、戦前にポーランドで生まれたが、後に「杉原ビザ」受給者となる父親とは逃亡を共にせず、マイケル・デイレスさんのように戦中は同国内にとどまっていたり、イマニュエル・ブロベルマンさんのように兵役年齢にあったため戦地に身を置いていた人がいた。

両親と一緒に逃亡した子どもたちとの共通点は、やはり一〇歳前後から一〇代であったこと。違いは、戦中は家族と離ればなれになり、他人の家や修道院などを点々とし、かくまわれて暮らしたこと。あるいは、戦闘に巻き込まれ、耐えがたい恐怖を味わい、凄惨な場面を目の当たりにしたこと。こういった体験談を聞くことに取材の大部分の時間が割かれ、「杉原ビザ」受給者となった父親についての話が後回しになりがちだった。しかし、傾聴に値する実話には時間を忘れるほどであった。

もう一人、イザ・ラポンスさんも一〇代半ばだった。ワルシャワ・ゲットーで一緒にいた父親が計画してくれたおかげで、ゲットーから脱出できた。その後かくまってくれていた女性が戦後は養母となり、養母の結婚相手の親戚が住むバンクーバーに一緒に移住してきた。一九四〇年代後半から五〇年代、養父母や親戚が集うユダヤ系の人々の中に、戦中、日本を経由してカナダに来たポーランド人たちがいたことを覚えていた。「杉原ビザ」受給者を含むそれらの人々に関する情報を細かくまとめてくれ、まさに「インフォメーション・クィーン」として私の調査に多大な貢献をしてくれた。

「杉原ビザ」受給者がカナダなど最終目的国へ到着した後に生まれた子孫らの取材でも、しばしば予想を上回る量や期待以上の内容を聞くことができた。

子孫がビザ受給者である親から直接聞いた話の量は、家族によって違いがある。戦前の暮らしや戦中の逃亡談を、子どもたちが小さい頃から折に触れ話していた親もあれば、ほとんど話さなかった親もある。また、同じ家族内であっても親から聞いた話の濃淡に兄弟姉妹の中で違いがあることは珍しくなかった。個人の興味の有無もあるが、私の取材に限って言えば、長男・長女にあたる人々が話をより多く聞いている傾向があった。弟・妹にあたる人々からは、「その話は兄／姉がよく知っている」「それについて母は私にはほとんど語らなかった」という説明を聞くことがあった。

兄弟姉妹間でのこのような違いの理由にも、家族ごとの事情がある。要因の一つとして、家族に第二子やそれ以降の子が誕生する頃ともなると、家庭内でかつての「避難民」という雰囲気が薄らいでいるか、なくなったことを説明する家族がある。これは、新しい国での生活再建が軌道に乗り、相応の生活スタイルを築くようになったビザ受給者が多数いることからも分かる。年代的には、終戦から一〇年が経過した一九五〇年代半ばからそれ以降に生まれた子どもたちの興味は、「新しい世界」へと向かったことも挙げられた。

取材中、家族によっては情報が得にくい部分があったり、また、情報量が限られている家族があった。主な理由は、「杉原ビザ」受給者の逃亡がホロコーストを背景にして起こったことにある。戦前の家族のうち「杉原ビザ」受給者以外はほとんどが亡くなった、あるいは全滅したという人もいた。

戦中に行方が途切れた親族に話が及ぶと、目を伏せ寡黙になる人、窓の外を眺め涙を流す人もあり、子孫らにとっては語るにも辛い部分であることは十分に察せられた。

「杉原ビザ」にまつわり、親族の戦前の暮らし・家系図・逃亡経路の調査に余念がない子孫たちがいる。ホロコースト期間中、一族が世界各地に離散したため、他国に住む親戚と情報を交換し合い、一族の歴史を埋めようとする努力も見られる。

逃亡談を含めた回顧・自伝の出版は既にいくつかある。

ポーランドで戦前に親族が住んでいた場所や、リトアニアでの生活場所を訪ねた子孫が何組かある。これらの人々からは、親族のみならず自らのアイデンティティー探索となった旅の感動を伝え聞いている。

私自身、取材を進めながら、「杉原ビザ」発給当時の世界情勢や関係国の歴史に興味をもち、新しい知識に浸ることができた。

ビザ受給者についても、子孫との面談やEメール交信を重ねるうちに、それぞれの人となりを多少とも知ることができた。その特徴と提供された写真で見る面影とを重ね合わせると、最初はぼんやりとしていた像が、それぞれ個性をもった人物として描かれてくる。そこへ逃亡時の状況など周辺情報が加わると、町から町へ、国から国へ、影のようについて行ったような気がしてくる。

頭の中に置いた地図に東に向かって線が引かれ、その線が延びて最終目的地で止まると逃亡終了。すると、次の逃亡に付き合うためポーランドかリトアニアへ戻る。行ったり来たりを繰り返す。どのぐらいの距離になっただろうか。

取材を始めた当初から、「杉原ビザ」発見は関心の的の一つであった。

結論を言えば、会った家族の数だけ当のビザが発見されることはなかった。本書に収めた二五組で、現在までビザを手元に保存している家族は五組。（脚注で触れた家族やビザを別にする。）他に、ビザの写真だけ残っている家族と、ビザを保存していたことを覚えている家族がある。両家とも転居の際にビザ発給のパスポートが行方不明になった。家の中のどこかにあるはずとのこと。

「杉原ビザ」発見が容易でない理由は、それが作成された書類の性格など、いくつかの点から考えられる。しかし突き詰めると、まず受給者自身が、多分に彼らの命を救ったとも言えるビザが、通常の発給とは違い、日本政府からの訓令に反して発給されたものだとは露知らなかった。その上で、後年、そのビザを発給した杉原千畝に注目が集まるとは予想もしていなかったことが散逸の原因に大きく関係している。

ビザ発給のいきさつを知り、「そういうビザであったことを長い間知らなかった」「分かっていれば、大切にとっておいただろうに」とため息まじりに言う子孫らの言葉にはうなずくしかない。

ビザは発見されずとも受給者の子孫がいる。これこそ「杉原ビザ」が存在した証左。まさに「命のビザ」。こう言いながら互いに納得する。

取材進行中に寄せられた情報は「杉原ビザ」受給者に関することばかりではなかった。

二〇一二年四月、オンタリオ州オタワで、映画「命のビザ」（加藤剛・秋吉久美子主演）の上映会が催された。その会場に、「杉原ビザ」受給者が日本到着時、自国避難民の救援に陣頭指揮に立った在京ポーランド大使タデウシュ・ロメルの親族の来場があったとの情報が入った。

そこで、オタワ周辺とカナダ東部ケベック州を中心にインターネットや私の調査・取材協力者のネットワークを通しロメル家の連絡先を探した。

調査の中断もあったが、それらしき住所に一か八かで手紙を出したのは一四年四月下旬。数日後、手紙に書いた「ロメル大使のご息女ですか」という問いに、「そうです」との答えがEメールで返ってきた。しかし、それは映画上映会に来場した親族ではなく、ロメル大使の三人の息女のうちモントリオールに住む長女のテレサ・ロメルさんからだった。

二カ月後、テレサさんに会いにバンクーバーからモントリオールへ飛んだ。テレサさんの自宅を訪ねての取材では、一九四〇年・四一年、日本に続々と上陸したポーランド国籍避難民への対応に、同国大使館員が奮闘する様子を内側から見ていた一〇代半ばだったテレサさんの記憶をひもといてもらった。

また、ユダヤ系であろうとなかろうとポーランド国民であれば国民としての権利をもつというロメル大使の考え方、父ロメル大使・母ゾフィア・妹たちとの日本での生活、同国大使館と大使公邸が蜂須賀侯爵邸の敷地内にあったこと、テレサさんが東京で通っていた聖心女子学院や学友の思い出まで、細かい描写を加えながらの雄弁な語りには、午後の日がすっかり落ちて辺りが暗くなっているのにも気が付かないほどであった。

テレサさんを取材後、「カナダ・ポーランド系ユダヤ人文化遺産協会」モントリオール支部のメンバー五人との懇親会があった。そのうちの一人から、トロントに住む彼女の親戚が「杉原ビザ」受給者家族で、ビザを保存していると聞いた。

モントリオールからバンクーバーに戻った後、さっそくその親戚ハリナ・カントーさんに連絡をとり、ビザのデータをEメールで送ってもらうよう頼んだ。すると、写真を添付したメールが返ってきた。やや緊張しながらその写真をコンピューターの画面に広げると、目の前に現れたのは、「杉原ビザ」ではなく、一九四一年三月、在モスクワ日本大使館で交付された建川美次《たてかわよしつぐ》大使の署名がある渡航証明書だった。想定外の画像の出現に、しばたたいた目がしばらくは画面にくぎ付けになった。

この渡航証明書との出会いは意外だったが、戦中、日本に渡ってきたユダヤ系避難民は、「杉原ビザ」受給者だけではなかったことを再認識した。同時期、ヨーロッパの日本公館で発給された日本上陸許可の書類に関しては今後さらに調査・研究が進むことを期待している。

実際、米国のある家族から、「両親が日本上陸許可証をどこで手に入れたのか分からない」との問い合わせがあった。ポーランド国籍であったが、杉原が作成したビザ発給リストにその夫婦の名前はない。しかし、四一年、神戸ユダヤ協会が作成した避難民リストには二人の名前がある。何よりも、その夫婦が日本滞在中に得た外務省関連の団体からの会合招待状や、日本からカナダへ向かう氷川丸船上で撮った写真が残っている。

この夫婦の名前が「杉原リスト」になくとも、「杉原ビザ」受給者である可能性はある。しかし、諸方面からの調査にもかかわらず、謎の解明には至っていない。

「杉原ビザ」にまつわる話を、ホロコーストという大きな囲みの中で、どのように捉えるかを述べてくれたのは、モントリオール・ホロコースト博物館とバンクーバー・ホロコースト教育センター、それぞれのエグゼクティブ・ディレクターのアリス・ヘルシュコビチさん（現・同博物館コンサルタント）とニナ・クリーガーさんだ。

バンクーバー・ホロコースト教育センターの季刊誌『ZACHOR』二〇一四年秋号の記事中、「ユダヤ系カナダ人のおよそ四〇％は、ホロコーストの生存者か、彼らの直系子孫」との記述がある。この数字から、カナダにおけるホロコースト教育が多元的である理由が納得できる。

その恩恵を感じるのは、両館で目にする異なった民族からの来館者の姿だ。食い入るように展示を見つめ説明を読む人々に、多文化カナダにあって、ホロコーストの記憶を一民族だけにとどめず、広く伝えようとする両館の姿勢が反映される。また、民族・文化の違いを超え、ホロコーストという負の遺産を自らの生き方や考え方に投影する時間を与えてくれる場所だと印象付けられる。

モントリオール・ホロコースト博物館に保存されている八〇〇以上の証言録画中、二人の「杉原ビザ」受給者によるビデオが含まれていたことは幸いであった。

逃亡を果たした三人の執筆による未公開の手記を英語から日本語に翻訳する光栄に浴し、本書に収めることができたのはさらなる喜びだ。三家族の体験談には、他の家族にも起こった出来事の裏付けになるようなエピソードが詰まっている。

ミハウ・ネイベルトさんによる逃亡談は、妹のアンさんを取材中に提供があった。テーブルの上を、逃亡談のコピーが私の方へ滑るように押されてきた。

家族と一緒だったとはいえ、一一・一二歳の少年が、恐怖と不安に耐えながら、逃亡の果てにカナダに着いた時の喜びにあふれる様子には思わずほっとさせられる。

ハリナ・カントーさんの逃亡談では、ポーランド人のナチス・ドイツに対する感情、ソ連兵士に関する情報、逃亡を助けてくれる人々の様子などを、当時やはり一〇歳前後だった少女の目にどのように映っていたかがよく読み取れる。

ハリナの両親は、先述したように在モスクワ日本大使館で渡航証明書を取得し、「杉原ビザ」受給者ではなかったが、同じように「ブンド」のメンバーであった「杉原ビザ」受給者家族と交流があった。本書の中では独特な立ち位置にあった家族と言える。

一番長い逃亡談「ナチスが来る前に」は、戦中、三〇代前半だったアルトゥル・レルメルさんが、八〇代後半に書いたものだ。英語から日本語への翻訳作業を開始する前に、娘のジュディス・レルメル・クラウレイさんと私とで、レルメル家の逃亡経路を地図でたどり、史実と照らし合わせながら時系列に文章を並び替え、話の重複箇所を調整したりと、少々複雑な作業に取り組む必要があった。

アルトゥルも「ブンド」の活動家であったが、多くのブンディストにとって、西からのナチス・ドイツの軍靴の音も、東からのソ連共産主義の影も、すぐにでも逃げ出したい脅威であったことがよく分かる。

本書全体を見渡しても、「杉原ビザ」受給者の心情や逃亡動機に、ソ連からの影響ということをこれまでより重点を移して考える必要があると感じるのは私だけではないだろう。

また、レルメル家の敦賀上陸時や東京滞在中のエピソードには、これまで知られていなかった出来事や当時の世相の描写もあり興味深い。

日本でのユダヤ系避難民の受け入れや滞在延長などに貢献した小辻節三にも触れられている。戦後、小辻がモントリオールを訪問した際、アルトゥルが歓迎している記述には、個人を超え、ユダヤ人と小辻との友情が感じられ温かい。

先の逃亡談二つとも併せ、ユダヤ系避難民が「生」の希求のためには採らざるを得なかった選択を如実に語る逃亡談として貴重である。

本書に収めた全ての話の中で、登場する家族らが杉原千畝ならびに杉原家や日本に対して抱いている思いや感情を英語から日本語へ訳す際、過大・過小にならないようにと気を付けた。

また、杉原千畝や当時の諸状況に関して、家族らがもつ情報と、私が得ている情報とでは異なる場合があった。しかし、家族らの情報の書き換えはしなかった。日付や名称など明らかに訂正が必要な場合には臨機応変に、それ以外は脚注を利用した。

登場人物の名前や地名のカタカナ表記は、ポーランド語・リトアニア語・英語と、それぞれの原音に近いようにと心がけた。しかし、表記しにくいケースが多々あった。

名前の表記に関しては、正式名よりは本人や家族が好んで呼んだ「愛称」を用いたケースがあることも断っておく。

「杉原ビザ」受給者の子孫と連絡はとれたが、まだ取材を行っていない、あるいは取材が十分ではない数家族については、機会を改め発表の場があるようにと願っている。

おわりに

二〇一六年一一月、「バンクーバー新報」紙で掲載する連載「太平洋を渡った杉原ビザ」を企画した時から思っていたことがある。

「記事はいずれ一冊に」。この考えにバンクーバー新報社の津田佐江子社主は賛同してくれた。「バンクーバー新報」は、津田社主が一九七八年に創刊したカナダの週刊日本語新聞だ。その紙面で、連載初回は全段で、二回以降は二分の一頁で、隔週掲載と決定した。

二〇一七年一月、連載開始。回が進むにつれ記事は三分の二頁に。同年一二月、連載二五回で終了の頃には全段記事になっていた。この経過を気前よく見過ごしてくれていた編集スタッフには心の中で手を合わせていた。後日、津田社主から、「あの連載をやってよかった」と言ってもらえたことがうれしかった。

さかのぼって、二〇一二年、バンクーバー七家族のビデオ制作時には、バンクーバー新報社内で、ビデオ編集ソフトの備わったコンピューターの使用を許可してもらった。その時から今日まで、「杉原ビザ」受給者に関する私の調査・取材の取り組みに、津田社主は付かず離れず伴走してきてくださった。今回も本書出版のゴールまでありがとうございました。ご支援に深く感謝いたします。

ビデオ制作にあたり、撮影と編集に貢献してくれた服部節子さんとの出会いも幸いだった。ワーキング・ホリデー終了で日本へ帰国する前日まで、ビデオの完成目指して精力的に取り組んでくださったことを思い出す。あの時の頑張り、ありがとうございました。

取材に応じてくださった「杉原ビザ」受給者のご家族たち。「杉原ビザ」というキーワードがなければ、広いカナダで、あるいは地球の反対側の国で、知り合うことなどあっただろうか。

初めて会う私を躊躇《ちゅうちょ》なく家の中へと招き入れ、用意してくれていた古いアルバムや書類を繰りながら、覚えている限り、知っている限りを話してくれた。取材後には、昼食や夕食を共にすることもよくあった。ユダヤ系の食事を味わう機会もあり、場が盛り上がる。取材中には語られなかったエピソードが飛び出し話が弾む。

バンクーバー以外の地での取材には、宿泊を引き受けてくれ、滞在中の食事、車での送迎、観光へと、多々お世話になった。バンクーバーへ戻るため空港へ向かう私に、機内でと、サンドイッチやベーグル、野菜・果物が入った袋を渡してくれた。

最初に会ったのは家族のうち一人か二人だったのが、二度・三度と訪ねるうちに、他の家族も話に加わるようになる。Eメールには親戚や友人のEメール・アドレスが追加されてくる。

「杉原ビザ」の話はとうに終了し、今では、家族や親戚の集まり・バーベキューパーティー・夏のコテッジなどへの招待、映画・美術鑑賞・コンサート・桜の花見へ連れだってと、取材とは異なった局面へ進展した付き合いもある。「杉原ビザ」に宿る勇気・思いやりの精神への共感の連鎖には並々ならぬものがあると思い知らされる所以《ゆえん》だ。

本書上梓を大々的に喜び、あるいは静かに微笑み、祝ってくれる多くの人々の顔が目に浮かぶ。次のご家族たちだ。それぞれの家族名に複数の方々が含まれている。ご支援・ご声援、そして友情に心よりお礼申し上げます。

（本書登場順に）

ブルマン家、シュローダー家、カプラン家、ベイレス家、ファビアン家、レルメル家、レルメル・クラウレイ家、リード家、ザルコウ家、ロスーグレイマン家、ヘイマン家、デイレス家、ラポンス家、カリスキ家、ミフロブスキ家、ネイベルト家、ヘンリー家、カントー家、シュワルツ家、アルージ家、ロメル家、ボランスキ家、クラー家、ロゼンブルム家、ロザン家、ブロベルマン家、ティシュラー家、ペルカル家、ボームガーテン家、ロダル家、ヤクボビチ家、ベイランド家、カム家、ハースト家、ヘヒトコプフ家。

なんとも残念だったのは、本書出版前に、これらご家族の中から数人の訃報に接したことだ。面談中に撮った写真に、戦中の体験談を語ってくれた時の表情が残っている。聞いたお話、忘れませんよ。

モントリオール・ホロコースト博物館の前エグゼクティブ・ディレクターのアリス・ヘルシュコビチさんとコーディネーターのコルネリア・ストリックラーさん、バンクーバー・ホロコースト教育センターのエグゼクティブ・ディレクターのニナ・クリーガーさん。私の活動に声援を送ってくださることが心強い。いつもありがとうございます。

岐阜県八百津町との交流は、二〇一一年秋、同町の杉原千畝記念館に関連英語書籍を寄贈したことから始まる。産業課地域振興係長だった山田和実さんから、カナダに住む「杉原ビザ」受給者や子孫らから同記念館へメッセージを寄せてもらえないかとの依頼があった。

記念館を初めて訪れたのは翌一二年六月。その後、制作したバンクーバー七家族によるメッセージ・ビデオ贈呈などで八百津町を訪ねることさらに三回。二〇一九年五月、タウンプロモーション室長の古田功さんに、岐阜県内での本書出版の可能性を相談し実現に至った。

「杉原ビザ」受給者のその後を追跡し記録に残す取り組みのきっかけを作ってくださったお二人と、次にお名前を記す方々を含め、八百津町でお世話になった皆様に心からお礼申し上げます。

金子政則・町長、赤塚新吾・前町長、纐纈幸美・副町長、山内好仁・タウンプロモーション前室長、伊藤祐子・同室異文化交流アドバイザー、國枝大索・杉原千畝記念館館長、永田雅也・同前館長。

杉原千畝に関する調査・研究領域や団体の方々から多くのご教示・ご親交をいただいてきた。また、本書出版にあたって多方面からのご声援・ご協力に恵まれた。次にお名前を記す個人と団体からの方々を含め、お世話になった多くの皆様に厚くお礼申し上げます。

(個人・団体、それぞれ五十音順に)

アート・ミキ・全カナダ日系人協会元会長、井上脩・日本海地誌調査研究会元会長、イロナ・フルトシュテイン－グルダ・調査協力者、エヴァ・パワシュ＝ルトコフスカ・ワルシャワ大学教授、オルガ・バルバシェヴィチ・ヤギェロン大学教授、梶岡潤一・映画「杉原千畝を繋いだ命の物語 ユダヤ人と日本人　過去と未来」監督、菅野賢治・東京理科大学教授、北出明・フリーランス・

ライター、ゲアリー・カワグチ・日系文化会館理事長、迫本秀樹・「勇気の証言―ホロコースト展」実行委員会、佐藤知咲・調査協力者、白石仁章・外務省外交史料館課長補佐、田中千昌・調査ならびに編集協力者、ダンカン・マクラウド・バンクーバー海洋博物館学芸員、バーバラ・アブラハム・ジャーナリスト、古江孝治・人道の港調査研究所代表、松本正三・神戸市文書館元館長、林原行雄・立命館大学客員教授。

愛知県教育委員会　平松直巳・前教育長、稲垣宏恭・教育企画課長、宮田直幸・同課教育政策グループ前主査。
海外日系新聞放送協会　新実慎八・理事長、岡野護・事務局長。
杉原千畝命のビザ　杉原まどか・副理事長、杉原美智・顧問。
敦賀市観光部人道の港発信室　西川明徳・室長、畑中亜美・主事。
日本陶磁器意匠センター　櫻井健二郎・専務理事。
日本陶磁器産業振興協会　浦野幸敏・専務理事。
日本郵船歴史博物館　堀江誠・館長代理、脇屋伯英・前館長代理、小川友季・学芸員。

忘れてならないのは、私のプロジェクトを陰ながら支えてくれている「ランゲージ・グループ」のメンバー。英語での多大なる貢献者ネオミ・ボープレさんは、私の「杉原ビザ」受給者調査に最初から関わってくれ、この活動におけるよき相談相手でもある。ロシア語のアンナ・オレンチェンコさんと、ポーランド語のオルガ・キャンベルさんは、翻訳をはじめ私からの各種「お願い」にもいつも親切に応えてくれる。

イザ・ラポンスさんからは、ポーランド語のみならず戦中のポーランド社会や政治についても教えてもらった。皆さんありがとうございます。

「この話を多くの人々に伝えてほしい」。こう言うビザ受給者ご家族たちの願いを込めて送り込んだ企画書は、幸い撃ち落とされず、両手のひらで受け止めていただけた。

本書出版を快くお引き受けくださった岐阜新聞情報センターの山本耕・前代表取締役社長と浦田直人・同センター出版室長のお二方に心よりお礼申し上げます。

同出版室でのミーティング終了の頃、岐阜新聞の記者で、杉原千畝の足跡取材をされている堀尚人さんが飛び入り参加で歓談。ご同業のよしみを感じた。

編集でたいへんお世話になった平野順子さん。ビザ受給者ご家族らの思いが一冊にまとまってくるにつれ、「ワクワクする」とEメールで声かけ合っての作業。おかげさまで多くの写真位置決定とサイズ調整のチャレンジも乗り越え万歳。ありがとうございました。

日本に住む家族からの協力や励ましは何にも代えがたい。

カナダから日本帰省のたび、弟夫婦宅に世話になる。気ままな逗留を放任主義で引き受けてくれることに、ひたすら感謝。義理の妹は、私の日本到着までには、事前に送った書籍購入リストに沿って買い揃えておいてくれる。数多くの文献を手に入れることができ調査に役立った。

本の購入ということに関して、私の両親は常に寛容だった。

母は、一度に何冊でも、本であれば躊躇せず購入・予約してくれたものだ。「読む」習慣を身に付けることができ、それはいろいろな意味で幸せなことだと思う。

毎朝、新聞を丹念に読む母は、「杉原ビザ」受給者に関する私の記事も熱心に読んでくれた。連載記事の書籍化を応援してくれたことがたいへん励みになった。

父と本との思い出もたくさんある。その一つは、私が小学校六年生の時、父に連れられ大阪駅前の大手書店に行った時のことだ。父は、ある棚の前で立ち止まると、本の背に順番に目を移していった。探しあてた一冊の支払いに、その頃はまだ木造だった店内を父について歩いたことを覚えている。支払い後、私に渡されたのは『アンネの日記』だった。しかし、どういう内容の本かは全く知らず、新書版で文字が小さかったこともあり、すぐには読む気がしなかった。再び手に取ったのは中学生になってからだ。

後年、父の書庫を整理していると、日本での初版『光ほのかに──アンネの日記』が出てきた。古い本の粗い紙は、黄色く変色していた。

私にも読ませようと思ったのだろう。父から買い与えられた改訂・新装版『アンネの日記』は、何度か読み返し、今も手元にある。

居間のテーブルに書見台を置き、本を読む父の姿を思い出す。口数の多い人ではなかった。家族をほめる時も、たいがいは「よしっ」と言うだけ。

今は亡き父の写真の前に本書を置いて上梓を報告すれば、どこからかまた聞こえてきそうだ。「よしっ」と。

二〇二〇年一月　　高橋文

参考文献

本書筆者の執筆による関連記事

「バンクーバー新報」掲載

・新刊紹介　杉原千畝とバンクーバーのユダヤ人の記録 I HAVE MY MOTHER'S EYES: A Holocaust Memoir Across Generations
バーバラ・ルース・ブルマン著、２０１０年５月13日

・杉原千畝氏を讃え、「命のビザ」上映、２０１２年１月26日

・杉原ビザでバンクーバーまで逃げ延びたユダヤ人の記録　I HAVE MY MOTHER'S EYES
サバイバー子孫が日本国総領事館へ寄贈、２０１２年５月３日

・杉原ビザでカナダへ来たユダヤ人達の証言フィルム『チウネ・スギハラへのメッセージ』
バンクーバー・ホロコースト教育センターへ寄贈、２０１３年９月26日

・「命のビザ」受給、日本へ向かう船上で写真渡す　73年前のユダヤ人、身元判明、２０１４年５月８日

・在バンクーバー日本国総領事館開館１２５周年記念フォーラム『二つの歩み』日本外交と日系人の遺産
第５回『一九九〇年代までの戦後補償運動』、２０１４年12月４日

・杉原千畝の「命のビザ」でカナダへ　ユダヤ避難民の証言録画、バンクーバー海洋博物館へ寄贈、２０１５年１月８日

・バンクーバー海洋博物館展示会　オープニング・レセプション　見えざる糸　命の杉原ビザとバンクーバーまでの旅路、
２０１５年４月30日

・クリスタル・ナハト追悼式典　バンクーバー・ホロコースト教育センター主催　ＵＢＣ名誉教授ジョージ・ブルマン氏基調講演
深い暗闇にさした一条の光―杉原千畝と語り継がれるべきこと、２０１５年11月19日

・カナダから見た「杉原ビザ」―バンクーバーに着いたユダヤ系避難民、あの時の状況、２０１７年１月１日

・連載　太平洋を渡った杉原ビザ―カウナスからバンクーバーまで、2017年

1　立ちはだかる困難を乗り越えて―生き延びることを可能にしたビザ、1月19日
2　汽車に飛び乗った母―ギリギリに出たソ連出国許可、2月2日
3　戦禍の中、懸命に生きた父―写真で分かった神戸滞在、2月16日
4　別れて向かった国―オーストラリアへ、カナダへ、3月2日
5　バイタリティあふれた両親―乳児抱えて必死の逃亡、3月23日
6　感謝を胸に日本とビジネス―輸出入で成功、3月30日
7　偽造ビザに助けられた命―見逃してくれたソ連秘密警察、4月13日
8　家族再会を果たしたバンクーバー―グランビル通りのデイレス靴店、4月27日
9　それでも、「わが街、ワルシャワ」―バンクーバーの同郷たち、5月11日
10　雪の国境越え、白いコート着て―今も目に浮かぶあの時の光景、5月25日
11　ユダヤ系ではなかったビザ受給者―迫りくる脅威を前に逃亡、6月8日
12　奇跡のような展開で果たした逃亡―リトアニア密入国失敗、再挑戦、6月22日
13　肌身離さず持った「命のビザ」―テープで貼りつないだ身分証明書、7月6日
14　在ソ連大使館交付の「渡航証明書」―避難民を助けた外交官たち、7月20日
15　サーシャ、「ボン・ビバン」―証言するビザ受給時のこと、8月3日
16　いとこの絆―ヨーロッパに戻ったビザ受給者、8月17日
17　ロメル大使と避難民救済―在日ポーランド大使館員の奮闘、8月31日
18　あの時のビザ発給に感謝―パレスチナ目指して、9月14日
19　主義も逃走も共にした仲間―ビザ受給も連なって、9月28日
20　兄弟で店を構えたハルビン―千畝も暮らした街、10月12日
21　200の命をもたらしたビザ―使命は社会貢献、10月26日
22　ユダヤ系避難民に閉ざされたドア―冷たかったカナダ政府の対応、11月9日

23　旅路の果てに着いたオーストラリア ― 阻まれたカナダ渡航、11月23日
24　日本に入国したビザ受給者、入国しなかったビザ受給者 ― 杉原ビザで救われた命、12月7日
25　ホロコーストの記憶を残す、救命の勇気を讃える ― 杉原千畝について語るカナダの施設、12月21日

・「杉原千畝 Sempo Museum」完成　－東京－ バンクーバーに着いた「杉原ビザ」も展示、２０１９年5月2日

「福井新聞」掲載

・連載　千畝が救った子供たち ― カナダからの証言、２０１４年

1　「おかげで今がある」― 命のビザ受給者の子孫、3月13日
2　汽車飛び乗り敦賀へ ― ギリギリのビザ発給、3月20日
3　乳児抱え必死の逃亡 ― バイタリティーあふれた両親、3月27日
4　感謝胸に日本と商売 ― 実業家になった父、4月3日
5　命の重さ分け隔てず ― ユダヤ人以外にもビザ、4月10日

「杉原ビザ」受給者に関する情報源

● YAD VASHEM ARCHIVES, Record Group O.82, File Number21, Inventory Number11285.
「昭和一五年分　本邦通過査証発給表　在カウナス帝国領事館」

● JDC ARCHIVES　https://archives.jdc.org/our-collections/names-index/lists-in-the-names-index/
・Refugees Arriving in Japan and Receiving JDC Aid, 1941.
・Jewish Refugees Leaving Japan for Other Safe Havens, 1941.
・European Refugees Receiving JDC Aid in Japan, Including Information on Overseas Relatives, 1941.
・Yeshiva Students Receiving JDC Aid in Wartime Japan, 1941.

主要参考文献（脚注にウェブサイト・アドレスを記した情報源は省略）

外交史料館所蔵　外務省記録

・１９４０年9月13日付　内務省警保局長報告　外発乙第89号「欧州避難民に対する査証付与制限に関する件」
・１９４０年11月20日付　福井県作成　外秘第１７４７号「拾月分猶太避難民入国者表」
・１９４１年3月17日　外務本省発　電報第２８３号「欧州避難民の査証取扱手続設置の件」
・１９４１年3月21日　在ソ連大使館発　電報第３３４号
・１９４１年4月2日　在ソ連大使館発　電報第３８６号
・１９４１年4月18日付　兵庫県知事・坂千秋報告　外発秘第７６５号「避難猶太人一斉調査に関する件」
・１９４１年8月30日付　兵庫県知事・坂千秋報告　外発秘第１７５０号「避難猶太人退邦ニ関スル件」

単行本

・伊東孝之『世界現代史27　ポーランド現代史』山川出版社、１９８８年
・伊東孝之・井内敏夫・中井和夫編『新版世界各国史20　ポーランド・ウクライナ・バルト史』山川出版社、２０１５年
・エヴァ・パワシュ＝ルトコフスカ、アンジェイ・T・ロメル、柴理子訳『日本・ポーランド関係史』彩流社、２００９年
・同、吉上昭三・松本明　訳「第二次世界大戦と秘密諜報活動 ― ポーランドと日本の協力関係　コヴノ、ストックホルム、クルレヴィエッツ、ベルリン一九三九～一九四九」、『ポロニカ'94　第5号』ポロニカ編集室、１９９５年
・渡辺克義『岩波ブックレット シリーズ東欧現代史1　カチンの森とワルシャワ蜂起 ポーランドの歴史の見直し』岩波書店、１９９１年
・スタニスワフ・ミコワイチク、広瀬佳一・渡辺克義 訳『奪われた祖国ポーランド　ミコワイチク回顧録』中央公論新社、２００１年

・木村和男 編『新版世界各国史23 カナダ史』山川出版社、１９９９年
・ヴァレリー・ノールズ、細川道久 訳『世界歴史叢書 カナダ移民史 多民族社会の形成』明石書店、２０１４年
・日本カナダ学会 編『史料が語るカナダ』有斐閣、１９９７年
・中日新聞社会部 編『自由への逃走 杉原ビザとユダヤ人』東京新聞出版局、１９９５年
・ゾラフ・バルハフティク、滝川義人 訳『日本に来たユダヤ難民 ヒトラーの魔手を逃れて／約束の地への長い旅』原書房、２０１４年
・白石仁章『諜報の天才 杉原千畝』新潮社、２０１１年
・同『杉原千畝 情報に賭けた外交官』新潮社、２０１５年
・杉原幸子『六千人の命のビザ・新版』大正出版、１９９８年
・渡辺勝正『真相・杉原ビザ』大正出版、２０００年
・杉原幸子 監修、渡辺勝正 編著『決断・命のビザ』大正出版、２００１年
・北出明『命のビザ、遥かなる旅路 杉原千畝を陰で支えた日本人たち』交通新聞社、２０１２年
・山田純大『命のビザを繋いだ男 小辻節三とユダヤ難民』ＮＨＫ出版、２０１３年
・日本郵船株式会社『七十年史』、「第七章 日華事変下における当社経営航路」、１９５６年
・日本郵船歴史博物館『氷川丸ガイドブック』、２０１６年
・伊藤玄二郎『増補版 氷川丸ものがたり』かまくら春秋社、２０１６年
・神戸市（文書館）『神戸市史紀要 神戸の歴史』第26号、２０１７年
・小野寺百合子『バルト海のほとりにて 武官の妻の大東亜戦争』共同通信社、２００５年
・ソリー・ガノール、大谷堅志郎 訳『命のロウソク 日本人に救われたユダヤ人の手記』祥伝社、２００２年

・下斗米伸夫 編著『エリア・スタディーズ152〈ヒストリー〉ロシアの歴史を知るための50章』明石書店、2018年
・寿福滋 撮影『杉原千畝と命のビザ　シベリアを越えて』サンライズ出版、2007年

論文・限定書籍等

・白石仁章「研究ノート　〝杉原ヴィザ・リスト〟の謎を追って」、『外交史料館報』第23号、外務省外交史料館、2009年
・石田訓夫・白石仁章「調査研究　第二次世界大戦前夜における極東地域のユダヤ人と日本外交」、『外交史料館報』第26号
外務省外交史料館、2012年
・井上脩・古江孝治『人道の港　敦賀　命のビザで敦賀に上陸したユダヤ人難民足跡調査報告』日本海地誌調査研究会、2012年
・古江孝治「敦賀港におけるユダヤ避難民上陸事件に関する一考察」、『会誌』第13号、日本海地誌調査研究会、2015年
・菅野賢治「『福井新聞』に見る戦時期日本へのユダヤ難民到来　第一部　一九四〇年」、『ナマール』第22号
神戸・ユダヤ文化研究会、2018年
・同「『福井新聞』に見る戦時期日本へのユダヤ難民到来　第二部　一九四一年」、『ナマール』第23号
神戸・ユダヤ文化研究会、2018年
・同「ユダヤ難民と日本（一九四〇～四一年）　ヴェイラント＝ヤクボヴィチ家の足跡を辿りながら」、『紀要（教養編）』第50号
東京理科大学、2018年
・愛知県教育委員会『杉原千畝広場　センポ・スギハラ・メモリアル』、2018年
・グレーターバンクーバー日系カナダ市民協会人権委員会 編『日系カナダ人のための人権ガイド』2003年
・全カナダ日系人協会『裏切られた民主主義　補償問題のために』1989年
・ナショナル日系博物館・ヘリテージセンター「日系プレース」、2008年

主な英語文献

- Irving Abella and Harold Troper, *None Is Too Many: Canada and the Jews of Europe 1933-1948*, University of Toronto Press, 2012.
- Edited by L. Ruth Klein, *Nazi Germany, Canadian Responses: Confronting Antisemitism in the Shadow of War*, McGill-Queen's University Press, 2012.
- Edited by Ruth Klein and Frank Dimant, *From Immigration to Integration: The Canadian Jewish Experience: a Millennium Edition*, Institute for International Affairs, B'nai Brith Canada, 2001.
- Edited by Craig Brown, *The Illustrated History of Canada*, Key Porter Books, 2000.
- William Rayner, *Canada on the Doorstep: 1939*, Dundurn, 2011.

- *Flight and Rescue*, United States Holocaust Memorial Museum, 2001.
- Martin Gilbert, *Atlas of the Holocaust*, Michael Joseph, 1982.

- Halik Kochanski, *The Eagle Unbowed: Poland and the Poles in the Second World War*, Penguin Books, 2013.
- Irene Tomaszewski, Tecia Werbowski, *Żegota: The Council for Aid to Jews in Occupied Poland 1942-45*, Price-Patterson, 1999.
- Zorach Warhaftig, *Refugee and Survivor: Rescue Efforts during the Holocaust*, Yad Vashem, 1988.
- Edited by Martin Ira Glassner and Robert Krell, *And Life Is Changed Forever: Holocaust Childhoods Remembered*, Wayne State University Press, 2006.

- Ilya Altman, "The Issuance of Visas to War Refugees by Chiune Sugihara as Reflected in the Documents of Russian Archives" *DEEDS AND DAYS 67*, Vytauto Didžiojo Universitetas, 2017.
- Ewa Pałasz-Rutkowska, "The Polish Ambassador Tadeusz Romer – A Rescuer of Refugees in Tokyo" *DEEDS AND DAYS 67*, Vytauto Didžiojo Universitetas, 2017.
- Gao Bei, *Shanghai Sanctuary: Chinese and Japanese Policy toward European Jewish Refugees during World War II*, Oxford University Press, 2013.
- Andrew Jakubowicz "Stopped in flight: Shanghai and the Polish Jewish refugees of 1941"*Holocaust Studies*, 2017. https://tandfonline.com/doi/abs/10.1080/17504902.2017.1387845

- Barbara Ruth Bluman, *I Have My Mother's Eyes*, Ronsdale Press & Vancouver Holocaust Education Society, 2009.
- Abraham Brumberg, *Journeys through Vanishing Worlds*, Scarith Books, 2007.
- Rabbi Pinchas Hirschprung, *The Vale of Tears*, The Azrieli Foundation, 2016.
- William Kaplan, Shelley Tanaka, *One More Border: The True Story of One Family's Escape from War-Torn Europe*, Groundwood Books, 1998.
- Marcel Weyland, *The Boy on the Tricycle*, Brandl &Schlesinger, 2016.
- Marvin Tokayer, Mary Swartz, *The Fugu Plan: The Untold Story of the Japanese and the Jews During World War II*,Gefen Publishing House, 2004.
- Akira Kitade, *Visas of Life and the Epic Journey: How the Sugihara Survivors Reached Japan*, Chobunsha, 2014.

- Sara Ginaite-Rubinson, *Resistance and Survival: The Jewish Community in Kaunas 1941-1944*, Mosaic Press, 2015.
- Ellen Casseday, *We Are Here: Memories of the Lithuanian Holocaust*, University of Nebraska Press, 2012.
- Keith Morgan, Ruth Kron Sigal, *Ruta's Closet*, Shavl Publishing, 2011.
- Ilona Flutsztejn-Gruda, *When Grownups Play at War*, Sumach Press, 2005.
- Dana Fast, Yvona Fast, *My Nine Lives, A Memoire*, Polish-Jewish Heritage Foundation of Canada, 2011.
- Gustaw Kerszman, *If Perish We Must, Let It Be Together*, Polish-Jewish Heritage Foundation of Canada, 2014.
- Henia Reinhartz, *Bits and Pieces*, The Azrieli Foundation, 2007.
- Alex Levin, *Under the Yellow & Red Stars*, The Azrieli Foundation, 2012.
- Pinchas Gutter, *Memories in Focus*, The Azrieli Foundation, 2018.
- Steve Floris, *Escape from Pannonia: A Tale of Two Survivors*, Creative Connections Publishing, 2002.
- Walter W. Igersheimer, *Blatant Injustice: The Story of a Jewish refugee from Nazi Germany Imprisoned in Britain and Canada during World War II*, McGill-Queen's University Press, 2005.

- Graham Forst, "I Have My Mother's Eyes: A Holocaust Memoir Across Generations by Barbara Ruth Bluman" *ZACHOR*, Vancouver Holocaust Education Centre, Spring 2009.
- Sydney Switzer, "A Conversation with Sara Horowitz" *ZACHOR*, Fall 2014.
- Dodie Katzenstein, "A Ray of Light in the Depths of Darkness: Chiune Sugihara and His Legacy" *ZACHOR*, Fall 2015.
- Phillipa Friedland, "Open Hearts – Closed Doors Revisited" *ZACHOR*, Spring 2016.

- Richard Menkis and Ronnie Tessler, “Canada Responds to the Holocaust, 1944-45” *ZACHOR*, Fall 2016.
- Roy Miki, *Redress: Inside the Japanese Canadian Call for Justice*, Raincoast Books, 2004.
- John Endo Greenaway, Linda Kawamoto Reid, Fumiko Greenaway, *Departures : Chronicling the Expulsion of the Japanese Canadians from the West Coast 1942-1949*, Nikkei National Museum & Cultural Centre, 2017.
- Masako Fukawa, Stanley Fukawa, the Nikkei Fishermen’s History Book Committee, *Spirit of the Nikkei Fleet: BC’s Japanese Canadian Fishermen*, Harbour Publishing, 2009.
- Heritage Committee of Japanese Canadian Cultural Centre, *Just Add Shoyu: A culinary journey of Japanese Canadian cooking*, Japanese Canadian Cultural Centre, 2010.
- Roger Daniels, *Prisoners Without Trial: Japanese Americans in World War II*, Hill and Wang, 2004.

高橋 文

Takahashi Aya

大阪府出身。1978年、関西学院大学社会学部卒業。日本で印刷・出版会社に勤めた後、2000年9月、カナダ永住権を取得し在住。編集・翻訳業に従事するとともにフリーランス・ジャーナリストとして、日本とカナダの新聞・雑誌に主に文化・歴史領域の記事を執筆している。

バンクーバー新報

Vancouver Shinpo

1978年創刊。カナダ、ブリティッシュ・コロンビア州バンクーバー市で発行されている国内唯一の日本語新聞(週刊)。世界・日本・カナダ・地元のニュースを伝えるとともに、文化・医療・経済・求人情報や生活に役立つ情報を満載。日系コミュニティーの各種告知板としても親しまれている。

太平洋を渡った杉原ビザ

カウナスからバンクーバーまで

発 行 日 2020年3月4日

企画・編 バンクーバー新報

編　　著 高橋 文

発　　行 株式会社岐阜新聞社

編集・制作 岐阜新聞情報センター 出版室
〒500-8822 岐阜市今沢町12岐阜新聞社別館4階
電話058-264-1620(出版室直通)

カバーデザイン・装丁 株式会社リトルクリエイティブセンター

印 刷 所 岐阜新聞高速印刷株式会社

ISBN978-4-87797-282-0